LA GUERRE CHIMIQUE ET BIOLOGIQUE

DANIEL RICHE

LA GUERRE CHIMIQUE ET BIOLOGIQUE

Préface de Ricardo Frailé

PIERRE BELFOND
216, boulevard Saint-Germain
75007 Paris

Si vous souhaitez recevoir notre catalogue
et être tenu au courant de nos publications,
envoyez vos nom et adresse, en citant ce livre,
aux Éditions Pierre Belfond
216, boulevard Saint-Germain
75007 Paris

ISBN 2.7144.1518.0

SOMMAIRE :

PRÉFACE

Il importe que le public soit amplement informé du danger des armes biologiques et chimiques : une information accessible et sûre, abordant les aspects tant scientifiques que politiques, historiques, juridiques ou psychologiques. Le livre que nous propose Daniel Riche satisfait à ces exigences.

Une inquiétude croissante s'exprime quant aux risques de déclenchement de ce qui pourrait bien devenir une Troisième Guerre mondiale, limitée ou non. Cette préoccupation, suscitée par la multiplication et la sophistication effrénées des stocks d'armes, semble malheureusement tout à fait légitime. Avec Hiroshima et Nagasaki, l'arme nucléaire a traumatisé les consciences. Pour la seconde fois, une arme apparaissait dans toute sa cruauté. Exactement trente ans plus tôt, l'emploi des gaz avait également soulevé le voile de l'horreur. Il n'a certes pas fallu attendre notre siècle pour comprendre que la barbarie de la guerre ne s'embarrassait d'aucune restriction essentielle. Ce qu'apporte notre époque, et le perfectionnement exponentiel des techniques qui la caractérise, tient à la dimension de la destruction, voire l'anéantissement absolu, devenus possibles. A ce titre, les armes nucléaires retiennent l'attention. Aujourd'hui, l'opinion publique découvre qu'il existe d'autres procédés de guerre dont la nature accrédite les plus terrifiantes évocations.

Les armes biologiques et chimiques possèdent un pouvoir de destruction dont on a quelque peine à mesurer toute l'étendue. Parfois, les noms pourront sembler peu connus et empreints d'un certain exotisme. Que cela ne trompe pas. Daniel Riche laisse se profiler un éventail digne de l'Apocalypse, dont la réalité scientifique reste incontestable. Aucune description ne laisse incrédule. Que l'on songe à des maladies aussi anciennes que la peste qui réduisit la population de l'Europe d'au moins un tiers et qui ramena la moyenne de vie à dix-sept ans. Actuellement, le citoyen des sociétés occidentales peut se sentir en relative sécurité et reléguer ce genre de cataclysme à une autre époque. Cependant, convient-il de dire que cette assurance, pour bénéfique qu'elle soit, demeure extrêmement fragile ? Une épidémie de peste pulmonaire, par exemple, pourrait atteindre aujourd'hui jusqu'à 90 % de la population, avec un taux de mortalité de l'ordre de 60 à 70 %. De même, autre infection bactérienne, la maladie du charbon provoquerait un taux de mortalité avoisinant 80 %. Il semble toutefois inutile de songer à une agression mettant en œuvre de tels agents puisque, et Daniel Riche le précise, une maladie aussi bénigne que la variole provoquerait des ravages considérables. Cette même infection virale qui

11

décima de nombreuses tribus d'indigènes en Amérique reste actuellement, en l'absence de vaccination efficace, extrêmement dangereuse, y compris pour les Européens.

Le lecteur trouvera dans les explications fournies par ce livre la véritable dimension qu'il convient d'attribuer à la guerre biologique. L'auteur insiste, avec raison, sur les risques de développements futurs. En effet, la biologie n'est nullement à l'abri des mauvais usages qui transforment les sciences de la vie en sciences de la mort. La communauté scientifique a souhaité alerter les responsables politiques et l'opinion publique au sujet des dangers inhérents à l'ingénierie génétique, ce que l'on appelle communément les « manipulations génétiques ». Cette nouvelle technologie vise à « domestiquer » les microbes afin de les utiliser conformément à la déontologie, dans le domaine médical, agricole ou industriel. Non seulement le risque existe, suite à un accident, de voir sortir du laboratoire des microbes contre lesquels aucun moyen de lutte ne serait opérant, mais encore, n'y a-t-il pas une nouvelle voie qui s'ouvre pour ceux qui nourrissent d'éventuels projets belliqueux ? Le principal inconvénient de l'arme biologique, sans importance pour un agresseur déterminé et éloigné, tient à la difficile maîtrise des effets. Propager une maladie se révélerait une entreprise finalement assez simple. Beaucoup plus compliqués et incertains se révèlent les calculs pour limiter la propagation de l'infection. Avec les progrès dans le domaine du génie génétique, un tel obstacle disparaît. Désormais, il devient possible de modifier la fiche signalétique de cellules pathogènes ou, par la programmation de leur métabolisme, d'en circonscrire la dissémination à l'intérieur d'une zone soigneusement choisie. Les ultimes verrous qui pouvaient inciter à ne pas recourir à de tels agents s'évanouissent et toute latitude est laissée aux plus sombres desseins.

S'agissant de la guerre chimique, comment ne pas être impressionné par l'accumulation d'armes dont les perfectionnements autorisent les plus vives craintes. Si les uniques gaz disponibles qui furent utilisés pendant la Première Guerre mondiale provoquèrent l'effroi devant les cadavres verts, l'arsenal chimique permet, à présent, de franchir le seuil de létalité ou d'agir nettement en deçà. Par la diversité des armes chimiques existantes, les belligérants disposent de possibilités d'action considérables. Il ne faut pas, néanmoins, se laisser abuser par des qualifications qui ne correspondent pas toujours à la réalité des situations. Certains agents, tels les simples irritants ou les phytotoxiques, sont employés en période de guerre à des doses et dans des conditions qui ôtent tout sens à une quelconque comparaison avec l'usage civil. L'expérience montre à quel point de telles substances subissent une véritable transmutation exogène tant leurs effets sont meurtriers, aussi bien pour l'homme que pour l'écosystème. Dans le haut de la gamme, plus aucune confusion ou incertitude n'a sa place. Les recherches militaires se fixent pour objectif d'accroître sans cesse un degré de toxicité déjà fort élevé. Ainsi, une minuscule gouttelette, parfaitement invisible, du plus puissant des agents neurotoxiques modernes provoque la mort très rapidement, par simple contact. Un usage massif de ces agents aurait, comme le laisse penser Daniel Riche, des effets catastrophiques sans précédent. Cependant, au sein de l'arsenal chimique, ce sont sûrement les toxines qui défraient le plus l'imagination. Ces substances produites par un organisme vivant ont l'avantage de ne pas se reproduire d'elles-mêmes, ce qui évite tout risque de contagion. Elles constituent un danger qui, pendant longtemps, fut sous-estimé et que le déroulement de certains conflits rend d'actualité. Que l'on songe seulement que vingt à trente grammes de toxine botulique suffiraient à tuer soixante millions d'individus, soit toute la population française, et que le contenu d'une mallette serait suffisant pour anéantir l'humanité si elle était rassemblée.

Au fil des pages de ce livre, le lecteur percevra le réel danger de la guerre biologique et chimique. Que penser de la probabilité de voir ces armes passer un jour du laboratoire au champ de bataille ? Cette question bien légitime que chacun peut se poser appelle des réponses nuancées mais sans équivoque. Il convient d'abord de préciser que les armes biologiques et chimiques ont déjà, à diverses époques, été employées. C'est à l'étude de ces dossiers que Daniel Riche s'est attaché, faisant preuve d'un souci d'impartialité qui se doit d'être souligné. Il ne s'agit aucunement de se livrer à des procès hâtifs ou de formuler des conclusions insuffisamment étayées, mais d'examiner s'il existe des indices péremptoires ou des éléments qui paraissent sérieux pour motiver un acte d'accusation. Le public trouvera donc une analyse convaincante des différentes allégations d'emploi d'armes biologiques ou chimiques durant de nombreux conflits : Italie-Éthiopie, Corée, Yémen, Vietnam, pour n'en citer que quelques-uns. Il faut tout particulièrement signaler l'effort accompli par l'auteur pour traiter des allégations actuelles d'usage de gaz toxiques et de toxines dans certaines régions d'Afghanistan et du Sud-Est asiatique. Il n'est certes guère aisé d'évaluer la réalité des faits dans une affaire qui connaît une constante évolution. Nous ne pouvons que souscrire aux conclusions de l'auteur : jugement prudent qui n'estompe pas la gravité des accusations. Quel serait le sort réservé aux armes biologiques et chimiques si un conflit d'envergure venait à éclater en Europe ? Chacun peut, bien sûr, contester ou non la possibilité d'une nouvelle guerre sur le sol européen. Notre intention n'est pas, en ces quelques lignes de présentation, d'ouvrir un débat fort complexe. Cependant, si le déclenchement d'hostilités, dans lesquelles la France serait inévitablement impliquée, peut être évité, il n'en demeure pas moins que les choix effectués en matière d'armement ne peuvent dissiper les craintes. L'orientation des programmes militaires vers la constitution de forces aptes à mener une guerre voulue « limitée » ne renforce pas nécessairement la dissuasion. En devenant « possible », la guerre n'en devient-elle pas chaque fois un peu plus probable ? Les nouveaux programmes d'armement chimique s'inscrivent pleinement dans cette perspective. Il y a plus de cinquante ans, les plénipotentiaires réunis à Genève dénonçaient les importants préparatifs d'armement chimique effectués par les grandes puissances au prix d'expériences répétées et d'énormes investissements financiers. Aujourd'hui, les efforts de recherche, de mise au point et de développement d'armes chimiques ne font que s'accroître. Les stocks possédés sont déjà considérables, compte tenu de la très haute toxicité des agents : environ 150 000 tonnes pour les États-Unis et probablement plus de 300 000 pour l'Union soviétique. La différence dans la quantité des stocks ne doit pas inciter à penser que l'Union soviétique détient une capacité globale de guerre chimique d'une supériorité aussi écrasante. Précisons que les données concernant l'URSS font gravement défaut et que seules des évaluations très approximatives sont possibles. Malgré ces difficultés, Daniel Riche a su amasser une documentation très pertinente. De même, le lecteur trouvera une étude du nouveau programme américain d'armes chimiques qui retiendra sûrement son attention. Depuis plusieurs années, les recherches se poursuivaient afin de mettre au point le système qualifié de « binaire ». Deux agents relativement inoffensifs, stockés séparément sans aucun risque, sont réunis dans une munition qui libérera lors de l'explosion un mélange hautement mortel. Ces nouveaux progrès permettent des manipulations sans danger, ôtent tout caractère alarmant aux fuites éventuelles et n'obligent à remplacer qu'un seul des agents au cas où un autre plus efficace serait découvert.

L'intérêt porté aux agents chimiques et biologiques répond à une nécessité que les stratèges ont rapidement dégagée. La conquête de ruines apparaissant comme un non-sens, il fallait que la guerre devienne rentable, que la valeur économique des territoires libérés soit préservée. Les armes nucléaires, y compris tactiques, ne satisfont guère à ce vœu. Avec l'arme chimique et biologique, l'agresseur dispose d'un moyen de combat qui ne s'attaque qu'à la matière vivante (hommes, animaux, plantes…), le matériel demeurant intact. La population d'une ville serait décimée sans qu'aucune maison ne tombe. En toute logique, la destruction d'un centre urbain important, quelle que soit l'arme employée, risque de faire sortir le conflit des limites que l'on souhaitait lui fixer. Il serait difficile pour un agresseur de transformer une capitale d'Europe en un véritable cimetière, sans s'exposer à des représailles; chemin le plus sûr vers la conflagration absolue. Cependant, le réseau urbain de l'Europe centrale est tel qu'il paraît difficile de ne pas aboutir à ce résultat. Le Pr Carl-Goran Hedén, microbiologiste suédois, avertissait les grandes puissances qu'elles « s'aventureraient grandement en comptant sur la sportivité de leurs adversaires en ce qui concerne les armes biologiques ». Quoi de plus facile pour un ennemi que de perpétrer une opération de sabotage à l'aide d'agents infectieux ou de toxines ? A la suite d'une série d'expériences, que Daniel Riche décrit avec précision, les gouvernements se sont inquiétés des conséquences d'une agression biologique. Les experts militaires des États-Unis ont fait savoir aux autorités politiques de leur pays qu'une guerre biologique coûterait la vie à des dizaines de millions d'Américains, aucune mesure efficace ne pouvant être prise. Il serait même très probablement *impossible de déterminer si l'infection résulte d'activités d'un ennemi extérieur ou de groupes terroristes nationaux.*

La guerre biologique et chimique risque fort de viser en premier lieu, voire exclusivement, la population civile. Bien que les règles du droit de la guerre prévoient la protection de la population civile, elle ne cessera de représenter une des cibles privilégiées des belligérants, ce que l'expérience ne peut, malheureusement, que confirmer : lors de la Première Guerre mondiale il y avait 13 % de civils parmi les morts; dans le Second Conflit mondial cette proportion s'élève à 70 %; dans la guerre de Corée puis du Vietnam elle atteint 80 %. Si, en temps de paix, la distinction est vite établie entre les civils et les militaires, il n'en va pas de même en période de guerre. D'une part, une fraction de la population participerait aux combats, formant des îlots de résistance difficilement localisables; d'autre part, ne serait-ce qu'en raison de l'appui matériel ou moral fourni aux combattants, la population risque d'être abusivement considérée comme participant aux hostilités. Il y a un peu plus de quinze années, les spécialistes américains de l'Institut d'analyses pour la Défense affirmèrent que le meilleur moyen d'ébranler la capacité de guerre d'une nation belligérante était de s'attaquer au mode de vie physiologique et psychologique de sa population. Les agents biologiques et chimiques furent considérés comme répondant à cette exigence.

L'emploi d'armes chimiques et les effets qui en résulteraient ont été examinés à diverses reprises. Ces évaluations, peu diffusées jusqu'à présent, méritent d'être connues de l'opinion publique. En ce qui concerne les agents biologiques, les prévisions sont infiniment plus incertaines et secrètes. Certains documents militaires enseignent, cependant, de quelle façon l'arme biologique pourrait accompagner les armes chimiques, nucléaires ou les explosifs puissants. La plus grande vulnérabilité due aux blessures, au mauvais approvisionnement en eau et en nourriture, à la perturbation des services sanitaires, conférerait aux agents biologiques une efficacité optimale.

L'aspect sans doute le plus méconnu, et sur lequel insiste Daniel Riche, tient aux conséquences psychosociales de l'emploi de ce type d'arme. La dissémination d'agents infectieux créerait une situation redoutable dont l'incidence stratégique serait déterminante. La modification des objectifs politiques, des priorités économiques et sociales s'imposerait. Tous les efforts s'orienteraient vers le soin des victimes et la non-propagation de la maladie. La panique compliquerait considérablement toutes les tâches, notamment celles des services médicaux, qui seraient rapidement débordés. Des mesures à caractère exceptionnel, incluant des pouvoirs de contrôle exorbitants, devraient être mis en place. Non seulement la guerre biologique serait dévastatrice et déstabilisatrice, mais la simple menace d'une agression de ce genre déclencherait des réactions tout aussi insaisissables.

Il faut également reconnaître au livre de Daniel Riche le mérite d'aborder la difficile question des solutions que la communauté internationale tente d'apporter au problème des armes biologiques et chimiques. Le débat juridique paraît bien souvent hermétique au public, qui le juge d'un intérêt très secondaire. Pourtant, et la somme d'informations qui se trouvent dans les pages de cet ouvrage l'attestent, il convient de trouver un remède à la dynamique qui prévaut actuellement. Un traité qui date de 1925 interdit d'employer les armes biologiques et chimiques. Sans doute, le peu de confiance dont bénéficient généralement les accords juridiques ne permet pas au lecteur d'être suffisamment rassuré. Un tel sentiment se doit d'être nuancé car nous savons combien sont précieuses les règles humanitaires, malgré leurs imperfections. Le droit de la guerre tente, en effet, de réaliser un espoir : que les hommes en temps d'hostilités se fassent le moins de mal possible. C'est partiellement grâce à l'interdiction d'emploi que les armes biologiques et chimiques ne sont pas sorties des arsenaux pendant la Seconde Guerre mondiale, évitant au monde une tragédie supplémentaire. La force de cette prohibition réside, sans nul doute, dans l'horreur et la réprobation universelle qui entourent semblables procédés.

L'autre action destinée à dissiper la menace de guerre biologique et chimique consiste à priver les nations de telles armes. Projet ambitieux certes, mais qui a connu une première ébauche, puisque les États ont conclu une convention internationale, en 1972, qui interdit toute fabrication d'arme biologique ou à toxines et qui exige la destruction des stocks. Il s'agit d'une mesure historique sur le plan international, la première du genre. A juste titre, Daniel Riche examine les accusations selon lesquelles ce traité aurait été violé, lorsque, en 1979, éclata cette mystérieuse épidémie à Sverdlovsk, faisant de nombreux morts. Les négociations concernant les armes chimiques, engagées depuis près de dix ans, n'ont donné jusqu'à présent aucun résultat. L'opération est fort délicate. Qu'il s'agisse de définir les armes à interdire ou de déterminer les procédés de contrôle qui garantiront l'application des engagements, les points de divergences entre les États-Unis et l'Union soviétique ne manquent pas. Surtout, comment accorder un grand crédit aux initiatives alors que les États affichent leur intention de désarmer au moment même où, nationalement, ils s'engagent dans une course aux armes chimiques sans précédent.

L'issue ne doit cependant laisser aucune illusion. Si les nations continuent d'accumuler des agents de plus en plus toxiques, c'est toute l'entreprise du désarmement chimique et biologique qui se trouvera discréditée. Malgré les interdits juridiques, ces types d'armes connaîtront une imperceptible et progressive réhabilitation que nul ne peut ignorer. Souhaitons que le bon sens l'emporte et affranchisse la communauté mondiale d'une menace aussi terrifiante que superflue, dont le livre de Daniel Riche rend pleinement compte.

Ricardo FRAILÉ
Secrétaire général du Centre d'Études et de Recherche
sur le Désarmement, Université de Paris I

REMERCIEMENTS

Un tel livre ne peut être l'œuvre d'un seul auteur. C'est pourquoi je tiens à remercier ici pour l'aide qu'ils ont bien voulu m'apporter, sous forme d'entretiens ou de documentation, tous ceux qui ont contribué à sa préparation, et notamment le Pr Jean Boyer de l'Académie de Médecine; M. Daniel Delatre, ingénieur en chef adjoint à la RATP; M. Dubois, responsable des relations extérieures à la RATP; M. Jacques Flahaut, chef de la division études environnement de la RATP; Frédéric Lepage, journaliste à TF1; M. Gino Levi, responsable du service de presse de l'Organisation mondiale de la Santé; M. Etienne Malet, chargé de mission auprès de la Direction générale de la Compagnie générale des Eaux; Odile Mauser, de la Société générale de Presse; M. Jean Paucot, directeur de l'Institut français de Polémologie, et le bureau « instruction » de l'État-Major de l'Armée de Terre, ainsi que tous ceux, chercheurs civils et militaires, fonctionnaires et officiers que des travaux en cours ou une obligation de réserve inhérente à leur fonction contraignent à l'anonymat.

Je tiens également à exprimer tout spécialement ma gratitude à Ricardo Frailé dont la gentillesse, la patience et la compétence m'auront été de précieux auxiliaires tout au long de la rédaction de cet ouvrage.

LE SCÉNARIO DU PREMIER MAI

« Quant à la guerre des gaz et à la guerre chimique sous toutes leurs formes, on n'a jusqu'ici écrit que le premier chapitre de ce livre terrible. Assurément, chacun de ces nouveaux moyens de destruction est à l'étude des deux côtés du Rhin avec toute la science et toute la patience dont l'homme est capable. Et pourquoi supposer que ces recherches seront limitées à la chimie inorganique ? L'étude des maladies, de tous les fléaux qu'on peut méthodiquement préparer et délibérément lancer sur l'homme et les animaux, se poursuit certainement dans les laboratoires de plus d'une grande puissance. La destruction des récoltes par des parasites, des chevaux et du bétail par le charbon, d'armées et même de populations entières par des épidémies, tels sont les projets conçus sans remords par la science militaire. »

Sir Winston S. Churchill, 1925,
cité par lui-même in
L'orage approche, t. 1, Plon, Paris, 1948

Paris, le 1ᵉʳ mai 198 . Le temps est doux et le ciel dégagé. A en croire les services de la météorologie nationale, la température va s'élever progressivement et atteindre 18° aux environs de midi. Le matin, sur les trottoirs ou à la terrasse des cafés, on voit paraître les premières tenues estivales. Le temps est à la fête. La ville affiche des airs de bonne humeur.

Pourtant, gare de l'Est, un homme d'une trentaine d'années est pris d'un malaise au moment où il s'apprête à acheter un journal dans un kiosque. Il porte une main à son front et, de l'autre, s'appuie en tremblant sur une pile de magazines.

— Ça ne va pas ? demande la marchande de journaux.

19

— Pas... pas très bien, non. Je crois que je ferais mieux de rentrer chez moi.

L'homme attend un instant, puis se redresse et s'éloigne en chancelant pour se perdre dans la foule.

— Je ne sais pas ce qu'ils ont, ce matin, commente la marchande à l'adresse d'autres clients. Ça fait le troisième à qui ça arrive. Y'en a même un qui est tombé par terre et qu'il a fallu transporter...

— Tiens, reprend une dame, tout à l'heure, en allant prendre mon train, à Gagny, j'ai croisé une voisine qui m'a dit qu'elle rentrait chez elle parce qu'elle ne se sentait pas en forme. Et sur le quai il y avait un monsieur qui grelottait. Comme en hiver. Par ce temps, ça m'a étonnée...

Des scènes semblables se déroulent depuis l'aube en plusieurs points de la région parisienne. Des gens qui, la veille, ne se sentaient pas très bien sont allés se coucher, la tête lourde et le corps parcouru de frissons. Les plus courageux — ou les moins atteints — ont tout de même tenu à sortir pour profiter du beau temps, prendre part au défilé ou se rendre chez des parents, des amis... Beaucoup ont dû rebrousser chemin, vaincus par la fièvre et la fatigue. D'autres n'ont même pas eu le choix : ils ont dû rester chez eux.

On avait absorbé une grande quantité d'aspirine le 30 avril au soir, mais cela n'avait pas empêché quelques milliers d'hommes et de femmes de se sentir fébriles et de passer une nuit agitée. Ceux qui avaient trouvé la force de se traîner jusqu'à l'armoire à pharmacie pour y prendre un thermomètre se sont aperçus qu'ils avaient entre 39° et 40° de fièvre !

Dans le courant de la nuit, de nombreux appels ont cependant commencé à retentir chez tout ce que la ville et sa banlieue comptent de généralistes. Le matin, cela continue de plus belle mais, en ce jour chômé, ils se heurtent souvent à des répondeurs qui les orientent vers des médecins de garde. De partout, on les appelle pour leur décrire les mêmes symptômes : fièvre, douleurs abdominales et dorsales, vertiges, maux de tête, fatigue. Dans la plupart des cas, on diagnostique une grippe, mais il s'agit très certainement d'une souche nouvelle particulièrement virulente pour frapper avec autant d'ampleur.

En fin de matinée, quelques malades sont hospitalisés pour être mis en observation et l'on s'efforce d'isoler le virus dans l'espoir de confectionner un vaccin.

Les chercheurs sont pris au dépourvu. La grippe au printemps ! La chose est possible, certes, mais inattendue, et le phénomène se révèle d'autant plus surprenant qu'il semble s'être manifesté spontanément, sans signes annonciateurs. Plus curieux encore : en début d'après-midi, on apprend que Paris n'est pas la seule zone touchée. De Lyon à Saint-Etienne, de Marseille à Valenciennes, toutes les villes françaises de quelque importance se sont réveillées grippées. Il paraît impossible qu'une épidémie, quelle que soit son ampleur, frappe simultanément à autant d'endroits. Pourtant, les faits sont là qui plongent dans la perplexité tous les spécialistes.

Le 1er au soir, plusieurs dizaines de milliers de Français s'endorment vaincus par la fièvre sans avoir compris ce qui leur arrive.

Le lendemain, le taux d'absentéisme dans les entreprises est l'un des plus élevés que la France ait jamais connu. Plus personne n'ignore l'existence de l'épidémie, ni son importance. Reléguant en bas de page leurs commentaires sur les défilés de la veille, les journaux s'emparent de l'événement. « Le fléau », titre *France-Soir* sur cinq colonnes en première page tandis que *Le Monde*, plus sobre, annonce en capitales : « Une épidémie de grippe déferle sur le pays » et que *Libération* ironise sur les « Manifestations grippées » de la veille. Là aussi, l'absentéisme a frappé et l'on a vu des militants s'écrouler en plein défilé.

Dans la nuit du 2 au 3, une catastrophe se produit à Roissy qui ne fait qu'accroître l'inquiétude naissante dans le pays. On présume que, peu avant l'atterrissage, le pilote du Boeing 727, pris d'un malaise, a lâché les commandes de son appareil qui est venu s'écraser sur l'autoroute passant à proximité des pistes. Bilan (provisoire) : 160 morts.

Le 3 mai, quelques bagarres éclatent aux abords des différents centres de soin des grandes villes. Pharmacies, cliniques, hôpitaux sont pris d'assaut. Ceux que la maladie a jusqu'alors épargnés veulent se faire vacciner à tout prix. On est maintenant certain d'avoir affaire à un virus mutant contre lequel les moyens habituels ne peuvent rien. Il s'en faut de peu pour que l'impatience se transforme en panique. On exige la mise au point immédiate d'un vaccin efficace... Et chaque heure qui s'écoule voit croître le nombre des malades.

L'activité sociale commence à être sérieusement perturbée. On parle de fermer des écoles, des usines. Des citadins se mettent à plier bagages pour gagner la campagne. Certains veulent se réfugier à l'étranger mais l'épidémie, déjà, s'est étendue aux pays voisins. Bruxelles est grippée, comme Lausanne, Genève et Munich. On menace de fermer les frontières car la France, frappée en premier, passe pour le berceau du virus, et cela ne fait qu'accroître le sentiment d'oppression de l'ensemble du pays.

Le 4 au matin, le président du Sénat est convoqué d'urgence à l'Elysée. Charles Tourier, un opposant, vieux routier de la politique, à quelques années de la retraite, ne s'attendait plus à exercer un jour les fonctions de président intérimaire prévues par l'article 7 de la Constitution. Mais, en répondant à la convocation qu'il vient de recevoir, il sait ce qui l'attend. Le président Jean-Louis Dauroy est malade et c'est lui qui va devoir le remplacer jusqu'à sa guérison.

A 6 h 12, il pénètre au Palais de l'Elysée et il est immédiatement conduit dans la chambre présidentielle. Autour du lit sont réunis quelques ministres et secrétaires d'État, mais le chef du Gouvernement n'est pas là. La grippe l'a touché, lui aussi, et on le dit atteint d'une si forte fièvre que c'est à peine s'il a réagi lorsqu'on lui a annoncé que le président Dauroy était malade.

Charles Tourier s'approche du lit où gît celui qu'il va devoir remplacer. Son médecin personnel est à ses côtés, l'air accablé. En apercevant le Président du Sénat, il se lève et va à sa rencontre. « Il dort, lui glisse-t-il à voix basse. Il a près de 40° de fièvre. Il s'est mis à délirer il y a une heure. Tout cela est arrivé si brusquement... C'est à n'y rien comprendre. »

Le président intérimaire hoche la tête puis, s'adressant aux ministres : « Messieurs, il est de mon devoir de convoquer immédiatement un conseil extraordinaire. Cette épidémie a pris, en quelques jours, une telle importance que nous devons nous considérer en situation de crise. »

Le ministre de l'Intérieur fait partie de ceux que la grippe a épargnés. Responsable de l'ordre public, de la protection matérielle et morale des personnes et de la sauvegarde des installations et ressources d'intérêt général, il peut, en temps de crise, imposer aux personnes « diverses sujétions ». Son rôle revêt une importance capitale, comme celui du ministre de la Santé à qui incombe la responsabilité de préparer et d'appliquer les mesures de défense intéressant la population civile.

Des troubles ont éclaté, depuis la veille, sur l'ensemble du territoire. Le ministre de l'Intérieur décide de faire appel aux militaires et, en particulier, à la gendarmerie dont les effectifs devraient permettre de renforcer ceux des différents corps de la police nationale. Cette initiative se révèle d'autant plus nécessaire que beaucoup de policiers sont malades et que certains, gagnés par la panique, se sont joints aux émeutiers. Mais le concours de l'armée risque de ne pas suffire. Le nombre des malades se chiffre par centaines de milliers à Paris et par dizaines de milliers dans la plupart des autres villes. On ne déplore encore aucun décès, sauf pour des raisons indirectement liées à l'épidémie, comme à Roissy, mais on a peur. De la maladie. De la mort.

La grippe tue, on le sait. Et chacun de citer en exemple la grande pandémie de 1918-1919 qui fit vingt millions de morts dans le monde. Plus que la Première Guerre mondiale.

La peur engendre des comportements irrationnels. Les gens se fuient les uns les autres, comme des pestiférés. Des malades sont abandonnés à leur sort par leur famille ou leurs amis. Des individus, armés de fusils ou de pistolets, tirent sur quiconque s'approche d'eux.

En fin de matinée, le gouvernement adresse à tous les organes de presse un communiqué assorti d'un bref commentaire se voulant rassurant. On promet un vaccin pour les jours qui viennent et l'on demande à la population de garder son calme. Mais cet appel est sans effet. Dans la soirée, on se bat aux frontières. La Belgique, la Suisse, l'Allemagne, l'Italie, l'Espagne se ferment sur elles-mêmes.

Dans cette atmosphère de violence et de tension, une rumeur a pris corps et se propage plus vite que la maladie : et si cette grippe n'était pas d'origine naturelle ? S'il s'agissait d'un coup des Russes ou des Chinois ?

Voilà qui expliquerait bien des choses, à commencer par la soudaineté du fléau et son ampleur...

Cette rumeur ne paraît pas dépourvue de fondements. Dans les états-majors scientifiques et militaires, on s'interroge depuis deux jours sur l'éventualité d'une agression de cette nature. Les armes biologiques ne sont pas des armes comme les autres. Elles peuvent être mises en place discrètement par des équipes de saboteurs expérimentés qui auront disparu depuis longtemps lorsque les premiers effets s'en feront sentir. L'agresseur n'aura plus alors qu'à attendre que le mal se répande et ronge de l'intérieur les forces vives du pays pour l'envahir sans rencontrer la moindre résistance.

Si tel est le cas, il faut redouter le pire, car le virus employé a certainement été conçu de manière à résister à toutes les thérapeutiques connues.

C'est dans ce contexte que, au cours de la nuit du 4 au 5, des médecins s'aperçoivent que certains de leurs malades présentent un *exanthème*, c'est-à-dire une éruption de boutons. Cela n'a, bien sûr, aucun rapport avec les symptômes habituels de la grippe; les savants en viennent donc à se demander s'il ne s'agirait pas d'une tout autre maladie. Et des soupçons se font jour dans leur esprit qui, aussitôt, les remplissent d'épouvante. Si l'on fait part au public de ce que l'on croit avoir découvert, ne risque-t-on pas d'amplifier la panique ? Pourtant, on ne peut se permettre de perdre de temps... lorsque l'on pense avoir affaire à... la variole.

Le diagnostic des médecins n'est pas encore définitif car il est difficile de l'établir avant le deuxième jour de l'éruption. Et depuis que son éradication a été prononcée en 1980, bien peu de savants se soucient encore d'étudier la variole. On se souvient cependant des ravages qu'elle a causés jadis et des sociétés qu'elle a anéanties, comme celle de l'île de Pâques, réduite à 111 individus seulement, en 1877, après qu'une quinzaine de Pascuans de retour du Pérou y eurent importé le virus.

En pleine nuit, les médecins responsables de cette découverte appellent le ministre de la Santé. C'est une voix féminine qui répond. Sa femme ou sa secrétaire, peu importe. On ne peut le réveiller. Le ministre est rentré en début de soirée en se plaignant de douleurs abdominales et dorsales. Après s'être couché, il a pris sa température : 40°... Le reste se passe de commentaires.

Les médecins tournent alors leurs espoirs vers le ministre de l'Intérieur. Une heure s'écoule avant qu'ils parviennent à le joindre. Dieu merci, celui-ci a échappé au virus... Ils lui exposent la situation et, après une brève concertation, le ministre prend les mesures qui s'imposent. Dans chaque zone de défense, dans chaque région et dans chaque département, les préfets, assistés des fonctionnaires locaux de la Santé, feront exécuter ses directives. Des équipes sanitaires mobiles seront mises à leur disposition pour isoler les malades. La variole est extrêmement contagieuse, mais seulement au moment de l'éruption. Toutes les personnes en contact avec des victimes du virus doivent donc être vaccinées au plus vite.

De telles mesures sont toutefois extrêmement difficiles à mettre en application. Il faudrait pouvoir isoler *tous* les malades. C'est impossible. Les hôpitaux sont pleins. Une partie importante du personnel hospitalier est touchée. Beaucoup de gens sont contraints de rester chez eux où ils peuvent à tout instant contaminer leur entourage...

La vaccination des personnes que le virus n'a pas encore contaminées pose également des problèmes quasi insurmontables. La France n'a conservé que trois millions de doses de vaccin lyophilisé pour parer à toute éventualité. C'est tout à fait insuffisant, d'autant que le temps et les moyens manquent pour fabriquer des doses supplémentaires. Et quand bien même y aurait-il assez de vaccin qu'il resterait à résoudre les problèmes posés par son administration : médecins, infirmiers, infirmières, pharmaciens sont débordés. Comment faire vacciner une population en proie à la peur, hermétique à tous les conseils de calme et de prudence prodigués quotidiennement ?

L'alerte est à peine donnée que la panique s'accroît. L'état d'urgence est décrété. Les rassemblements de plus de trois personnes sont interdits. Chacun est prié de respecter le couvre-feu et les familles des malades sont assignées à résidence. Mais, le 7 mai, les premiers morts provoquent de véritables émeutes que les forces de l'ordre sont impuissantes à réprimer. Un vent de terreur souffle sur la France. A Paris, dans la soirée, une foule hystérique envahit l'institut Pasteur. Quelques policiers, en nombre très insuffisant, essaient tant bien que mal de protéger le personnel contre les émeutiers mais la violence des affrontements est telle que bientôt CRS et gardiens de la paix doivent battre en retraite. Peu avant minuit, le feu se déclare dans un pavillon... Il faudra toute la nuit pour éteindre l'incendie qui a tôt fait de gagner d'autres bâtiments. Au matin, l'Institut n'est plus qu'un tas de ruines, tandis que des combats absurdes se poursuivent dans les rues avoisinantes.

De nombreux médecins sont touchés. Pour eux, comme pour des centaines de milliers d'autres individus, il n'y a plus d'espoir. Inutile de les vacciner. Pour immuniser un sujet réceptif, il faut quinze jours, sans quoi variole et vaccine évoluent pour leur propre compte.

A l'Elysée, la veille, Charles Tourier, le président intérimaire, a été le premier vacciné. Tous les ministres encore valides ont bénéficié du même traitement. Mais le président de la République n'a pas eu cette chance. Le corps rongé par le virus, il agonise dans sa chambre sous les regards de son médecin, de sa femme et de quelques collaborateurs. Le chef de l'État n'en a que pour quelques heures, quelques jours tout au plus. Mais plus qu'à la mort d'un homme, c'est à celle d'un monde que ces hommes et cette femme ont le sentiment d'assister. Tout paraît étrangement calme dans cette vaste chambre au décor reposant. Pourtant, dehors règnent la folie et le chaos.

24

Le 8 mai, on enterre les premières victimes de l'épidémie. Mais au train où vont les choses, on risque de manquer bientôt de fossoyeurs pour accomplir cette besogne. Les transports se sont arrêtés de fonctionner et le ravitaillement des villes est interrompu.

Dans la soirée du 9 mai, le président intérimaire s'effondre sur son bureau, apparemment vaincu par la fatigue. Il ne se relèvera pas. Ironie du sort : il précède de quelques heures dans la mort l'homme qu'il devait remplacer !

Le 10, vers 4 heures du matin, le président de la République rend son dernier soupir sans avoir repris connaissance. Le même jour, à Matignon, le Premier ministre meurt à son tour.

C'est la fin. Il n'est plus question de faire jouer la Constitution. Le pouvoir passe entre les mains des militaires. La mortalité atteint environ 30 % des personnes atteintes. Les spécialistes les plus optimistes prévoient un taux de mortalité d'environ 50 %. D'autres, plus sombres, mais peut-être plus réalistes, vont jusqu'à 70 %.

*
**

Que signifient ces chiffres, à présent ? La France est un gigantesque mouroir, un enfer peuplé de survivants aveugles et défigurés, un champ de bataille privé de combattants, ouvert à qui voudra s'en emparer.

On sait maintenant comment l'ennemi a procédé. Au début de l'année, de petits commandos ont recensé les lieux où devaient être disposés, au moment voulu, les virus, sous forme de suspensions ou d'aérosols. Aux alentours du 18 avril, ces mêmes commandos, sans fusils ni grenades ont infecté les bouches d'aération des grands magasins et des grands ensembles, les parois de certaines stations clés du métropolitain ainsi que les gares où passent chaque jour de cent à deux cent mille voyageurs. Ils ont pollué de même les gaines desservant l'Elysée, Matignon, les ministères, les préfectures, les casernes, les théâtres, les cinémas. Un scénario comparable s'est déroulé dans les villes de province. Cette contamination a été poursuivie et renouvelée sans difficultés jusqu'au début du mois de mai.

On sait que le diagnostic de la variole est impossible pendant les treize jours que dure l'incubation ainsi qu'au cours des quatre jours d'invasion où l'on croit reconnaître les symptômes de la grippe. Il est donc relativement aisé d'infecter la population d'un État pendant dix à vingt jours. Et, lorsque le diagnostic peut être établi, il est trop tard... Surtout si l'agresseur a pris la peine de détruire les stocks de vaccin. De toute façon, même sans cette précaution, la variole demeure une arme biologique très efficace contre une population non immunisée. Et nous sommes une population non immunisée...

Qu'importe, d'ailleurs, maintenant, de savoir comment l'ennemi a procédé. C'est avant, bien avant qu'il aurait fallu s'en préoccuper.

En cette deuxième quinzaine de mai 198., un mois après le début des opérations, la France n'est plus en mesure de se défendre et l'ennemi qui, lui, a pris la précaution de s'immuniser n'a plus qu'à y pénétrer...

**
*

Ce scénario ne relève pas de la science-fiction. Du moins pas tout à fait. Bien sûr, si l'on décidait de nous attaquer avec le virus de la variole au cours des prochaines années, les choses ne se dérouleraient *peut-être* pas exactement de cette façon. L'infection mettrait *peut-être* plus de temps à se propager, nous laissant ainsi la possibilité de réagir. Des médecins particulièrement perspicaces diagnostiqueraient *peut-être* la variole bien avant que l'on ait atteint le point de non-retour; ils prendraient alors des mesures de prophylaxie qui éviteraient *peut-être* au pays d'être paralysé. Mais cela fait beaucoup de « *peut-être* », qui ne rassurent guère.

Ce que l'on a pu lire se veut, certes, pessimiste. Toutefois, un tel scénario, pour horrible qu'il paraisse, n'est pas le fruit de spéculations hasardeuses. Il a été conçu à partir de données précises contenues dans un rapport confidentiel communiqué en novembre 1979 par le Pr Jean Boyer, de l'académie de Médecine, au ministre de la Défense.

Le problème, avec la variole, c'est que l'on pense l'avoir vaincue. Définitivement. En 1980, l'Organisation mondiale de la Santé a solennellement proclamé son éradication à l'échelle de la planète, autrement dit sa disparition totale, absolue, définitive.

Entre 1967 et 1977, 300 millions de dollars ont été dépensés pour venir à bout de ce fléau. Et en 1977, enfin, après dix années d'efforts, on a découvert un dernier cas à l'hôpital de Merka, en Somalie, chez un jeune homme de vingt-trois ans. Depuis cette date, plus rien si l'on excepte un accident survenu dans un laboratoire de Birmingham en Angleterre en 1979. Accident regrettable, certes, ayant coûté la vie à une jeune femme[1], mais accident isolé ne venant en rien compromettre l'éradication du fléau.

Le 8 mai 1980, au terme de près de trois années d'attente prudente et anxieuse, on pouvait enfin annoncer la disparition de cette maladie. Pour la première fois dans l'histoire de l'humanité, un virus, et non des moindres, avait été vaincu par l'homme. Anéanti...

Enfin, presque, car aucun scientifique n'acceptant de voir disparaître une espèce vivante, quelle qu'elle soit, on a pris soin de conserver du virus variolique dans quelques laboratoires de haute sécurité afin de poursuivre des recherches sur ce proche parent du règne animal. Sept laboratoires dans le monde se partagent le privilège d'avoir pour hôte permanent ce

---

1. Il s'agissait de Janet Parker, photographe scientifique attachée au Département d'Anatomie de l'université de Birmingham mais, en fait, cet accident fit deux morts, car le médecin responsable de la négligence ayant coûté la vie à Janet Parker, le Pr Bedson, se suicida quelques jours après le décès de la jeune femme.

tueur microscopique : ils se trouvent aux USA, en URSS, en Chine, en Angleterre, aux Pays-Bas et en Afrique du Sud. Suivant les conseils de l'OMS, la France, quant à elle, a purement et simplement détruit ses stocks de virus.

Pour parvenir à une victoire aussi complète, on ne s'est pas contenté de soigner les victimes. D'ailleurs, comme la plupart des maladies virales, la variole ne se soigne pas. La seule protection que l'on connaisse est la vaccination préventive : c'est donc en vaccinant sans trêve dans toutes les parties du monde que l'OMS a vaincu le fléau.

La vaccination antivariolique est des plus faciles et des plus efficaces à administrer. Seulement voilà... Elle n'est pas sans danger; on risque une encéphalite. Bien sûr, ce risque n'est pas très grand puisque l'on dénombre, en moyenne, 1 cas pour 100 000 vaccinations, mais il n'en existe pas moins et il faut en tenir compte. Par ailleurs, la vaccination coûte cher, surtout lorsqu'elle est obligatoire, comme c'était le cas dans la plupart des pays du monde avant 1980. C'est pourquoi dès 1975, l'OMS a demandé à tous les États de supprimer la vaccination obligatoire contre la variole. La maladie étant sur le point de disparaître, cette pratique coûteuse et dangereuse devenait inutile. Du moins est-ce ce que soufflait le sens commun... Et l'on préconisa le stockage de 300 millions de doses de vaccin antivariolique à Genève, à New Delhi et à Toronto « pour parer aux situations d'urgence qui viendraient à surgir ».

Pourtant, le chant de victoire de l'OMS n'alla pas sans écorcher quelques oreilles. Lorsque, au tout début de décembre 1978, Mme Simone Veil, alors ministre de la Santé, annonça à la presse qu'elle allait demander au gouvernement de déposer un projet de loi supprimant l'obligation vaccinale, le Dr Jean Boyer essaya d'attirer l'attention de ses confrères et des pouvoirs publics sur les risques que faisait courir à la France l'adoption d'une telle loi. Dans l'esprit du Dr Boyer, le premier de ces risques était d'être pris pour cible par un agresseur utilisant la variole comme arme biologique. Dans un pays dont les habitants ne seraient pas immunisés, les effets d'une telle attaque seraient effroyables. La menace paraissait d'autant plus sérieuse qu'il suffisait à l'agresseur de se faire vacciner pour ne courir aucun danger.

La loi fut cependant votée le 2 juillet 1979. Depuis, plus personne pratiquement ne se fait vacciner en France, à part les militaires. L'obligation de revaccination anti-variolique n'est maintenue que pour les personnes primo-vaccinées dans l'enfance, ce qui est encore le cas pour la grande majorité des jeunes appelés. Mais il n'existe pas dans l'armée d'autre exigence que cette obligation légale, laquelle tombera naturellement en désuétude d'ici quelques années. Or la durée de l'immunité vaccinale contre cette maladie n'est que de trois ans. Toute personne n'ayant pas été vaccinée au cours des trois dernières années n'est donc plus protégée. Ce qui signifie que, la majorité des Français, sinon leur totalité, ne sont plus immunisés depuis 1982. Ils peuvent à tout moment être victimes d'une agression biologique de nature variolique...

Le Pr Boyer n'est pas le seul à avoir tenté d'attirer l'attention sur les dangers que présente la variole dans un pays non immunisé. Dans un article paru dans *Le Monde* du 15-16 juin 1980, H. Marcovich et H.H. Moularet, tous deux professeurs à l'institut Pasteur, écrivaient : « *Le virus variolique doit être considéré comme une "bonne" arme biologique, parmi les "meilleures" : préparée sans risques par des vaccinés, aisément dissimulable et disséminable au cours d'un acte de guerre ou de terrorisme, par voie aérienne comme par contact direct avec des objets infectés, car le virus résiste bien à l'extérieur. Vacciner le personnel à engager dans une agression variolique serait facile, aisément dissimulable, et d'autant plus que la structure sociale de l'agresseur est plus fermée. La mortalité dépasse 25 % et la contagiosité des malades persiste jusqu'à leur mort et se prolonge après elle au niveau des vêtements, de la literie, etc.[1] Enfin, la variole résiste à toute thérapeutique actuellement accessible; la seule protection qu'elle admette est la vaccination préventive, dont on sait qu'elle est, dans le domaine de la guerre biologique, la seule réellement efficace, facile à entreprendre et durable. Inutilisable contre une population vaccinée, le virus variolique devient automatiquement l'arme préférée là où la vaccination a cessé d'exercer sa protection.* »

Malgré ces cris d'alarme, rien — ou presque rien — n'a été fait pour nous protéger contre une agression de ce genre. L'une des rares victoires qu'ait remportées le Pr Boyer a consisté à faire une conférence devant des généraux de pays membres de l'OTAN pour les convaincre de conserver l'obligation vaccinale parmi leurs troupes et de dire à leurs gouvernements respectifs quelle importance revêt cette vaccination. Mais, dans beaucoup d'armées, on s'est contenté de maintenir l'obligation de revaccination pour les seules personnes primo-vaccinées dans l'enfance. Sage précaution, mais qui ne saurait avoir d'effets durables puisque, d'ici une vingtaine d'années à peine, plus aucun appelé n'aura été primo-vacciné.

La variole, toutefois, n'est qu'un exemple d'arme biologique parmi des dizaines d'autres tout aussi redoutables et contre lesquelles nous sommes parfois encore plus démunis. Le débat dont elle est actuellement l'objet offre cependant le mérite de mettre l'accent sur quelques-uns des problèmes posés par l'existence même de telles armes, à commencer par la réalité du danger qu'elles représentent et la place qu'il faut leur accorder dans l'échelle des périls pesant sur l'humanité.

Dangereuses, les armes biologiques le sont, et à un point tel qu'on les a classées parmi les armes de destruction massive, sinistre privilège qu'elles partagent avec les armes chimiques, ces proches parentes dont il sera également abondamment question dans ce livre, et les armes nucléaires.

---

1. Dans le cas, très probable, où la virulence du virus aurait été accrue artificiellement, le taux de mortalité, selon le Pr Jean Boyer, pourrait atteindre 70 %.

Mais ce danger paraît si effroyable qu'il fait, paradoxalement, douter de sa réalité. On a peine à imaginer quels seraient les effets d'une attaque biologique de grande envergure aujourd'hui sur une ville ou un État. Alors, devant ce flou qui n'a rien d'artistique, on préfère se boucher les yeux et faire comme si cette menace n'existait pas.

Tout le monde ne pratique cependant pas la politique de l'autruche. « L'emploi des agents pathogènes comme instruments d'agression ne relève pas de la science-fiction », écrivent les Pr Marcovich et Moularet. Et de reprendre, plus loin : « Les sinistres "avantages" de l'arme biologique comme instrument de létalité massive sont évidents : production facile en quantités considérables de cultures virulentes dans quelques pièces aménagées en laboratoire, à peu de frais et n'importe où; appareillage peu élaboré et réduit au minimum, qu'il n'est pas difficile de bricoler et encore moins d'acheter dans les magasins spécialisés; éducation technique élémentaire; c'est donc, à l'échelle d'un État, l'arme du pauvre ou celle d'un groupe de pression, voire d'un individu. »

L'arme du pauvre : tout est là. Si la menace que font peser les armes biologiques est bel et bien réelle, c'est avant tout parce que peu coûteuses et facilement réalisables elles constituent un palliatif pour ceux — États ou « particuliers » — qui n'ont pas les moyens de se lancer dans un programme nucléaire.

En 1972, de nombreux pays ont signé une Convention sur l'interdiction de la mise au point, de la fabrication et du stockage des armes biologiques et sur leur destruction, qui interdit l'utilisation de telles armes dans des opérations militaires. La France, qui a refusé d'adhérer à cette Convention, a fait voter une loi par son parlement lui interdisant toute recherche dans ce domaine. Il ne faut pas minimiser la portée de ces deux textes qui constituent un phénomène très rare, voire unique dans l'histoire de la guerre et des relations internationales. Il est en effet tout à fait exceptionnel que des États renoncent volontairement à produire et à stocker des armes de quelque nature que ce soit et il est sans doute plus rare encore de voir ces mêmes États s'engager à détruire les stocks de ces armes encore en leur possession. Mais comment être sûr que tous les signataires ont bien obéi à leurs engagements ? La fabrication d'agents pathogènes à des fins militaires ne requiert pas d'équipements spectaculaires. Elle peut s'effectuer dans des centres de recherche camouflés en laboratoires civils, à l'abri des regards et des indiscrétions. Nous touchons là un des problèmes clés en matière de désarmement : celui de la vérification. Et puis, que vaut une Convention face aux réalités de la guerre moderne ? Quelle peut être son utilité devant la détermination d'un groupe de terroristes, par exemple ?

Objets de controverses interminables parmi les spécialistes civils et militaires, les armes biologiques n'ont pourtant pas engendré de littérature comparable à celle concernant les armes nucléaires. Il existe relativement peu de chose à leur sujet, du moins si l'on s'en tient aux ouvrages et articles destinés à un large public, car la littérature spécialisée se révèle quant à elle assez abondante. Et il en va de même pour cet autre produit de l'imagination belliciste : les armes chimiques.

Là aussi, on a souvent l'impression d'avoir affaire à un tabou. Si chacun sait que la France s'est dotée au cours des dernières décennies d'une force de dissuasion nucléaire se voulant garante de son indépendance, bien peu connaissent la capacité de son arsenal chimique qui en fait la troisième puissance mondiale dans ce domaine. Il est vrai que les États détenteurs de cette arme n'aiment guère évoquer cet aspect de leur politique militaire. Peu d'informations filtrent à ce sujet.

En revanche, il est assez souvent question d'allégations d'emploi de l'arme chimique ou biologique par des puissances étrangères dans des conflits où elles sont impliquées. Tel est le cas, depuis quelques années, de l'Union soviétique, accusée de mener une guerre toxique en Afghanistan et en Asie du Sud-Est par alliés interposés.

Il est rare, cependant, qu'un État fasse de la publicité sur ses propres recherches. Ou alors ce sera pour insister sur leurs aspects défensifs en prenant soin d'en présenter à contre-jour les aspects offensifs.

Les raisons d'une telle attitude sont à la fois de nature juridique, diplomatique et psychologique.

Juridique, parce que, depuis 1925, la plupart des pays sont liés par une Convention dite « Protocole de Genève » leur interdisant « l'emploi à la guerre de gaz asphyxiants, toxiques ou similaires ainsi que de tous liquides, matières ou procédés analogues » et « l'emploi de moyens de guerre bactériologiques ». Il est aisément compréhensible, dans ces conditions, que les États parties de cette Convention ne souhaitent pas faire savoir qu'ils se préparent à une forme de combat qu'ils ont eux-mêmes condamnée. Cette préparation n'a rien d'illégal puisque le Protocole n'interdit que l'emploi et admet qu'il puisse y avoir des représailles de même nature contre un agresseur prenant l'initiative d'une offensive chimique. Mais trop insister sur cet aspect des choses risquerait de porter atteinte aux yeux de l'opinion à la crédibilité de la Convention.

Diplomatique, parce que l'on s'efforce d'aboutir actuellement à la mise au point d'un texte qui ne se contenterait plus d'interdire seulement l'emploi de ces armes mais aussi, comme c'est d'ailleurs déjà le cas pour les armes biologiques depuis 1972, leur fabrication et leur stockage. Là encore il est facile de comprendre que trop de publicité nuirait vraisemblablement aux pourparlers en cours. Quoique l'on puisse être d'un avis contraire et penser qu'une information lucide et honnête de l'opinion pourrait avoir un effet favorable sur l'issue des pourparlers.

Psychologique, enfin, car les armes chimiques et biologiques ont ceci en commun d'être des *armes sournoises* : on ne les voit pas, on ne les entend pas, on ne les sent pas. Du moins est-ce vrai pour un grand nombre d'entre elles. Elles ne provoquent pas non plus de blessures apparentes. Or les blessures ont, paradoxalement, un aspect rassurant, c'est une façon d'inscrire dans le corps les effets d'une arme, sans menacer obligatoirement l'intégrité de la victime. Tandis qu'un gaz, un virus, un germe qui pénètre dans l'organisme, c'est quelque chose d'invisible et de silencieux qui s'installe en vous et vous ronge. Ce sont des armes étranges ou, pour employer la terminologie qui leur est appliquée, des armes « spéciales ».

« Le fait que le danger ressenti ne puisse être identifié clairement est une cause majeure d'angoisse, écrit le Dr Viola W. Bernard dans le rapport de l'OMS intitulé *Santé publique et armes chimiques et biologiques*. Les armes biologiques et beaucoup d'armes chimiques échappent à la perception, aucun signal d'alarme ne vient avertir l'individu attaqué qu'il doit se protéger. [...] Certaines caractéristiques des armes chimiques et biologiques — leur invisibilité et leur mode d'action; par exemple — risquent de faire réapparaître, en les intensifiant, des craintes, des fantasmes et des conflits remontant à l'enfance, qui, s'il est vrai que la plupart des individus finissent par les surmonter, restent le plus souvent enfouis au plus profond de la conscience, là où le rationnel n'a plus sa place. »

Voilà pourquoi le résultat des recherches concernant les armes chimiques et biologiques est presque partout tenu secret. Voilà pourquoi elles font l'objet d'un *tabou*. Et il est d'autant plus facile de ne pas en parler que les essais peuvent être effectués discrètement, contrairement aux expériences nucléaires qui passent rarement inaperçues. Si bien que cette attitude a deux conséquences étroitement liées l'une à l'autre :

1) Tous les pays se livrant à des expériences nucléaires rendent publics leurs travaux et ne gardent pour eux que le *know-how*;

2) Le grand public est sensibilisé aux armes nucléaires mais a tendance à négliger complètement le danger que représentent les armes chimiques et biologiques[1].

Ce danger n'en est pas moins réel, surtout depuis que les États-Unis ont annoncé, le 8 février 1982, par la voix de leur président Ronald Reagan, leur intention de reprendre leur production d'armes chimiques interrompue depuis près de treize ans. Et les Soviétiques ne sont pas en reste sur les Américains. Ils disposent même d'une puissante organisation commandée par le colonel-général V. K. Pikalov, constituant une arme autonome au sein des forces terrestres, la VKhV ou Forces chimiques militaires. Les Occidentaux estiment son effectif à 100 000 spécialistes.

Et s'il n'y avait que les États-Unis et l'URSS...

« *Le risque de dissémination* de la menace chimique est, en outre, très grand, compte tenu du faible coût ainsi que du caractère relativement aisé de l'accès au savoir-faire dans ce domaine, écrit le sénateur Jacques

---

1. Cela a été très bien analysé par Marcel Fetizon et Michel Magat dans le chapitre « L'arsenal toxique » de l'ouvrage collectif *Les armements modernes*, Flammarion, Paris, 1970.

Chaumont[1]. C'est ainsi que de nombreux États peu développés pourraient être tentés de compenser l'infériorité qui résulte, pour eux, de la non-possession de l'arme nucléaire par le souci de faire planer une menace chimique sur leurs ennemis potentiels. »

Quant aux armes biologiques, toutes recherches les concernant étant, en principe, interdites, le secret qui entoure leur mise au point et leur fabrication est encore mieux gardé. Mais des accidents, comme celui censé s'être produit à l'« Unité militaire n° 19 », près de Sverdlovsk, en avril 1979, et qui aurait provoqué plusieurs centaines de morts à la suite de la libération accidentelle de millions de bactéries mortelles, sont là pour nous inciter à la méfiance et à la vigilance. Citons encore le sénateur Jacques Chaumont[1] : « Les incertitudes qui pèsent sur le génie épidémique ainsi que la sensibilité aux agents atmosphériques peuvent en outre faire apparaître la menace bactériologique moins comme une menace militaire directe que comme une menace terroriste indirecte. [...] Nous savons, cependant, et nous nous en félicitons, que ce problème retient au plus haut point l'attention de nos responsables militaires et politiques. »

Il y a donc de fortes chances pour que la Troisième Guerre mondiale, si jamais elle a lieu, à défaut d'être gaie et technologique comme le prophétisait naguère le magazine *Actuel*, soit chimique et même, si l'on n'y prend garde, biologique.

La polémique dont ces armes sont actuellement l'objet est extrêmement complexe et a de nombreux prolongements (politiques, diplomatiques, scientifiques, militaires, etc.) qu'il est indispensable de connaître pour comprendre l'une des données fondamentales de la situation stratégique mondiale du moment. Nous sommes tous concernés par ce débat et son issue éventuelle. Aussi, malgré les problèmes que cela soulève et les difficultés que l'on rencontre lorsque l'on veut avoir accès aux informations ayant trait aux armes spéciales, il est grand temps de mettre à la portée du public le plus grand nombre possible de renseignements sur ce sujet afin qu'il puisse juger par lui-même de la réalité et de la gravité de la menace chimique et biologique.

Peut-être ces armes ne seront-elles jamais employées, encore que, pour ce qui est des armes chimiques, cela paraisse douteux puisque plusieurs d'entre elles l'ont déjà été et le sont peut-être en ce moment même, quelque part en Asie du Sud-Est.

Peut-être aussi un accord interviendra-t-il prochainement au plan international mettant fin à la course aux armements chimiques.

Peut-être même n'y aura-t-il jamais de Troisième Guerre mondiale. A moins que le recours quasi immédiat à l'arme nucléaire frappe d'inutilité

---

1. M. Jacques Chaumont, sénateur : *Avis présenté au nom de la commission des Affaires étrangères de la Défense et des Forces armées, sur le projet de loi de finance pour 1982, adopté par l'Assemblée Nationale*. Sénat, première session ordinaire de 1981-1982. Annexe au procès-verbal de la séance du 23 novembre 1981.

l'emploi des gaz toxiques. Mais ce n'est pas dans ce sens que semblent s'orienter les nouvelles politiques américaine et soviétique en matière de défense.

Dans l'état actuel des choses, personne ne peut prétendre être en mesure d'infirmer ou de confirmer aucune de ces hypothèses. D'autant que l'on peut voir aussi dans la guerre chimique un moyen commode d'infliger de lourdes pertes à l'adversaire tout en retardant le plus longtemps possible un déclenchement du feu nucléaire. Alors, qui sait ?...

Il existe encore des gens qui tiennent la plupart des armes toxiques pour des armes « humaines ». Que se passerait-il, en cas de conflit, si de telles personnes étaient investies d'un pouvoir de décision quelconque quant à la nature des armes à employer ? Et que se passerait-il, aussi, si un dictateur africain ou sud-américain à l'esprit fantasque, las d'attendre une bombe qu'il n'a pas les moyens de se payer, prenait tout à coup conscience des multiples avantages économiques et stratégiques de l'arme biologique ? Ou si quelque chef religieux fanatique du Tiers Monde voulait lancer sur les infidèles d'Occident les bacilles de l'Apocalypse ?...

L'opinion a toujours joué un rôle déterminant dans les négociations sur le désarmement et la paix. Pour qu'elle continue d'agir de tout son poids dans le débat qui s'engage et incite les parties à bannir ces armes de la surface de la Terre, il convient de l'informer et de lui donner accès à toutes les données du problème. Les raisons juridiques, diplomatiques et psychologiques doivent s'effacer devant les nécessités du moment. Il en va de notre survie. Il en va de la vie.

I. L'ABC DE LA GUERRE BC

Une population de 15 000 planètes semblables à la Terre pourrait être infectée à partir d'une bactérie pesteuse poussée en quatre jours.

Pr Morgunov (URSS)
VIe conférence médicale d'Aircent, 1960

En langage militaire, « ABC » ne veut pas dire « Mon premier dictionnaire ». Ce sont les lettres par lesquelles on désignait les armes « spéciales » : Atomiques, Biologiques et Chimiques, avant que l'on ne préfère le mot « nucléaire » à celui d'« atomique ». Jusque dans les années 60, on parlait d'ailleurs généralement d'armes « bactériologiques » et non « biologiques ». Puis on s'aperçut que ce qualificatif était par trop restrictif. Les bactéries, en effet, ne constituent qu'une catégorie parmi les agents pathogènes susceptibles d'être employés à des fins militaires puisque l'on peut également avoir recours à des virus, à des rickettsies, à des mycètes... On préféra donc « biologique » à « bactériologique », en se réservant ainsi le droit de faire entrer ultérieurement dans cette catégorie des agents infectieux non encore découverts. On ne saurait être trop prudent... Le A de ABC, quant à lui, ne tarda pas à être remplacé par le N de Nucléaire et, dût l'ordre alphabétique en souffrir, c'est d'armes et de défense NBC que l'on parle aujourd'hui.

Mais seuls le B et le C nous intéressent ici. Et c'est à une définition plus large de leurs composants, de leurs effets et des emplois auxquels on les destine que nous allons maintenant nous appliquer.

Qu'entend-on par armes chimiques et biologiques ?

Empruntons une première définition à un rapport de l'ONU[1]. Sous la rubrique « Caractéristiques des armes chimiques et bactériologiques (biologiques) », on peut lire :

---

1. *Les armes chimiques et bactériologiques (biologiques) et les effets de leur utilisation éventuelle*, publié en 1969 sur l'initiative du secrétaire général U. Thant par le « Département des affaires politiques et des affaires du Conseil de Sécurité ».

« *Les agents chimiques de guerre sont considérés comme des substances chimiques, qu'elles soient gazeuses, liquides ou solides, qui pourraient être employées en raison de leurs effets toxiques directs sur l'homme, les animaux et les plantes. Les agents bactériologiques (biologiques) de guerre sont considérés comme étant des organismes vivants, quelle que soit leur nature, ou des substances infectieuses dérivées de ces organismes, destinés à provoquer la mort ou la maladie chez l'homme, les animaux ou les plantes, et dont les effets sont fonction de leur aptitude à se multiplier chez l'homme, l'animal ou la plante attaqués.* »

Cette définition exclut, bien entendu, les substances chimiques entrant dans la composition des explosifs ou dont l'action est de type incendiaire comme le napalm. Elle ne concerne, en fin de compte, que des agents dont la principale caractéristique est d'être *toxiques* dans l'acception la plus large du terme.

Toxique, cela fait penser à *toxines*, c'est-à-dire « une substance toxique [précisément] élaborée par un organisme vivant, en particulier par les micro-organismes pathogènes, et agissant comme antigène [en provoquant la production d'anticorps] », comme nous l'apprend le *Robert*. Voilà qui, déjà, fait problème, car sommes-nous en présence d'armes chimiques ou d'armes biologiques ? Si l'on considère, comme l'OMS, qui reprend, en l'affinant, la définition de l'ONU, que « *les agents biologiques sont ceux dont les effets sont fonction de leur aptitude à se multiplier dans l'organisme attaqué, et qui sont destinés à être utilisés en cas de guerre pour provoquer la mort ou la maladie chez l'homme, les animaux et les plantes* », on voit bien que les toxines, qui sont formées à l'*extérieur* et non à l'*intérieur* de l'organisme attaqué, n'entrent pas dans cette définition. Toutefois, remarque-t-on encore à l'OMS, « *dans certaines études sur les armes chimiques et biologiques, ces toxines sont classées comme agents biologiques du seul fait que la technologie de leur production s'apparente à celle des agents biologiques et non à celle des agents chimiques* ».

Tout cela peut paraître compliqué et le non-spécialiste haussera peut-être les épaules en se disant que, au fond, il s'agit d'un faux problème. Qu'importe que le tiroir où l'on range les toxines porte la lettre B ou C ? N'est-ce pas perdre son temps que vouloir à tout prix étiqueter, classer, définir ? Ne risque-t-on pas ainsi de passer à côté de vraies questions qui concernent la santé et la vie de chacun de nous ?

La réponse est non car une définition précise des agents toxiques produits à des fins militaires n'est pas seulement destinée à divertir les spécialistes. Le problème des toxines, par exemple, s'est révélé d'une brûlante actualité en 1972, à Genève, lorsqu'il s'est agi de fixer les limites de la Convention sur l'interdiction de la mise au point, de la fabrication et du stockage des armes biologiques. Normalement, cette interdiction n'aurait pas dû concerner les toxines puisque celles-ci étaient alors — et sont toujours — classées par la plupart des publications scientifiques internationales parmi les agents chimiques. Pourtant, sur proposition de la

Suède, on a décidé de les incorporer à la Convention. Voilà donc une catégorie d'agents toxiques particulièrement redoutables que les États pourraient continuer à produire et à stocker en toute impunité du seul fait de leur appartenance à la famille chimique si le délégué suédois n'avait très opportunément suggéré de leur faire subir le même sort que celui réservé aux agents biologiques.

Le problème des toxines est donc, en principe, juridiquement réglé, mais les difficultés posées par une définition précise des agents chimiques ne sont pas résolues pour autant. De fait, ces difficultés constituent l'un des obstacles à la mise au point d'une convention sur les armes chimiques qui serait l'équivalent de celle de 1972 sur les armes biologiques. Nous y reviendrons, mais je crois que l'on ne saura jamais trop insister sur l'importance que revêtent, dans ce domaine, des définitions rigoureuses.

Létal/non létal

Qu'ils soient chimiques ou biologiques, les agents toxiques sont répartis en trois catégories selon l'emploi auquel on les destine : les agents létaux, les agents incapacitants et les agents neutralisants.

J'emprunte chacune des définitions qui suivent au rapport de l'OMS *Santé publique et armes chimiques et biologiques* (1970), l'un des plus concis et des plus précis parus à ce jour :

« **Un agent létal** *est conçu pour provoquer la mort lorsque l'homme y est exposé à des concentrations aisément réalisables dans les opérations militaires.*

« **Les agents incapacitants** *sont destinés à provoquer temporairement soit la maladie soit une incapacité mentale ou physique dont la durée dépasse de beaucoup la période d'exposition.*

« **Les agents neutralisants** *(ou incapacitants de courte durée) provoquent rapidement une incapacité qui ne se prolonge guère au-delà de la période d'exposition.* »

Cela appelle plusieurs remarques. D'abord, l'existence des agents neutralisants et des agents incapacitants a fortement milité en faveur des armes chimiques et biologiques en permettant à leurs partisans de les présenter comme des « armes humaines ». Les États-Unis, par exemple, ont mis longtemps avant de ratifier le Protocole de 1925. Parmi les raisons invoquées pour expliquer ce retard, on trouve l'humanisation possible de la guerre grâce à l'emploi de certains agents non mortels, au premier rang desquels les lacrymogènes. Ainsi, dès le 13 décembre 1926, le secrétaire de l'American Chemical Society, dont on est en droit de penser qu'il avait des raisons de s'opposer à la ratification du Protocole, écrivait au Congrès pour lui dire à quel point, selon lui, la privation des gaz lacrymogènes provoquerait dans les guerres à venir des souffrances, des mutilations et des morts inutiles. « Avec des gaz inoffensifs, remarquait-il, la situation pourrait être totalement contrôlée sans morts ni souffrances. »

Les Américains n'oublièrent pas ces conseils lors de leur engagement au Vietnam. Et le 16 août 1965 on pouvait lire, sous la plume du Dr Richard Kenyon, alors directeur des publications de l'American Chemical Society, un éditorial de la revue *Chemical and Engineering News* dans lequel il prenait avec enthousiasme la défense des armes B et C. « La guerre bactériologique a suscité un climat d'horreur à cause de la propagande et de l'ignorance, écrivait-il, et pourtant elle pourrait atténuer le côté épouvantable du conflit vietnamien. » Puis il ajoutait : « L'utilisation de certains produits chimiques serait moins atroce que les méthodes actuellement employées. Les produits pourraient être semblables à ceux utilisés pour lutter contre les émeutes aux États-Unis et ailleurs et pourraient être employés dans les grottes et les cavernes de la jungle où se cachent les rebelles. »

On peut supposer que le Dr Richard Kenyon avait, lui aussi, d'assez bonnes raisons de voir se développer la guerre chimique au Vietnam mais, tout de même, autant de bonne conscience et d'aveuglement a de quoi laisser perplexe. A ce propos, Ricardo Frailé m'a fait la remarque suivante : « Il y a une partie de l'argument présentant les gaz lacrymogènes comme "humains" qui est exacte. Ils ont été employés pour la première fois au Vietnam lorsque des troupes américaines se sont trouvées dans un village où des combattants vietnamiens s'étaient mêlés à la population civile. Que pouvaient faire les Américains ? Tirer ? Cela aurait fait des morts parmi les civils. Alors, ils ont employé les gaz, ce qui leur a permis de capturer les combattants. Mais la généralisation d'une telle pratique supposerait qu'en période de guerre les combattants aient pour objectif de sauver des vies. Ce n'est pas vrai. En période de guerre, les combattants ont pour objectif d'éliminer les combattants du camp adverse et, s'il y a des civils parmi eux, on sait ce que vaut l'argument humanitaire : pas grand-chose. Je doute fort, par ailleurs, que les gaz lacrymogènes aient été employés au Vietnam pour sauver des civils. Qu'on les ait utilisés pour sauver des Américains, c'est fort possible, mais pour épargner des civils vietnamiens, c'est peu probable. C'est absurde parce que, parallèlement, on effectuait des bombardements avec des bombes à fragmentation, on employait des défoliants, etc. D'autant qu'à l'époque l'Institut Hudson, aux États-Unis, qui s'occupait des problèmes de défense, venait de déclarer que, puisque la guerre au Vietnam était soutenue par la population, c'était à la population qu'il fallait s'attaquer, à ses moyens de subsistance, etc. Il y a aussi, en matière de droit de la guerre, un principe que l'on appelle principe de la proportionnalité. Cela veut dire que si, pour prendre un immeuble d'assaut, vous rasez complètement une ville jusqu'à trente kilomètres alentour, il y a disproportion entre vos méthodes de guerre et ce que vous voulez obtenir comme résultat. En ce qui concerne le Vietnam, on peut dire que le principe de la proportionnalité n'a pas été respecté puisque, sous prétexte de maîtriser des combattants, les Américains ont employé quotidiennement des tonnes de gaz CS[1] dans des conditions et selon des méthodes n'ayant rien de commun avec l'utilisation des lacrymogènes par les forces de police. Ils ont, par exemple, transformé les abris en véritables chambres à gaz en y insufflant, grâce à des pompes spéciales, des lacrymogènes à forte pression et à forte densité. Selon moi, un tel emploi de ces gaz contrevient immanquablement au droit de la guerre. »

Pour parfaire sa démonstration, Ricardo Frailé aurait pu ajouter que les Américains attendaient généralement les Vietnamiens à la sortie de leurs abris souterrains pour les abattre tranquillement à l'arme automatique.

Voilà pour la guerre humaine...

Mais la répartition des agents B et C en létaux, incapacitants et neutralisants appelle une autre remarque, corollaire de la précédente. Il est, en effet, rigoureusement impossible de tracer une limite précise entre ces différentes sortes d'agents.

En 1969, cet aspect ambigu des armes spéciales était souligné dans le rapport des experts de l'ONU où l'on rappelait que l'une des caractéristiques communes fondamentales des armes B et C est d'avoir des effets imprévisibles et incontrôlables. Selon les conditions météorologiques ou le milieu, les effets d'un même agent peuvent se révéler dévastateurs ou négligeables, très localisés ou étendus, et « les civils y sont encore plus vulnérables que les militaires ».

« Une attaque au moyen d'un agent létal donné n'aura pas de conséquences fatales pour tous les individus, peut-on lire dans ce rapport, alors qu'une attaque par agent incapacitant peut tuer un certain nombre d'entre eux, comme les enfants en bas âge et les personnes affaiblies par la malnutrition, la maladie ou la vieillesse, ainsi qu'un grand nombre de ceux qui se trouvent dans des situations spéciales, comme par exemple ceux qui ont été irradiés. »

En commentant ce passage dans un article intitulé « Emploi des armes chimiques et bactériologiques » paru dans *Le Monde diplomatique* de janvier 1970, Georges Fischer écrivait : « Bien que les gaz lacrymogènes et irritants n'aient pas, en principe, des effets mortels, on a constaté au Sud-Vietnam une mortalité élevée parmi les enfants exposés à ces gaz. »

C'est donc avec une extrême prudence qu'il convient d'employer des expressions telles que agents létaux, incapacitants ou neutralisants. Une telle classification, en effet, renvoie à des réactions statistiquement probables mais très incertaines. N'oublions pas non plus que la plupart de ces réactions sont étudiées en laboratoire sur des animaux ou sur des volontaires sains et dans la pleine force de l'âge, dans des conditions très éloignées de celles que l'on rencontre sur le terrain. Enfin, il faut savoir que l'incertitude est beaucoup plus élevée pour les agents biologiques que pour les agents chimiques.

---

1. CS : l'un des gaz lacrymogènes les plus répandus. Voir *infra*.

Dose ct et maîtrise des effets

Pour rendre possible l'emploi des armes B et C en temps de guerre, il fallait quantifier le non-quantifiable, classer l'inclassable, définir des normes, des critères permettant d'établir une sorte de hiérarchie entre les différents agents biologiques et chimiques existants et voir dans quelles conditions tel agent pouvait se révéler préférable à tel autre... C'est ainsi que l'on fut conduit à mettre au point la *dose ct*.

La dose d'agent inhalé est proportionnelle à la concentration de l'agent (c) et à la durée de l'exposition (t). On comprend aisément que, si la concentration est faible, l'agent doit être présent plus longtemps au-dessus de la zone à contaminer. C'est donc le produit de la concentration de l'agent et de la durée de l'exposition qui donne la dose effective ou *dose ct*.

Toutefois, cette dose n'a pas de signification très précise car elle dépend d'un trop grand nombre de facteurs parmi lesquels la taille des particules de l'agent, la vitesse de respiration des sujets, etc. Il a donc fallu définir une dose ayant une probabilité connue de produire un effet particulier. C'est la DE ou Ect, autrement dit la Dose Efficace qui s'exprime généralement de la façon suivante : DE 50 ou Ect 50. Cette formule indique la dose ct qui a 50 % de chances de produire l'effet désiré. Lorsque cet effet est la mort, on emploie la formule DL 50 c'est-à-dire Dose Létale 50. Dans le même ordre d'idée, on parlera de DI 50 pour les incapacitants ou de DN 50 pour les neutralisants. Si la concentration de la dose ct est exprimée en mg/m^3, et le temps en minutes, ct s'exprimera en $mg\text{-}min/m^3$.

Toutes ces doses permettent donc de calculer la toxicité et l'infectiosité des agents B et C. Néanmoins, on ne saurait trop insister sur le fait qu'il s'agit de données *statistiquement probables* ne rendant pas compte des effets secondaires ou à retardement des agents considérés. Car les armes chimiques et biologiques ne sont décidément pas des armes comme les autres. Sournoises, invisibles, silencieuses, leurs effets peuvent se révéler imprévisibles à court comme à long terme et même se retourner contre leurs utilisateurs...

Bien qu'elles provoquent souvent un même sentiment d'horreur et de répulsion et que l'on ait coutume de les traiter conjointement dans les articles et ouvrages qui leur sont consacrés, les armes chimiques et biologiques présentent entre elles des différences importantes qui ne résident pas entièrement dans la définition que nous en avons donnée. Ces différences portent essentiellement sur : 1) la toxicité potentielle; 2) la rapidité d'action; 3) la durée des effets; 4) la spécificité; 5) la maîtrise des effets; 6) les effets résiduels.

La toxicité des agents chimiques est beaucoup moins élevée, à poids égal, que celle des agents biologiques, exception faite des toxines qui constituent, nous l'avons vu, un cas particulier. Les unités de mesure utilisées s'en ressentent puisque l'on se sert généralement du milligramme pour les agents chimiques alors qu'il faut avoir recours au microgramme (1/1 000 de milligramme) et au picogramme (1/100 000 de microgramme) pour les toxines et les agents biologiques. En revanche, les agents biologiques, pour des raisons évidentes, sont beaucoup plus sensibles que les agents chimiques à des facteurs tels que la lumière solaire, la température, etc.

La rapidité d'action est également très différente entre les deux sortes d'agents; quelques secondes suffisent parfois à certains composés hautement toxiques pour entraîner la mort lorsqu'il s'agit d'un agent létal. Les agents biologiques, quant à eux, doivent se reproduire dans l'organisme de la victime avant de provoquer la maladie ou la mort. C'est la *période d'incubation* qui peut durer plusieurs semaines. Ce point est important car il conditionne peut-être plus que tout autre la façon dont les agents B et C doivent être employés. La période d'incubation propre aux agents biologiques en fera une arme utilisée de préférence dans des opérations de sabotage, alors que rien ne s'oppose à ce que la plupart des armes chimiques soient employées sur les champs de bataille.

La durée des effets diffère également sensiblement entre les agents biologiques et chimiques. Dans la plupart des cas, les effets des agents chimiques ne sont pas durables, alors que les agents biologiques provoquent des maladies qui non seulement peuvent durer des jours, mais même s'étendre et donner naissance à d'autres foyers.

En ce qui concerne la spécificité, celle des agents biologiques est beaucoup plus élevée que celle des agents chimiques. Entendez par là que la plupart des agents biologiques sont destinés à une cible bien précise (l'homme, certaines races d'animaux, certaines plantes, etc.) du fait même que la majorité des maladies ne frappent que certaines espèces à l'exclusion de toute autre. Les agents chimiques, en revanche, agissent généralement de façon moins sélective.

La maîtrise des effets est définie dans le rapport de l'ONU comme « la capacité de prévoir la nature et l'étendue des dommages que les agents chimiques et bactériologiques (biologiques) peuvent causer ». Comme la rapidité d'action, il s'agit d'un paramètre important et il faut procéder à des tests et à des essais. Nous verrons que certains États ont poussé très loin ce genre de pratique. Pourtant, on est encore loin de connaître toutes les conséquences possibles d'un emploi de ces agents. Le trait saillant de cette catégorie d'armes, ne l'oublions pas, est leur variabilité et, dans certaines circonstances, l'imprévisibilité de leurs effets. Toutefois, on peut remarquer que cette imprévisibilité est beaucoup plus élevée pour les agents biologiques — en particulier pour ceux qui sont susceptibles de provoquer une épidémie — que pour les agents chimiques.

Quant aux effets résiduels, ils risquent de se révéler plus importants pour la plupart des agents biologiques que pour les agents chimiques. On sait, cependant, que les effets des désherbants et des défoliants utilisés au Vietnam se font encore sentir de nos jours et que l'on a forgé un

41

néologisme qui en souligne bien l'ampleur pour les désigner : *écocide*.

Deux expériences montrent bien à quel point les effets des agents biologiques peuvent se faire sentir longtemps après leur utilisation. En 1969, le secrétariat américain à la Défense révéla, lors d'une audition devant le Congrès, qu'une dizaine d'années auparavant l'armée avait placé la valeur d'une tasse à café d'une solution contenant des micro-organismes pathogènes dans une parcelle de terrain à proximité de Salt Lake City, afin de déterminer combien de temps ces organismes demeureraient infectieux dans cette zone sèche et salée. Quand eut lieu cette audition, la région concernée était toujours signalée comme « bio-contaminée en permanence ».

La seconde expérience est plus connue. Elle se déroula sur la petite île de Guinard, au nord-ouest de l'Écosse, au début de la Seconde Guerre mondiale, et fut réalisée par les Britanniques qui employèrent le bacille du charbon pour contaminer l'île.

Aujourd'hui encore, l'île de Guinard est interdite au public car on estime qu'il y a un danger d'infection mortelle. Une enquête effectuée par des spécialistes en 1966 révéla que le terrain demeurerait probablement contaminé pendant une centaine d'années.

Jusqu'ici, nous avons examiné d'un point de vue très général les agents chimiques et biologiques. D'ailleurs, ce n'est pas un hasard si le mot « agents » a été préféré à celui d'« armes » car, pour passer d'un mot à l'autre, il faut surmonter un grand nombre de problèmes qui constituent une bonne part des recherches effectuées par les militaires. Les agents chimiques et biologiques doivent être examinés en fonction des systèmes d'armes auxquels ils appartiendraient, c'est-à-dire du matériel, du personnel et des organismes nécessaires pour entretenir et mettre en œuvre un dispositif militaire. De plus, rapporte l'ONU, « une arme n'a guère de valeur militaire si elle n'est pas fiable et si l'on ne peut pas la placer de façon certaine sur l'objectif ». Il faut donc « non seulement résoudre [les problèmes liés à] la production en série, au stockage, au transport et aux moyens de lancement mais tenir compte aussi des limitations que le terrain et les conditions météo imposent à son utilisation ».

Là s'arrête le général. Ici commence le particulier. Car il est bien évident que toutes ces questions ne peuvent être résolues que cas par cas, en tenant compte à chaque fois des caractères spécifiques de l'agent considéré dont dépendent l'arme correspondante et son utilisation éventuelle.

II. *L'ALCHIMIE BELLICISTE*

ou

La famille des agents chimiques de guerre

> *Parlant des guerres futures, il disait : De chaque côté de la frontière, un chimiste s'approche avec une bouteille.*
> Oscar Wilde, cité par Conan Doyle,
> in *Souvenirs et Aventures*, éd. Rencontres, 1968

Dans le numéro daté du 1ᵉʳ juin 1964 de la *Gazette médicale de France*[1], on pouvait lire :

« *La guerre chimique présente, du point de vue militaire pur, d'incontestables avantages :*

« *— très grande polyvalence et souplesse d'emploi, allant de l'interdiction temporaire ou de très longue durée des terrains, de l'attaque massive visant à détruire les ennemis (avec les toxiques létaux) à la possibilité de les neutraliser temporairement, sans lésions graves des hommes (avec les incapacitants);*

« *— possibilités de doser les effets dans l'espace, dans le temps, et suivant les conditions d'emploi (terrains découverts, agglomérations, forêts, grottes, etc.);*

« *— non-destruction du matériel;*

« *— prix de revient comparable à celui des armements classiques, hors de proportion avec celui des armes atomiques;*

« *— enfin possibilité de fabrication en quantité massive à la portée de toute nation possédant un potentiel industriel chimique moyen. En outre, les progrès de la chimie moderne diversifient sans cesse les indications et les possibilités des différents agressifs de guerre. Il faut d'ailleurs noter que la guerre chimique ne vise pas uniquement l'homme, mais offre des moyens d'action stratégiques extrêmement vastes par l'attaque des végétaux et des*

---

1. Article du médecin commandant Foulhoux, biologiste au Service de Santé des armées.

cultures. Cette dernière forme d'emploi est déjà entrée dans la pratique militaire effective. »

Oui, les armes chimiques présentent, du point de vue militaire pur (!), d'« incontestables avantages ». Il s'agit cependant plus d'armes tactiques ou « de théâtre » que d'armes stratégiques. On pourra s'en servir comme armes d'appoint dans de nombreuses opérations, ne serait-ce que pour obtenir un effet de surprise sur des troupes mal entraînées et mal équipées, ou pour venir à bout de troupes installées dans des abris, des tranchées, des fortifications où elles sont protégées contre les armes classiques. Quelques-unes de ces armes pourraient également être employées avec des armes nucléaires tactiques qui auraient pour effet d'affaiblir sérieusement les moyens de défense chimiques de l'ennemi. On conçoit sans peine l'enfer qui résulterait d'une telle combinaison...

Il se pourrait aussi que l'on cherche simplement à ralentir l'avance des troupes adverses en les obligeant à enfiler leurs tenues de protection. « Les équipements limitent sans aucun doute la mobilité et gênent les activités normales, lit-on dans le rapport de l'ONU. Il serait donc très probable, si l'on suppose deux adversaires bien équipés, que celui qui aura été attaqué au moyen d'armes chimiques riposterait de même pour infliger à l'attaquant les mêmes dommages et lui imposer les mêmes entraves. Dans ces opérations, les civils qui n'auraient pas fui la zone des combats, comme ceux qui se trouveraient sous le vent de cette zone à portée des vapeurs et des aérosols entraînés par le vent ou ceux qui reviendraient ultérieurement dans des zones contaminées par un agent persistant[1] risqueraient d'être atteints. Ce risque de pertes civiles serait évidemment plus grand dans le cas d'attaques chimiques sur des objectifs militaires situés très loin en arrière des lignes et serait considérable en cas d'attaque de centres de population. »

Le nombre des substances qui ont retenu l'attention des militaires à un moment donné en vue d'en faire des armes chimiques atteint plusieurs centaines de milliers, mais celui des composés effectivement utilisés — parce que satisfaisant à des exigences très précises quant à leur prix de revient ainsi qu'à leurs propriétés physiques, chimiques et toxicologiques — ne dépasse sans doute pas la centaine. Dans les pages qui suivent, nous n'examinerons que les plus importants. Les autres n'en sont d'ailleurs souvent que des dérivés.

Agents létaux

On peut diviser les agents chimiques de guerre létaux en trois groupes[2].

---

1. Un agent est dit *persistant* lorsqu'il contamine le sol pendant plusieurs heures, voire plusieurs jours. A l'inverse, il est dit *non persistant* lorsqu'il est suffisamment volatil pour disparaître complètement au bout de 10 à 20 minutes.

2. La classification des agents de guerre B C est moins rigoureuse qu'on pourrait le croire. Ainsi, il n'est pas rare de voir les neutralisants assimilés aux incapacitants comme c'est le cas, par exemple, dans les notices d'information de la Direction Technique des

Le premier comprend les asphyxiants — ou suffocants — et les vésicants; le deuxième les gaz hémotoxiques et les gaz neurotoxiques; le troisième les toxines.

1) *Asphyxiants — ou suffocants — et vésicants :*

Fréquemment utilisés dans le passé, et notamment au cours de la Première Guerre mondiale, c'est aux gaz asphyxiants ou suffocants que revient l'honneur douteux d'avoir, en quelque sorte, inauguré la guerre chimique. Ce sont des liquides très volatils qui, inhalés sous forme de gaz, « n'agissent que sur le poumon, si l'on excepte une irritation très passagère des voies respiratoires supérieures, suivie d'une phase de rémission trompeuse pouvant même atteindre 45 heures au cours de laquelle se développe insidieusement l'œdème pulmonaire par attaque de la muqueuse alvéolaire[1] ». C'est à cette catégorie qu'appartiennent le *chlore* et le *phosgène*, responsables de la mort de 6 000 hommes sur le front russe à partir de mai 1915.

Charmant... Pourtant, le phosgène n'est qu'une plaisanterie par rapport à certains composés plus récents. Il suffit d'un masque respiratoire pour s'en protéger. Son emploi s'en trouve donc sérieusement limité aujourd'hui car il n'offre pratiquement plus d'intérêt face aux progrès des techniques défensives.

Les vésicants sont déjà plus séduisants. Eux aussi ont fait leur première apparition au cours de la Première Guerre mondiale. Ce sont des liquides huileux qui provoquent des brûlures, et des vésications de la peau (c'est-à-dire des ampoules) apparaissent quelques heures après l'exposition. Ils ont aussi un bon effet toxique général. Le plus célèbre est l'*ypérite* qui doit son nom à la ville d'Ypres à proximité de laquelle il fut essayé pour la première fois par les Allemands en juillet 1917. On l'appelle aussi *gaz moutarde* en raison de l'odeur piquante qu'il dégage. Les effets de l'ypérite ne se font pas sentir tout de suite et une personne à l'odorat non entraîné peut très bien en inhaler sans s'en rendre compte. Une demi-heure à trois heures plus tard, cette même personne aura une

---

Armes et de l'Instruction de l'État-Major de l'Armée de Terre ou dans le rapport de l'ONU. De même, dans l'article qu'il a écrit pour l'*Encyclopaedia Universalis* sur les « Armes chimiques et biologiques », l'ingénieur en chef de l'Armement Pierre Ricaud, sous-directeur de la Défense NBC en France, n'opère pas la répartition que nous effectuons ici des agents chimiques létaux en trois groupes. Quatre « familles » existent pour lui qui sont les irritants, les vésicants, les suffocants et les toxiques généraux. Pour ma part, je me suis efforcé d'opérer une synthèse aussi claire et rigoureuse que possible des différents modes de classement que l'on trouve dans les publications de l'ONU, de l'OMS et du SIPRI, ainsi que dans les travaux et articles de spécialistes tels que Ricardo Frailé, Julien Robinson et Pierre Ricaud. J'ai également tenu compte, chaque fois que cela était possible, des notices d'information que m'a transmises l'Armée de Terre.

1. Pierre Ricaud in « Les gaz de combat » : L'*Encyclopédie internationale des sciences et des techniques*.

impression de sable sous les paupières avec irritation croissante et injection de la conjonctive. Suivront d'abondantes sécrétions nasales, des éternuements, des maux de gorge, de la toux. Laissons passer quelques heures encore et les yeux se mettent à couler, les sécrétions nasales deviennent purulentes, la voix s'altère ou s'éteint. Puis ce sont des nausées et des vomissements parfois accompagnés de diarrhée, quand enfin se produisent des démangeaisons et des éruptions cutanées. Le lendemain, l'expectoration est abondante, mucopurulente et quelquefois chargée de grands lambeaux de muqueuse trachéale. La fièvre s'installe. L'infection dégénère en broncho-pneumonie et la mort peut survenir entre le deuxième jour et la quatrième semaine. Pour compléter ce tableau, on s'est aperçu, il y a quelques années, qu'à long terme — c'est-à-dire chez les victimes ayant survécu à une attaque à l'ypérite, mais aussi chez les ouvriers travaillant dans les usines où l'on en fabrique — le gaz moutarde a des effets mutagènes, cancérogènes et tératogènes. L'ypérite est cependant un gaz qui répond bien aux caractéristiques militaires. Comme le remarque Pierre Ricaud[1], « elle traverse aisément et rapidement un grand nombre de matériaux (peintures, cuir, caoutchouc naturel...) compliquant beaucoup la protection. Sa persistance rend les objets souillés dangereux pour de longues périodes ».

L'ypérite n'est pas le seul vésicant. On peut également citer la trichloréthylamine, inodore, et la lévisite au doux parfum de géranium. Mais si le « gaz moutarde » a toujours eu la préférence des chefs d'armée, c'est parce que, contrairement aux deux autres, on ne lui a pas encore trouvé d'antidote. Ce qui ne l'empêche pas de faire, si on peut dire, piètre figure face à certains neurotoxiques...

2) *Hémotoxiques et neurotoxiques* :

Par hémotoxiques, on entend les toxiques du sang qui pénètrent dans l'organisme par les voies respiratoires et viennent perturber l'utilisation de l'oxygène dans les tissus, ce qui, bien entendu, provoque la mort. Cette catégorie d'agents connaît deux représentants importants : *l'acide cyanhydrique* (ou *cyanure d'hydrogène*) et le *chlorure de cyanogène*.

L'acide cyanhydrique est sans doute le gaz toxique le plus tristement célèbre de l'histoire puisque c'est lui qui fut utilisé par les nazis dans les chambres à gaz au cours de la Seconde Guerre mondiale sous le nom de *zyklon B*[2]. A température ordinaire, c'est un liquide très volatil presque incolore. A l'état gazeux, il est moins dense que l'air. L'inhalation d'une dose élevée entraîne une perte de connaissance suivie d'une mort rapide par arrêt respiratoire. Une dose plus faible provoque un malaise pouvant se prolonger plusieurs heures. Une impression de chaleur accompagnée

---

1. In *Encyclopaedia Universalis*, article cité.
2. Plus exactement, le *Zyklon B* est une préparation imprégnée d'acide cyanhydrique libérant celui-ci dans certaines conditions.

46

de rougeurs précède des nausées, des vomissements et des difficultés respiratoires. Le sujet finit par perdre connaissance et la mort survient par asphyxie. L'extrême rapidité avec laquelle apparaissent les effets de l'acide cyanhydrique lorsqu'il peut être répandu en quantités suffisantes présente un intérêt incontestable du point de vue militaire mais sa très grande volatilité en restreint considérablement l'emploi.

Les effets du chlorure de cyanogène sont très proches de ceux de l'acide cyanhydrique mais il s'y ajoute une action irritante pour les yeux et les voies respiratoires liée à la présence du chlore. Quand son inhalation n'aboutit pas à la mort, on voit souvent apparaître les signes d'un œdème pulmonaire. Très volatil, lui aussi, il est cependant moins inflammable que l'acide cyanhydrique et, surtout, il présente l'avantage d'être difficilement retenu par la cartouche à charbon de bois des masques à gaz.

Les neurotoxiques, quant à eux, constituent le *nec plus ultra* en matière d'agents chimiques de guerre. C'est la dernière grande famille connue des toxiques mortels, la plus redoutable, et celle, aussi, qui, à n'en pas douter, sera présente sur les champs de bataille à venir si une convention ne vient pas en interdire la fabrication et provoquer la destruction des stocks (immenses) existants.

Les agents neurotoxiques sont des produits chimiques incolores, inodores et sans saveur, de la même famille que les insecticides organophosphorés, qui agissent sur le système nerveux et perturbent les fonctions vitales de l'organisme.

Le *Technical Manual* (TM 3-215) de l'armée américaine en décrit les effets de la manière suivante :
— nez qui coule
— poitrine oppressée
— obscurcissement de la vue et rétrécissement des pupilles
— difficultés respiratoires
— salivation et sueur abondantes
— nausées, vomissements, crampes, miction et défécation involontaires
— contractions, spasmes et vertiges
— maux de tête, confusion mentale, somnolence, coma, convulsions, arrêt de la respiration et mort.

Une absorption par la peau pendant une à deux minutes peut suffire pour entraîner la mort.

Les neurotoxiques agissent en bloquant le système nerveux parasympathique par inhibition d'une enzyme appelée cholinestérase. Cela déclenche une rapide accumulation d'une substance de transmission synaptique appelée acétylcholine qui, normalement, est décomposée par la cholinestérase quelques millisecondes après avoir été libérée. La transmission des influx nerveux, par conséquent, ne s'opère plus.

C'est en effectuant des recherches sur les insecticides qu'un chimiste allemand du nom de Schrader mit au point les premiers neurotoxiques entre 1936 et 1942. L'état-major du Reich comprit immédiatement les avantages qu'il pouvait tirer de l'emploi d'agents aussi toxiques et l'on verra qu'il s'en fallut de peu qu'ils fussent utilisés pendant la Seconde Guerre mondiale.

Il existe deux grandes catégories d'agents neurotoxiques de guerre : les agents G et les agents V. Les premiers sont connus depuis longtemps et leur formule est reproduite dans la quasi-totalité des ouvrages et articles spécialisés. Les seconds n'étaient encore, récemment, désignés que sous leur nom de code, mais l'on peut aussi, à présent, se procurer leur formule sans difficulté.

Les agents G sont le *tabun* (GA), le *sarin* (GB) et le *soman* (GD). Il existerait également un GF dont on sait peu de chose mais qui ne paraît pas présenter beaucoup d'intérêt militaire. Si ces composés n'ont pas tout à fait les mêmes caractéristiques physico-chimiques, leurs effets, en revanche, sont sensiblement les mêmes et ils diffèrent surtout entre eux en raison de leur toxicité.

Les agents V sont les préférés des militaires qui ne les désignent que par des lettres : VE, VM et VX. Leur découverte remonterait à 1955 et serait l'œuvre de chimistes américains. Le plus connu est l'agent VX dont on sait qu'il s'agit d'un liquide non volatil, donc très persistant, qui bout à 80 °C sous une pression de 0,06 mm/hg. Les effets du VX sont sensiblement les mêmes que ceux des autres neurotoxiques, quoiqu'il provoque aussi des douleurs gastro-intestinales précédant la broncho-constriction. Mais sa dose létale est considérablement moins importante que celle des agents G. 2 à 10 mg de liquide sur l'épiderme (c'est-à-dire une gouttelette) et 5 à 10 mg min/m^3 d'aérosols dans l'atmosphère suffisent à tuer un homme. Par ailleurs, sa persistance lui permet de contaminer les sols où il tombe pendant très longtemps, jusqu'à plusieurs semaines dans certaines conditions.

L'OMS a étudié quelles pourraient être les conséquences de l'emploi du VX contre une ville de 5 millions d'habitants en pays économiquement avancé. Sous la rubrique « Victimes », on peut lire :

« Sur 150 000 personnes exposées à une concentration létale de VX, 80 000 mourraient sans doute avant qu'on puisse leur porter secours et 35 000 seraient peut-être sauvées si l'on pouvait leur administrer rapidement de l'atropine, des oximes et un soutien énergique. Les 35 000 autres pourraient être sauvées grâce aux médicaments et au traitement de soutien[1]. »

---

1. Un professeur de l'Institut Pasteur et directeur de recherches au CNRS que j'ai rencontré mais qui désire garder l'anonymat m'a confié, à propos des antidotes comme l'atropine et les oximes : « *Qu'est-ce qu'un antidote ? C'est un agent chimique qui agit spécifiquement sur la réaction engendrée par l'agent toxique que l'on veut combattre ou sur une symptomatologie pouvant conduire à la mort de l'individu si on ne l'utilise pas. L'atropine et les oximes sont des antidotes, en effet, car ils agissent sur les terminaisons nerveuses*

Sous la rubrique « Morbidité et mortalité », on apprend qu'« il serait très probablement impossible de sauver plus qu'une minorité des 70 000 personnes qui n'auraient pas succombé immédiatement. On peut donc estimer qu'il y aurait en tout 120 000 décès et environ 10 000 personnes à hospitaliser ».

Suivent deux rubriques aux titres explicites : « *Problèmes d'ensevelissement* » et « *Problèmes d'hospitalisation* » où l'on peut lire, entre autres, que « la situation serait aggravée par le fait que 10 % au moins et sans doute près de 20 % du personnel médical [... plus concentré au centre de la ville] seraient parmi les victimes de l'attaque ».

Enfin, sous la rubrique « Problèmes de réadaptation », on apprend que « certains des survivants souffriraient de séquelles. Leur nombre est difficile à déterminer mais il serait probablement de l'ordre du millier, ce qui dépasserait de beaucoup les ressources de la ville en moyens de réadaptation ».

Ces estimations paraîtront peut-être faibles par rapport à celles que l'on rencontrera plus loin lorsqu'il sera question des armes biologiques. Les neurotoxiques n'en demeurent pas moins les plus létaux des agents chimiques car, contrairement aux agents biologiques, leur fabrication et leur stockage ne sont pas interdits. Et il est d'autant plus tentant d'y avoir recours qu'il est très difficile de s'en protéger. Pensez... une infime gouttelette sur la peau d'un homme suffit à le tuer.

3) *Les toxines :*

Les toxines sont des substances chimiques extrêmement toxiques produites biologiquement et agissant par ingestion ou par inhalation. Leur statut est ambigu, comme j'ai déjà eu l'occasion de le faire remarquer. Il arrive souvent qu'on les désigne sous le nom de « biotoxines » mais la plupart des spécialistes s'accordent pour les ranger parmi les armes chimiques dans la mesure où il ne s'agit pas d'organismes vivants capables de se reproduire. Malgré cela, elles ont été incluses dans la convention de 1972 censée ne concerner que les agents biologiques. Cela est en partie dû au fait qu'il n'est pas possible de fabriquer des toxines sans continuer à produire des virus ou des bactéries pathogènes. Agents chimiques, donc, mais agents chimiques dont la fabrication et le stockage sont interdits. Officiellement. Agents chimiques séduisants, cependant, d'un point de vue offensif, car pouvant être produits facilement et à peu de frais — il suffit de laisser faire la nature — et nécessitant des quantités infimes pour

---

intéressées. Mais il faut bien se dire que les quantités d'atropine à injecter sont gigantesques. Elles seraient létales pour un individu en temps normal. Ces antidotes sont aussi très difficiles à manier. Il faut les utiliser très tôt et d'une manière prolongée dans un environnement médical très conscient de ce qu'il fait. En cas d'attaque massive par neurotoxique, on peut toujours distribuer des ampoules aux gens pour qu'ils se les auto-injectent mais il ne faut pas se faire trop d'illusions quant à l'efficacité d'une telle procédure. »

être efficaces. Dans un article intitulé « L'Arme biologique pourra frapper l'homme, l'animal et la plante » paru dans *Le Monde* du 14 janvier 1950, Camille Rougeron écrivait : « Le docteur Brock Chisholm, directeur de l'Organisation mondiale de la Santé, annonçait récemment qu'avec 200 grammes d'un produit qu'il ne voulait pas nommer, mais qui serait connu de tous les spécialistes, on pourrait empoisonner toute l'humanité. Il signalait en outre une arme "assez commune", de fabrication aisée, qui pourrait anéantir en six heures toute vie dans une zone de combat sans empêcher ensuite son occupation. »

« Les secrets protégés par la demi-réserve du docteur Chilsholm et de ses collègues ne sont guère difficiles à percer, commentait encore Camille Rougeron. Ils ne font qu'appliquer à l'art de tuer les récents progrès dans l'art de guérir. La toxine botulinique, le plus puissant des poisons connus, a pu être obtenue sous forme cristallisée; la dose théorique nécessaire à la destruction de l'humanité en est diminuée. Quant à la deuxième arme, il est certain que la préparation des aérosols toxiques ne présente pas plus de difficultés que celle des aérosols curatifs; de la peste à la toxine botulinique on n'a que l'embarras du choix quant au produit à faire absorber par voie pulmonaire à l'ennemi pour obtenir les résultats annoncés. »

Plus de trente ans après la parution de cet article, les choses n'ont guère changé. Les toxines « botuliniques » ou botuliques comptent toujours parmi les substances les plus dangereuses pour l'homme et leur utilisation militaire éventuelle offre toujours d'aussi nombreux et fascinants avantages. Mais elles ne sont pas seules. La grande famille des toxines compte désormais beaucoup de membres et, les progrès de la toxicologie aidant, on est en droit de penser qu'elle n'est pas près de s'éteindre, même si son existence est à présent réduite à la clandestinité.

On peut discerner trois grands groupes parmi les toxines : les *phytotoxines*, les *zootoxines* et les *toxines microbiennes*.

Les *phytotoxines* sont d'origine végétale et comprennent, entre autres, la strychnine, le curare et la ricine ainsi que les mycotoxines auxquelles il convient d'accorder une place toute particulière. On connaît la strychnine, cet alcaloïde découvert par Pelletier et Caventon dans la noix vomique. Elle provoque le vertige, la raideur des muscles, des secousses ressemblant à de véritables bonds, puis la mort. Raffinement extrême : la victime conserve toute sa lucidité jusqu'à la fin. Le curare, quant à lui, est souvent associé aux Indiens d'Amérique du Sud qui en enduisent la pointe de leurs flèches. Inactif par voie buccale, il provoque, lorsqu'il est injecté à forte dose, une paralysie des muscles striés entraînant la mort par atteinte des muscles respiratoires. La ricine, notre troisième phytotoxine, a tenu la vedette lors de l'assassinat de Georgi Markov, réfugié bulgare victime d'un parapluie piégé à Londres en septembre 1978. Ce parapluie dissimulait un pistolet à air comprimé permettant au meurtrier d'atteindre Georgi Markov avec un projectile de 1,52 mm contenant deux cavités de

0,35 mm remplies de ricine. La chaleur interne et les mouvements musculaires de la victime débarrassèrent les cavités de leur enveloppe protectrice et la toxine put pénétrer dans le sang pour y accomplir son œuvre, à savoir inhiber les cellules chargées de la synthèse des protéines. Ni vu ni connu. L'homme au parapluie n'a jamais pu être identifié et l'on ignore si c'est lui qui, moins d'un mois avant l'affaire Markov, avait perpétré le même genre d'attentat contre Vladimir Kostov, ancien correspondant de la radio et de la télévision bulgare en France. S'il ne s'agissait pas du même individu, le but visé et la méthode employée étaient, en tout cas, rigoureusement identiques. Kostov, atteint dans le dos par le « parapluie qui tue » alors qu'il remontait avec sa femme Natalia l'escalier mécanique de la station Charles-de-Gaulle-Étoile, le 26 août 1978, eut plus de chance que son compatriote. Après qu'un médecin lui eut extrait du dos une pointe métallique de deux millimètres, il s'en tira en restant cloué deux jours dans son lit par une forte fièvre. « La ricine, nous apprend le rapport de l'OMS, peut être obtenue à grande échelle comme sous-produit du traitement des graines de ricin. Au cours de la Seconde Guerre mondiale, un armement relativement efficace a été mis au point pour répandre cet agent chimique. » La dose létale pour l'homme des aérosols de toxine brute est la même que celle du sarin et « on peut raisonnablement penser qu'une toxine mieux purifiée serait plus toxique que le VX ».

Les *mycotoxines* sont les agents chimiques dont on parle le plus dans la presse et les ouvrages spécialisés depuis 1980. Si elles sont l'objet d'une telle attention, c'est parce qu'il circule à leur sujet des rumeurs selon lesquelles elles seraient employées en ce moment même au Laos, au Cambodge et en Afghanistan par les Soviétiques et leurs alliés. A en croire les Américains, qui ont adressé à ce sujet le 14 septembre 1981 une note verbale au secrétaire général des Nations Unies, il ne s'agit d'ailleurs pas de rumeurs mais d'informations fondées :

« L'analyse récente d'un échantillon de feuille et de tige prélevé dans une zone où une attaque chimique se serait produite au Kampuchea [Cambodge] a révélé la présence de substances qui ne sont pas des armes chimiques classiques [...]. Plus précisément, les tests effectués sur l'échantillon ont indiqué un taux anormal de trois mycotoxines puissantes du groupe des trichothécines : le nivalénol, le déoxynivalénol et la toxine T2. Les taux détectés de déoxynivalénol et de nivalénol étaient jusqu'à 20 fois supérieurs aux taux habituels dans les cas d'intoxication naturelle [...].

« Les symptômes associés à l'empoisonnement dû aux trichotécines comprennent notamment le déclenchement rapide de vomissements, des hémorragies multiples des muqueuses, des diarrhées sanglantes et de violentes sensations de démangeaisons ou de fourmillements de la peau, accompagnés de la formation en grand nombre de petites pustules indurées. Toutes les trichothécines produisent des symptômes similaires;

toutefois, il existe des différences dans le degré de gravité : le nivalénol et le déoxynivalénol produisent des irritations cutanées moindres que la T2; le nivalénol est légèrement plus hémorragique que le déoxynivalénol ou la T2; le déoxynivalénol (connu également sous le nom de vomitoxine) entraîne de violents vomissements. »

Il n'entre pas dans le cadre de ce chapitre d'établir dans quelle mesure les accusations portées par les Américains contre les Soviétiques et leurs alliés sont fondées. Nous aurons l'occasion de revenir plus loin sur ce délicat problème. S'agissant des mycotoxines, cependant, quelques précisions s'imposent : celles qui sont mises en cause par le représentant permanent des États-Unis à l'ONU appartiennent au groupe des trichothécines ou trichothécènes. Ces derniers sont définis[1] comme « un groupe chimiquement apparenté de métabolite des champignons, de faible poids moléculaire et métaboliquement actifs ».

Ces trichothécènes sont très répandus dans toutes les parties du monde mais les régions dont le climat est à la fois froid et pluvieux se révèlent particulièrement favorables à leur développement. On en produit aussi en laboratoire et le rapport des experts de l'ONU note, à ce propos, que « les champignons peuvent produire dans une culture de laboratoire d'autres toxines que sur les produits agricoles car dans les conditions du laboratoire, les éléments nutritifs et le milieu sont tout à fait différents de ce que les champignons rencontrent dans la nature où intervient l'influence des micro-organismes et des plantes vivantes ».

On les appelle aussi « pluies jaunes » car c'est sous cet aspect que les ont dépeintes des montagnards du Laos prétendant en avoir été victimes. Mais leurs témoignages ne sont pas parvenus à convaincre les experts de l'ONU de la réalité de la guerre chimique en Asie. Si bien que, en dépit de tout ce que l'on sait aujourd'hui sur les mycotoxines, les « pluies jaunes » demeurent une énigme et n'ont pas d'existence officielle.

Les *zootoxines*, comme l'indique leur étymologie, sont d'origine animale. Les différentes sortes de venins de serpent en font partie, ainsi que des substances sécrétées par certaines espèces de crapauds, de grenouilles et de poissons. L'étude des poisons produits par les animaux a fait beaucoup de progrès au cours des dix dernières années et l'on sait à présent opérer la synthèse d'un certain nombre d'entre eux. Cela présente de grands avantages, car les petites bêtes sont généralement moins faciles à manipuler que les éprouvettes. Plusieurs expéditions envoyées en Colombie par les Américains au cours des années 70 pour en rapporter des grenouilles productrices de *batrachotoxine* s'en sont aperçues. Les batraciens supportaient mal le voyage et ceux qui survivaient donnaient

---

1. Rapport A/36/613 du 20 novembre 1981 des experts des Nations unies chargés d'une enquête sur la réalité de la guerre chimique en Asie du Sud-Est, 36e session, point 42 de l'ordre du jour, annexe III.

une faible quantité de toxine dont la récupération et l'utilisation posaient d'innombrables problèmes. Tout cela, désormais, appartient au passé et la *batrachotoxine* obtenue artificiellement se révèle deux fois plus toxique que celle produite par les grenouilles colombiennes.

La *tétrodotoxine* est une autre zootoxine qui a longtemps retenu — et retient sans doute encore — l'attention des spécialistes. Cette substance, dont la dose mortelle serait de 0,5 mg pour un homme de taille moyenne, est produite par un poisson connu au Japon sous le nom de *Tora Fugu*. On l'extrait de ses viscères et de ses organes sexuels et c'est un poison dont les effets étaient déjà connus dans l'Antiquité. Sa synthèse, cependant, n'a été opérée que très récemment. Les Japonais, de leur côté, continuent de consommer du *Tora Fugu* dont la chair est, chez eux, considérée comme une friandise. Cela ne va pas sans poser d'insurmontables difficultés aux services de santé. Car il suffit d'un cuisinier maladroit pour transformer une réunion de gastronomes en banquet de kamikazes...

Reste les *toxines microbiennes*. Elles sont produites par des micro-organismes à l'extérieur des organismes attaqués, ce qui leur vaut d'être classées parmi les agents chimiques de guerre, et les plus connues — qui sont aussi les plus redoutables — sont les *toxines botuliques*. Il s'agit de l'un des poisons les plus puissants du monde et il en existe au moins six types distincts dont quatre sont toxiques pour l'homme.

Cette substance, sécrétée par le bacille *Clostridium botulinum*, est responsable d'un certain nombre d'empoisonnements alimentaires. On cite parfois comme exemple ce cas survenu en 1922 à Gairloch, dans les Highlands, où huit convives s'étaient partagé un pâté de canard sauvage contaminé. Aucun ne survécut, ce qui aurait tendance à montrer que la mortalité par *botulisme* peut être, dans certains cas, de 100 %. *Clostridium botulinum* est un micro-organisme auquel il arrive de proliférer dans les conserves familiales insuffisamment chauffées ou, s'il s'agit de charcuterie, insuffisamment salées. La toxine produite par ce bacille est dangereuse à des doses extraordinairement faibles, de l'ordre du microgramme, et provoque une intoxication se caractérisant par des paralysies (oculaires, œsophagiennes, bucco-pharyngo-laryngées, et parfois des membres), une inhibition des sécrétions sudorales, salivaires et urinaires, des troubles cardiaques et respiratoires. Ce sont ces derniers qui entraînent généralement la mort. Les symptômes apparaissent 12 à 72 heures après la consommation des aliments contaminés et toutes les personnes sont sensibles à cette forme d'empoisonnement. On pense néanmoins que les survivants, s'il y en a — ce qui est plus qu'hypothétique —, doivent acquérir une « certaine » immunité.

En cas d'utilisation des toxines botuliques à des fins militaires, on ne s'amuserait bien évidemment pas à essayer de faire consommer par l'ennemi des aliments contaminés. Une telle opération serait pratiquement impossible à mettre en œuvre et sa rentabilité ridicule par rapport aux moyens déployés. On aurait donc recours à des aérosols, à moins que l'on ne choisisse d'introduire les toxines dans les réseaux publics d'approvisionnement en eau.

Les experts de l'OMS ont envisagé cette dernière hypothèse en mettant au point deux scénarios[1]. Le premier concerne une collectivité urbaine de 50 000 habitants dans une société industrialisée en climat tempéré et le second, une collectivité similaire dans une société non industrialisée, climat chaud et aride. Voici quelques indications figurant dans le premier de ces scénarios :

« Approvisionnement en eau : 400 litres quotidiens par personne.

Quantité bue par personne : 0,5 litre

Pour 20 millions de litres, dans des conditions de répartition parfaite et de dilution uniforme, il faudrait 0,04 kg de toxine. Si l'on multiplie ce chiffre par 6 pour tenir compte des inégalités de répartition et de dilution, etc., la quantité requise est de 0,24 kg.

Les opérations d'introduction de la toxine durent 6 heures (de minuit à 6 heures du matin) mais prennent fin avant l'apparition des premiers symptômes.

Taux de concentration initial, à l'entrée dans les canalisations : 0,05 mg/l. Ainsi, 20 g d'eau contiennent une dose létale.

A 17 h 30, 10 % des habitants auraient absorbé une dose létale huit heures auparavant. Si des contre-mesures étaient prises à ce moment-là, 60 % des membres de la collectivité (30 000 personnes) auraient déjà reçu une dose létale.

En cas d'identification du danger une heure plus tôt, à 16 h 30, alors que les symptômes se manifesteraient chez 1 200 personnes, le nombre des consommateurs ayant déjà ingéré une dose létale tomberait à environ 28 000. »

Agents incapacitants

Théoriquement, c'est le rêve. L'arme permettant de mener une guerre humaine, une guerre sans morts. Ou presque. Au cours des années 50 et jusqu'au milieu des années 60, il existait aux États-Unis un groupe de fanatiques de l'arme chimique rassemblés autour du « Chemical Corps » de la Seconde Guerre mondiale. Pour ces enthousiastes, on détenait là l'arme de l'avenir, celle qui allait révolutionner toutes les guerres, tous les conflits. Plus de cadavres jonchant les champs de bataille, plus de blessés agonisant sous les tentes des services de santé ou encombrant les

---

1. Il est souligné, dans le rapport de l'OMS, que « l'on ne dispose pas de renseignements sur l'inactivation éventuelle de la toxine botulique lors d'un séjour de six à huit heures dans l'eau des canalisations. L'oxydation, ou tout autre facteur d'altération, pourrait réduire de façon considérable les effets prévus. Il est possible, toutefois, qu'existe déjà une toxine stable convenant à l'emploi décrit ci-dessous ou que des recherches ultérieures permettent d'en obtenir une ».

hôpitaux, plus de mutilés de guerre à qui verser de coûteuses pensions sans pour autant soulager leurs peines. Fini, tout ça. Il n'y aurait plus que des prisonniers, des militaires victimes d'une légère indisposition passagère que l'on pourrait désarmer sans se faire agresser. Et la guerre redeviendrait un jeu.

Ces partisans de la guerre humaine allèrent jusqu'à organiser une vaste campagne publicitaire destinée à se gagner les faveurs du public et de la presse pour que le Congrès votât, le sourire aux lèvres, les crédits dont ils avaient besoin. Cette campagne prit le nom d'« Opération Ciel Bleu ».

C'était joli, coquet, simple et de bon goût. Mais cela ne prit pas. Ou, du moins, pas autant que l'auraient souhaité ses promoteurs.

L'« Opération Ciel Bleu » ne concernait pas que les incapacitants puisqu'elle permit au passage de faire aussi l'éloge de certains agents létaux offrant l'avantage de ne pas toucher aux biens matériels. De même, le Dr Lecoy D. Fothergill, conseiller du haut commandement, département des armes chimiques, souligna, à l'occasion d'une journée de rencontre nationale de l'American Chemical Society en avril 1960, la « particularité séduisante de la guerre chimique antirécoltes [qui est de ne pas détruire] les principaux avoirs humains — les villes, les ponts, les trains, etc. ».

Mais les incapacitants demeuraient tout de même au cœur du débat. De nombreuses déclarations en sont la preuve, comme celle du général Stubbs, par exemple, grand apologiste des « produits invalidants », pour qui ces derniers sont en mesure de permettre à une armée d'atteindre son objectif « sans causer de pertes ni de blessures aux personnels militaires ou à la population civile ». Mais si l'« Opération Ciel Bleu » fut en partie un échec, c'est parce que, déjà, on savait bien qu'il ne peut pas y avoir de « guerre humaine » et que les incapacitants, si pudiquement nommés, sont loin de présenter toutes les vertus inoffensives dont on veut bien les parer.

Il existe deux sortes d'incapacitants chimiques : les *incapacitants physiques* et les *incapacitants psychologiques*.

En ce qui concerne les *incapacitants physiques*, le jeu, pour les chercheurs, consistait à trouver une substance provoquant une perte de contrôle des muscles ou des sens, voire même de la conscience, sans entraîner la mort du sujet. Pas facile. On songea bien à certains inhibiteurs neuromusculaires, mais ils ne sont pas suffisamment sélectifs, et risquent de tuer leur victime en agissant sur les muscles respiratoires. Alors, on chercha ailleurs. Et l'on finit par trouver. La réponse, ici encore, faisait intervenir les toxines. Ou, pour être plus exact, les *entérotoxines staphylococciques* dites ES.

Les ES sont responsables d'intoxications alimentaires provoquées par la bactérie *Staphylococcus*. On en connaissait donc les manifestations avant d'avoir envisagé de les utiliser à des fins militaires. Qu'il s'agisse d'empoisonnements accidentels ou d'essais réalisés en laboratoires sur des animaux ou des volontaires humains[1], les symptômes sont les mêmes : apparition brusque et violente de malaises avec nausées, vomissements et diarrhées. Le rapport de l'ONU[2] précise que « le délai entre l'ingestion et l'apparition des symptômes est habituellement de deux à quatre heures, mais il peut aussi être d'une demi-heure. La plupart des individus atteints se rétablissent en 24 ou 48 heures et les issues fatales sont rares ». On trouve ainsi des ESA, des ESB, des ESC et des ESD. De ces quatre types distincts, le plus connu est l'ESB. Sa fabrication et son stockage sont interdits comme le sont ceux de toutes les toxines produites à des fins militaires.

Pas de morts, donc. Ou très peu. Mais de là à parler de « guerre humaine »...

C'est sans doute aux ES que faisait allusion William H. Summerson, représentant la direction du programme de recherche et de développement militaire des armements chimiques de l'armée américaine, lorsqu'il évoqua, à l'occasion de la journée de rencontre nationale de l'American Chemical Society, en avril 1960, un « certain type de gaz » possédant cette « caractéristique de ne mettre hors de combat que pendant un temps donné ». Il s'agissait vraisemblablement d'ESB répandue par aérosol; cela explique le mot « gaz », car cette toxine peut aussi agir par voie respiratoire. Et d'énumérer les effets de ce « gaz » féerique : confusion mentale, paralysie, cécité, surdité, perte de l'équilibre, larmoiements abondants, diarrhée et vomissements. En commentant les propos de Summerson, John Barden[3] écrivait[4] : « J'ai le souvenir de certains cas tenaces de diarrhée pendant la Seconde Guerre mondiale à laquelle je pris une part bien peu glorieuse en tant que membre de l'escadron A de Manhattan. Une poignée de chauffeurs de camions, dont j'étais, immobilisait des convois entiers en différents endroits du Connecticut pour se ruer vers les buissons au grand amusement de nos camarades et à la grande inquiétude des habitants. Ce qui se serait produit, exactement, si tout le régiment ou la nation entière avait été frappée de cette maladie "momentanée", mon imagination peut le concevoir aisément. Que ceux qui tiennent à trouver cela humain le fassent[5]. »

---

1. On trouve effectivement des gens pour se prêter à ce genre d'expérience et cela a même permis de s'apercevoir, au cours des années 60, que les Britanniques étaient moins sensibles aux toxines que les Américains. Quant à savoir pourquoi...

2. Lorsqu'il est fait allusion au *Rapport de l'ONU* sans autre précision, il s'agit, bien évidemment, du rapport de 1969 intitulé *Les armes chimiques et bactériologiques (biologiques) et les effets de leur utilisation éventuelle*. Dans le cas où il est fait référence à un autre document émanant des Nations unies, cela est précisé.

3. Fenn College, Cleveland, Ohio.

4. Dans une lettre publiée dans le *Bulletin of the Atomic Scientists* de février 1961.

5. Cité par Robin Clarke in *La guerre biologique est-elle pour demain ?*, Fayard, 1972.

Aujourd'hui, plus personne ne produit d'entérotoxines staphylococciques à des fins militaires. Du moins officiellement. Les incapacitants physiques ont donc déserté les arsenaux mais cela importe peu puisque les *incapacitants psychologiques*, eux, peuvent être fabriqués en toute impunité. Et cette seconde catégorie est, de loin, la plus fascinante.

Les substances qui la composent sont parfois qualifiées de « psychochimiques » ou de « psychotomimétiques » ou encore de « psychotropes », et l'une d'elles a connu, au cours des vingt ou trente dernières années, une carrière civile peu orthodoxe la hissant au rang de phénomène culturel et de fait de civilisation : le LSD.

Souvent désignés sous la forme abrégée d'*incaps*, ils agissent sur le cerveau en provoquant des désordres mentaux temporaires. Les soldats exposés deviennent ainsi incapables de remplir leur mission et, théoriquement, il n'y a plus qu'à les désarmer pour les maîtriser en douceur. De la guerre considérée comme une cueillette... Mais, là aussi, il y a loin du rêve à la réalité car l'on sait que ces substances peuvent causer des modifications durables, surtout chez les individus mentalement peu stables ou souffrant de troubles nerveux. Des doses élevées peuvent également entraîner des lésions irréversibles du système nerveux central, ou même la mort. Et puis, surtout, les incapacitants psychologiques sont des agents dont on maîtrise très mal les effets. Cela ne les a toutefois pas empêchés de compter des partisans enthousiastes dans le passé, comme ce colonel Nardi, auteur d'une étude sur l'arme psychochimique parue dans la revue *L'Armée* en août-septembre 1964. « Les effets psychochimiques recherchés ont surtout été suggérés par les rites et les manifestations auxquels donne lieu, en Amérique centrale et en Amérique du Sud, la consommation du peyotl, du cohoba et du yagé. » Et, plus loin : « Efficace, économique, d'un emploi facile, l'arme psychochimique fait figure d'arme humanitaire, d'arme morale [*sic !*], puisqu'elle ne procure en fait aucune souffrance au combattant, qu'elle ne rend indisponible, inadapté au combat, que pour un temps limité... »

L'ennui, avec les agents psychochimiques, c'est que les réponses physiques qu'ils déterminent sont imprévisibles et que des tests effectués aux États-Unis avec du LSD ont démontré qu'une unité combattante pouvait aussi bien se surpasser que se conduire de façon incohérente ou tomber dans la stupeur. De plus, comme l'assuraient encore récemment des spécialistes américains, provoquer hallucinations ou incohérence peut se révéler très dangereux à partir d'un certain échelon de la hiérarchie adverse. Il n'est guère prudent, en effet, de faire perdre leur contrôle aux chefs ennemis qui ont la responsabilité des armes nucléaires tactiques.

Ces réserves ont tout de même considérablement ralenti la production des incapacitants psychologiques au cours des dix dernières années et les efforts des chercheurs ont principalement porté sur un petit nombre d'agents répondant à des critères précis d'économie, de fiabilité d'emploi et d'efficacité.

De nombreuses substances ont été étudiées afin de leur trouver une application militaire dans le domaine des *incaps*. Certaines ont été découvertes chez les plantes, d'autres chez les animaux, mais la plupart peuvent aussi être obtenues par synthèse. Citons, pêle-mêle, et sans prétendre à l'exhaustivité, la *bufoténine*, isolée à partir d'une espèce très particulière de crapaud, la *psilocybine* ou *psilocine*, composant actif de certains champignons mexicains que les Indiens appellent *Teonanacatl* (« chair de Dieu »), l'*ayahuasca*, le *yagé*, l'*ibogaïne*, substance tirée d'un arbuste africain appelé *Thabernanthe iboga* et qui passe pour avoir des propriétés hallucinogènes d'une puissance exceptionnelle. Cette liste pourrait s'allonger indéfiniment et comprendre des dérivés du *THC*, principe actif du *cannabis*, ou de la *mescaline*, ainsi que des produits obtenus à partir de plantes telles qu'*Hyoxyamus niger*, très prisée des sorciers et autres magiciens du Moyen Age, ou *Myristica fragrans*, que chacun connaît sous le nom vulgaire de muscade. Cependant, les deux psychotropes qui ont suscité le plus d'intérêt auprès des militaires sont le *LSD* et l'agent *BZ*.

Le *LSD* ou acide lysergique diéthylamide a été découvert accidentellement à Bâle en 1943 par A. Hoffmann, mais il a fallu attendre le début des années 50 pour que les scientifiques commencent à s'apercevoir de son intérêt. Cette époque coïncidait avec celle de la guerre froide où l'on effectuait, tant aux États-Unis qu'en URSS, des recherches très actives dans le domaine des armes biologiques et chimiques. Le bruit courut alors en Occident que l'on utilisait du LSD dans les pays de l'Est pour procéder à des lavages de cerveau ou à des interrogatoires d'un genre particulier. Il n'en fallut pas davantage pour que les Américains se lancent à corps perdu dans l'étude de ce composé qui semblait présenter toutes les caractéristiques de l'arme chimique idéale. Incolore, inodore, insipide, le LSD a des effets spectaculaires que des quantités infimes suffisent à provoquer. Le US Army Chemical Corps et le US Army Intelligence Corps entreprirent, par conséquent, une série de tests qui dura de 1955 à 1967 avec pour objectif de rassembler le plus grand nombre possible d'informations sur une utilisation éventuelle de cet agent. En 1967, pensant avoir atteint leur but, les militaires américains mirent fin à leur programme d'essais. Celui-ci eut cependant de nombreuses conséquences à plus ou moins long terme que nous serons amenés à examiner dans un autre chapitre.

Dans d'autres pays — et notamment en France et en Angleterre — des études similaires avaient été conduites dans le même temps avec des résultats analogues. Pourtant, aujourd'hui, en 1982, personne ne peut encore prétendre savoir quels sont exactement les effets du LSD.

Selon Stephen Rose, professeur de biologie à l'Open University de Grande-Bretagne et spécialiste de renommée mondiale des sciences du cerveau[1], le LSD peut être considéré comme une substance imitant les

---

1. Voir *Le cerveau conscient*, coll. « Science ouverte », Le Seuil, Paris, 1975.

effets du système sympathique. Elle interférerait alors avec le fonctionnement des synapses en inhibant ce que l'on appelle les médiateurs, c'est-à-dire des substances permettant la transmission des influx nerveux d'un neurone à l'autre. Grossièrement, on pourrait dire que le LSD se fait passer pour un médiateur, en feignant d'en imiter les effets. D'où une transmission des influx passablement perturbée. Mais ça n'est encore qu'une hypothèse et Stephen Rose ne manque pas de rappeler qu'aucune des observations effectuées sur des animaux ou des humains soumis au LSD ne fournit d'explication rationnelle des effets de cette substance sur leur comportement. D'autant que celui-ci ne peut jamais être prédit. Selon la dose et l'espèce, il peut y avoir soit dépression, soit excitation de l'activité motrice et de l'agressivité.

Ces symptômes, chez l'homme, sont pourtant assez bien connus. On a tellement écrit sur ce sujet que je me contenterai d'en parler brièvement. Un individu soumis au LSD ressent des étourdissements et a des troubles de la vision pouvant s'accompagner de tremblements, de nausées et de somnolence. Sa perception est considérablement altérée, notamment en ce qui concerne les formes, les couleurs et les sons qui semblent lui parvenir avec beaucoup plus d'intensité et de précision qu'en temps normal. Le temps, lui aussi, n'est plus perçu de la même manière, mais, surtout, on observe chez le sujet des changements d'humeur importants, de la tension, une certaine difficulté d'expression des pensées, une dépersonnalisation et une sorte d'état onirique.

Les inconnues demeurent nombreuses quant aux conséquences que pourrait avoir l'emploi de cet hallucinogène dans un conflit. La dose létale n'a pu être déterminée avec certitude et, si l'on estime à 2 microgrammes par kilo la dose nécessaire pour provoquer des hallucinations chez un adulte moyen, on rencontre des estimations très diverses quant à la quantité à employer contre une ville dont on voudrait neutraliser les habitants. Ainsi, Abdus Salam, directeur du Centre international de physique de Trieste et professeur à l'Imperial College de Londres, pensait, il y a une dizaine d'années, qu'en théorie un seul kilo de LSD suffirait à rendre schizophrène une ville comme Londres[1], alors qu'à la même époque le rapport de l'OMS estimait à 80 kg la quantité requise pour une « collectivité urbaine de 50 000 habitants » dans une « société industrialisée » au « climat tempéré ». Il est vrai qu'Abdus Salam se référait à une dose théorique répandue par aérosols et le rapport de l'OMS à une estimation fondée sur un sabotage éventuel du système d'alimentation en eau.

En revanche, ce que les essais nous ont appris, c'est qu'en dehors du risque potentiel que constitue le LSD pour ceux qui l'absorbent, ce

---

1. Cf. *Les armements modernes*, ouvrage collectif, Flammarion, 1970.

produit peut être responsable d'anomalies chromosomales, de malformations fœtales et même de leucémies.

Conséquences mal prévisibles, effets secondaires catastrophiques... si l'on ajoute à cela un prix de revient très élevé, on comprendra qu'après plus de vingt ans de recherche les militaires aient été conduits à considérer ce qu'ils croyaient être l'« arme chimique idéale » d'un œil beaucoup plus critique qu'à l'époque de la guerre froide.

Il semble donc que l'on ait abandonné la production de LSD à des fins militaires dans les nations occidentales. Du moins est-ce la conséquence logique des conclusions auxquelles ont abouti les experts, car on ne trouve nulle part confirmation officielle de ce choix. De même, on estime, dans les pays membres de l'OTAN, que les Soviétiques ont dû adopter la même attitude, mais ce n'est là qu'une hypothèse fondée sur les critères qui, habituellement, commandent l'adoption ou le rejet d'une arme par les états-majors. La politique du secret qui règne en URSS ne permet pas, bien entendu, d'en savoir plus long.

Un pays, toutefois, paraît croire encore aux vertus tactiques, voire même stratégiques de l'acide lysergique. Il s'agit de la Chine qui a passé commande à une entreprise britannique privée en 1977 de 400 millions de doses de LSD. Les Chinois n'ont jamais dit ce qu'ils comptaient en faire mais, comme on les voit mal se livrer à des expériences psychédéliques de masse, on est bien forcé de penser qu'ils les destinent à un usage peu civil. A moins que ce ne soit simplement pour étudier ce composé aux propriétés si controversées...

Si le LSD a déçu les états-majors occidentaux, il n'en va pas de même du *BZ*. Mis au point par Hoffmann-La Roche au début des années 50, ce produit, dont la formule a longtemps été tenue secrète, a apparemment été conçu pour être utilisé essentiellement en aérosol comme gaz de combat. Le *Technical Manual* de l'armée américaine (TM3-215) en énumère ainsi les effets : interférence avec les activités normales — peau sèche et rouge — tachycardie — rétention d'urine — constipation — ralentissement des activités physiques et mentales — maux de tête — vertiges, désorientation, hallucinations, somnolence et, parfois, signes de démence. Dans ce même *Technical Manual*, on apprend qu'il existe des « limites critiques » pour l'utilisation du BZ mais que celui-ci peut néanmoins être considéré comme « applicable à des zones où se mélangeraient unités ennemies et alliées ».

Les deux inconvénients du BZ sont l'imprévisibilité relative de certains de ses effets et la lenteur de son action. Imprévisible, il l'est moins que le LSD, mais, du fait qu'il inhibe le mécanisme de la sudation, il peut causer des lésions graves, voire mortelles s'il est utilisé en climat chaud et sec. Il n'est, en outre, pas dépourvu d'effets secondaires à long terme parmi lesquels l'amnésie et certains désordres mentaux. Quant à son action, elle ne commence à se faire sentir qu'au bout de une à quatre heures et va s'intensifiant jusqu'à près de cent heures après l'exposition. Une fois atteint ce stade, qui se caractérise, chez la victime, par un comportement aléatoire totalement imprévisible, on assiste à un lent retour à la normale pouvant prendre de deux à quatre jours.

Toutes sortes d'engins ont été conçus pour disséminer cet agent sur le terrain afin de répondre à toutes les situations. Mais la caractéristique la plus intéressante de ce composé est son prix de revient, infiniment moins élevé à grande échelle que celui du LSD. C'est vraisemblablement ce paramètre économique qui en a fait l'incapacitant préféré des militaires et on le produit aujourd'hui en grande quantité tant en France qu'aux États-Unis et en URSS. On prétend d'ailleurs — mais il s'agit d'une rumeur et non d'une information confirmée — que le BZ aurait sans doute été employé par les Américains pour dégager les abords de leur ambassade si leur tentative de libérer les otages de Téhéran avait réussi, en 1980.

Depuis la fin des années 70, les militaires occidentaux se livrent à des expériences pour trouver de nouveaux composés susceptibles de remplacer le BZ qui présente quand même de nombreux inconvénients et, surtout, commence à être un peu trop répandu. On a d'abord étudié de nouvelles classes d'agents psychoactifs tels que les benzilates EA-3167 et EA-3834, mais il semble que l'on s'oriente plutôt, maintenant, vers des incapacitants physiques à effets sélectifs. Ces composés n'agiraient plus que sur certaines parties du corps et immobiliseraient leurs victimes sans les mettre en danger de mort. Le fruit de ces recherches est pour l'instant encore tenu secret et peut-être la « guerre enchantée » à laquelle on rêvait dans les années 50 a-t-elle encore de beaux jours devant elle...

Agents neutralisants

Les agents neutralisants, appelés aussi *incapacitants à court terme*, sont les premières armes chimiques utilisées au cours de la Première Guerre mondiale. Le rapport de l'OMS les définit comme « des agents chimiques qui, utilisés à des concentrations opérationnelles efficaces, sont capables de causer rapidement une invalidité temporaire dont la durée n'excède guère celle de la période d'exposition ». Et de préciser qu'« ils se différencient en cela des incapacitants comme les psychotropes, dont les effets apparaissent avec un certain retard et persistent bien au-delà du temps d'exposition ».

De fait, les neutralisants sont des irritants sensoriels, ce qui signifie qu'ils provoquent une réponse de l'organisme à certain type d'irritation. S'ils irritent la conjonctive, la réponse sera la sécrétion de larmes et l'agent, dans ce cas, sera dit *lacrymogène*. S'ils irritent les voies respiratoires supérieures, la réponse sera l'éternuement et l'agent sera dit sternutatoire. On le voit, c'est à une catégorie très répandue, sinon « populaire », que l'on a affaire. Tout individu ayant participé à une manifestation ou s'étant trouvé à proximité d'un cortège éprouvant des réticences à se disperser a pu expérimenter de très près les effets des neutralisants, et toutes les forces de police du monde y ont recours pour lutter contre les « troubles civils » ou les émeutes.

Mais c'est leur utilisation militaire qui a encouragé le recours à ces composés dans des opérations de police. Car, à l'origine, les irritants sensoriels étaient bel et bien des armes de guerre. Ainsi, aujourd'hui, leur emploi dans les conflits est-il soumis à l'interdiction contenue dans la convention de Genève de 1925. Étrange situation que celle de ces agents dont l'utilisation est prohibée contre des militaires ennemis mais autorisée pour combattre ou disperser des compatriotes civils... Ne nous y trompons pas, cependant. Ce paradoxe n'est qu'apparent car il n'y a pas de commune mesure entre l'emploi qui est fait des irritants en temps de guerre et celui que l'on rencontre dans des opérations de maintien de l'ordre.

De nombreux composés entrent dans la catégorie des neutralisants mais les plus importants sont le CN, le CS (ou CB dans la nomenclature française), le CR et le DM auxquels on pourrait ajouter le bromacétate d'éthyle et le CND.

Le *CN* est de la chloroacétophénone. C'est un solide généralement disséminé sous forme d'aérosols qui exerce, en dehors de ses effets lacrymogènes, un pouvoir suffocant et dont l'effet neutralisant s'exerce pendant environ trois minutes. Beaucoup utilisé au cours de la Première Guerre mondiale, il servait à contraindre l'ennemi à porter des masques à gaz, ce qui diminuait son aptitude au combat.

Le *CS* (ou *CB*) est de l'orthochlorobenzalmalononitrine. Mis au point dans les années 50 pour remplacer le CN dans l'arsenal des forces de police, c'est un lacrymogène, dont l'action neutralisante atteint cinq à dix minutes en atmosphère sèche, et un nauséeux. Ses effets sont plus rapides que ceux du CN et ils se manifestent à des concentrations moins importantes. Il est aussi moins apte à créer des troubles durables puisque l'on s'est aperçu que le CN était responsable de lésions pulmonaires graves dont certaines s'étaient révélées mortelles. Le CS peut cependant aggraver l'état de personnes souffrant d'asthme ou de bronchite chronique. Il importe aussi de savoir que ce produit est beaucoup plus actif en atmosphère humide. L'eau qui peut être jetée à des manifestants par des voitures-pompes en développe fortement l'action alors que le résultat inverse est obtenu avec les lacrymogènes classiques.

Le *CR* est du dibenoxazepine. C'est un lacrymogène d'invention récente sur lequel peu de choses ont été publiées — dans la littérature « ouverte » s'entend — et dont on sait seulement qu'il est six fois plus toxique que le CS et vingt fois plus que le CN. Il provoque, en outre, des brûlures passagères sur la peau.

Pour en finir avec les lacrymogènes, il convient de préciser qu'il existe deux dérivés du CS, le *CS1* et le *CS2*, présentant l'avantage d'être moins soumis aux conditions atmosphériques et de demeurer effectifs pendant environ un mois et demi. Dans cette catégorie d'agents, on rencontre également du *bromacétate d'éthyle*, très utilisé en France, et du *CND* qui est un mélange de CN et de diphényl-aminochlorarsine.

Le *DM*, quant à lui, est un sternutatoire. Mis au point pendant la Première Guerre mondiale, il est plus dangereux que le CN et le CS. Il s'agit de diphénylaminochlorarsine dont l'action s'étend sur près de deux heures et qui est particulièrement irritant. A fortes doses, il peut s'attaquer aux voies respiratoires profondes et provoquer des lésions pulmonaires dont certaines sont parfois fatales.

Aucun de ces composés n'est sans danger. En 1968, en France, on a assisté à leur propos à une polémique tirant son origine de l'utilisation intensive de lacrymogènes par les forces de l'ordre lors des manifestations de mai. Se référant à la nomenclature militaire, la préfecture nia qu'il s'agissait de produits « toxiques ». Ce à quoi certaines personnalités appartenant aux milieux médicaux répondirent que la définition du mot « toxique » est particulièrement subjective et que les critères militaires sont entachés d'erreur car ils concernent toujours de jeunes adultes en bonne santé et supposent une utilisation à l'air libre. Cette polémique rebondit d'année en année et, tandis que la Société d'ophtalmologie remettait des rapports au gouvernement français pour attirer son attention sur les conséquences de l'utilisation de grenades lacrymogènes, l'arsenal destiné à répandre les neutralisants ne cessait de se perfectionner. Du canon à eau lançant une solution toxique à la matraque chimique couramment utilisée aux États-Unis, à Hong Kong et en RFA par les forces de police, en passant par la mousse lacrymogène mise au point par les Israéliens, les moyens ne manquent pas d'employer ces composés prétendument inoffensifs. Ni les occasions.

Agents phytotoxiques

S'il n'existe pas d'agents chimiques spécifiquement antianimaux — les animaux sont sensibles aux mêmes composés que l'homme, quoique à des concentrations souvent différentes —, on rencontre des produits destinés exclusivement aux plantes : ce sont les agents phytotoxiques.

Sous prétexte de « guerre humaine », les Américains en ont usé et abusé au Vietnam et l'on s'aperçoit aujourd'hui que cette guerre antivégétaux a eu, tant sur le plan écologique que sur le plan humain, des conséquences catastrophiques. Le néologisme « écocide » est venu sanctionner les dommages considérables causés par les phytotoxiques en Asie du Sud-Est et, en 1974, l'Académie des sciences américaines estimait, dans un rapport, qu'il faudrait sans doute un siècle pour réparer les dégâts provoqués au Vietnam du Sud par l'usage des herbicides.

Dans son livre, évoquant l'usage des herbicides, régulateurs de croissance, desséchants et autres stérilisants du sol au Vietnam, Ricardo Frailé écrit : « Les conséquences de l'usage militaire des agents (...) phytotoxiques ne sont plus à démontrer. (...) Le plus important conflit de l'après-guerre a révélé l'ampleur d'une guerre affectant le milieu naturel de tout un peuple. Une expérience aussi tragique enseigne que, par des programmes d'épandages importants et une diversification des zones affectées, l'écosystème peut être gravement perturbé et la population profondément touchée. On n'oserait imaginer les jeunes Européens affligés aujourd'hui encore par les séquelles du second conflit mondial et vivant dans leur quotidien les horreurs d'un passé non révolu. Cela pourtant risque fort d'être le sort de millions de Vietnamiens qui devront s'adapter à une nature ruinée, laquelle ne pourra être remise en état avant un siècle, et ce partiellement, certaines espèces étant définitivement perdues. »

La littérature spécialisée divise les agents phytotoxiques en deux groupes : 1) Les herbicides, régulateurs de croissance et desséchants qui sont appliqués directement aux plantes ou aux arbres pour les tuer ou leur faire perdre leurs feuilles; 2) les stérilisants du sol qui inhibent ou retardent la croissance des végétaux.

Le premier groupe comprend les produits suivants : l'acide dichloro-2,4 phénoxyacétique dit *2,4-D*; l'acide trichloro-2,4,5 phénoxyacétique dit *2,4,5-T*; l'acide diméthylarsinique dit *acide cacodylique*; l'acide amino-4 trichloro-3,5,6 picolinique dit *piclorame*. Ces composés ont été associés pour donner lieu à quatre sortes d'agents phytotoxiques dénommés *agent orange* (2,4-D et 2,4,5-T), *agent blanc* (Piclorame et 2,4-D), *agent bleu* (Acide cacodylique) et *agent pourpre* ou *violet* (2,4-D et 2,4,5-T dans des proportions différentes quoique proches de celles de l'agent orange).

Les effets de ces différents agents sont sensiblement les mêmes. Ils servent à détruire les récoltes de l'ennemi et à le priver de la végétation, en particulier du feuillage lui permettant de se dissimuler. L'agent le plus utilisé au Vietnam et dont l'emploi a causé le plus de ravages est *l'agent orange*. Il contient, sous forme d'impuretés, la tristement célèbre *dioxine* dont 2,5 kg disséminés accidentellement sur la commune de Seveso en Italie, le 10 juillet 1976, furent à l'origine de la catastrophe que l'on sait.

Qu'est-ce que la dioxine ? Une impureté, donc, qui se forme à haute température au cours de la fabrication du 2,4,5-T. C'est en 1965 seulement, soit dix-sept ans après la mise sur le marché du 2,4,5-T, que la Dow Chemical américaine s'aperçut que la dioxine était responsable de l'acné sévère dont souffraient les ouvriers de l'usine. On modifia alors le procédé de fabrication, mais, en 1968, un rapport secret montrait que l'herbicide produit par la Dow Chemical pouvait contenir jusqu'à 27 parties pour 1 million de dioxine et qu'il avait un effet tératogène chez les rats et provoquait des malformations chez les embryons de poulet. En 1970, une commission de l'« American Association for the Advancement of Science » se rendit au Vietnam du Sud pendant cinq semaines et fit remarquer dans son rapport qu'il existait très certainement un lien entre l'emploi de l'agent orange comme défoliant et la recrudescence d'enfants mort-nés et présentant des malformations dans la province agricole de Tay-Ninh. Quatre ans plus tard, l'Académie des sciences américaine rendait public son propre rapport sur les dégâts causés par l'emploi intensif des herbicides au Vietnam. Rendant compte de ce rapport dans son édition du 5/6 mai 1974, *Le Monde* écrivait : « Les études ont [...] montré que l'exposition de l'homme aux herbicides pouvait occasionner des vomissements, des étourdissements, des irritations de la peau, et parfois des morts chez les enfants des Hauts Plateaux. La commission recommande, en outre, que les études continuent sur les effets à long terme que peut avoir un tératogène puissant, la dioxine, qui était présent dans un des défoliants largement utilisés, le 2,4,5-T. La commission estime qu'au total 105 à 170 kilogrammes de dioxine ont été répandus au Vietnam. On a trouvé jusqu'à 914 parties par milliard de dioxine dans des crevettes provenant du Vietnam du Sud. »

Un incident qui s'est déroulé en 1971 dans le Missouri dit bien à quel point la dioxine est toxique. Durant l'été, on aspergea trois pistes d'entraînement pour chevaux avec de l'huile de récupération pour empêcher la poussière de s'envoler. Cette huile contenait de la dioxine en faible proportion. Quelques jours après, des oiseaux, des chats et des chiens commençaient à mourir. La première piste avait été aspergée le 16 mai. Le 20, un premier cheval montrait des signes de maladie. Un mois plus tard, il mourait. On remplaça le sol de la piste en octobre 1972, mais les chevaux continuèrent à mourir jusqu'en janvier 1974. Sur les 85 chevaux qui utilisèrent la piste au cours de cette période, 58 furent malades et 43 moururent[1].

Quant à Seveso, le Dr B. Commoner, de l'université de Washington, déclarait, peu après la catastrophe : « Il est très possible que la dioxine se soit accumulée dans les tissus adipeux et qu'elle ressorte plusieurs années plus tard au cours d'une perte de poids[2]. »

Seveso... On pensera que c'est peut-être aller trop loin qu'évoquer cet incident dans un livre consacré aux armes chimiques et biologiques. Après tout, l'usine ICMESA, responsable de la catastrophe, est un établissement civil et privé aux activités de nature chimico-pharmaceutique irréprochables. Voire, car ce que l'on sait peu, c'est que, sous le couvert de travaux relativement anodins, l'ICMESA produisait, en plus d'herbicides destinés à un usage courant, une substance servant de base à un gaz toxique expérimental, le SP121. Or le SP121 était utilisé en Allemagne fédérale par les contingents spéciaux allemands et américains de défense chimique. L'exportation de cette substance s'effectuait via la Suisse dans des containers munis d'indications conventionnelles, ainsi qu'en direction d'autres pays non identifiés dans des récipients dépourvus de toute

---

1. Cité par Sergio Zedda dans *La leçon de la chloracné*, in ouvrage collectif *Survivre à Seveso ?*, Maspero, Paris, 1977.

2. Cité par Y. Le Hénaff, in *Les armes de destruction massive et leur développement en France*, sans mention d'éditeur, septembre 1978.

indication[1]. Au travers de la dioxine et du SP121, la catastrophe de Seveso se révèle donc n'être pas sans lien avec la guerre BC, loin de là...

Pour en finir avec l'agent orange, il n'est pas inutile de rappeler aujourd'hui, après tout ce qui vient d'être dit, cette déclaration du Département d'État de Washington du 31 juillet 1964, la première dans laquelle les autorités américaines consentirent à donner quelques précisions sur les opérations de défoliation de la jungle vietnamienne : « L'herbicide employé pour dépouiller la végétation qui permet aux rebelles vietcongs de s'infiltrer dans les régions tenues par les forces gouvernementales n'a pas d'effets toxiques sur les hommes et les animaux. » Il serait intéressant de demander ce qu'ils en pensent à ces 97 anciens du Vietnam qui réclamaient, le 11 décembre 1979, un total de 120 milliards de dollars de dommages et intérêts à cinq fabricants d'agent orange en estimant que la dioxine les avait contaminés en provoquant chez eux des cancers et des troubles génétiques...

Les stérilisants du sol, qui constituent le second groupe des agents phytotoxiques, comprennent le *bromacile*, le *monuron* et le *DNOC*. Il s'agit, le plus souvent, de poudres sèches (encore que le bromacile puisse être employé en solution dans l'eau ou le mazout) ayant pour effet de rendre le sol où elles sont répandues aride et improductif. La littérature les concernant est mince mais l'on sait que leurs effets peuvent durer une dizaine d'années et, par conséquent, dépeupler totalement une région dont les habitants seront contraints de fuir s'ils ne veulent pas mourir de faim.

Moyens de mise en œuvre

Tels sont les agents chimiques de guerre. Pour les mettre en œuvre, l'armée dispose de plusieurs moyens dont certains sont de type classique et d'autres plus spécifiquement adaptés à ces agents. La notice TTA 628 de l'armée française, dans son édition de 1976, opère une distinction entre les munitions à main et à fusil, les mortiers, les canons et obusiers, les lance-roquettes multiples, les roquettes lourdes et missiles, les moyens aériens et les mines chimiques.

Les *munitions à main et à fusil* comprennent les *grenades* et les *pots*.

« Les grenades sont chargées le plus souvent en agent incapacitant qu'elle dispersent par chauffage ou par explosion », nous apprend-on. Quant aux pots, ils « dispersent par chauffage des quantités importantes (de 1 à 5 kg) d'agent incapacitant durant 10 à 20 minutes. Ils sont utilisés surtout pour la contamination d'emplacements non ventilés. »

Les *mortiers* ont « une cadence de tir rapide » mais « une portée

1. Cf. Enrico Fenzi : « Dietro quella nube c'é la Nato », in *L'Espresso* du 8 août 1976 et E. Schloss : « The poisonning of Italy », in *The Nation*, vol. 223, N° 12 du 16-10-1976.

généralement faible » et « ils peuvent tirer des obus chargés en agent le plus souvent non persistant (2 kg d'agent environ par obus) ».

Les *canons* et *obusiers* ont « une cadence de tir moyenne plus faible que celle des mortiers (3 à 8 coups par minute) et une portée de l'ordre de 20 kilomètres. Ils peuvent tirer des obus chargés en agent persistant ou non persistant (1 à 3 kg par projectile, exceptionnellement 7 kg) ».

Les *lance-roquettes multiples* sont « des matériels capables de tirer en quelques secondes une salve de plusieurs dizaines de projectiles contenant chacun une charge de l'ordre de 5 à 10 kg (ou plus) d'agent chimique. Leur calibre est de 100 à 200 millimètres et leurs portées sont du même ordre que celles des obusiers. En outre, la forte dispersion des roquettes contribue à une meilleure efficacité des attaques chimiques ».

Il est aussi précisé qu'« un ensemble de 18 lance-roquettes multiples peut mettre en place, en une salve unique, 5 à 10 tonnes d'agent et, soit contaminer par agent persistant une surface pouvant atteindre plusieurs kilomètres carrés, soit réaliser sur la même surface la concentration requise pour une attaque surprise par agent non persistant ».

Des *roquettes lourdes* et des *missiles*, nous dit-on, « peuvent être équipés de têtes chimiques contenant jusqu'à 300 ou 400 projectiles élémentaires chargés chacun, selon les matériels, de 50 à 1 000 grammes d'agent chimique. Ces systèmes d'armes livrent ainsi de 40 à 300 kilogrammes d'agents chimiques à des portées variant de 20 à 120 kilomètres (éventuellement 500 kilogrammes jusqu'à 300 kilomètres pour les missiles à grande portée). La hauteur à laquelle se produit l'ouverture de la tête est réglée de façon à obtenir la surface couverte souhaitée (de l'ordre de 100 hectares) ».

Les *moyens aériens* comprennent les *bombes classiques*, les *bombes « Cluster »* et les *réservoirs d'épandage*.

Des *bombes classiques*, il est dit que le rendement est médiocre.

Les *bombes « Cluster »* sont « des bombes pesant jusqu'à 500 kg qui transportent plusieurs dizaines de bombettes contenant chacune jusqu'à 1 kg d'agent chimique ».

Quant aux *réservoirs d'épandage* ils sont en principe réservés à la mise en œuvre d'agents persistants.

« Un avion volant à basse altitude (pour obtenir l'effet de surprise) et à une vitesse de 200 à 250 mètres par seconde peut contaminer en quelques secondes et d'une manière très dense une surface de 50 à 150 hectares sur une longueur de 1 à 2 kilomètres. »

Les *mines chimiques*, enfin, sont « en général des mines bondissantes, employées soit isolément, soit au sein de champs de mines classiques. Elles explosent à une hauteur voisine de 15 mètres et dispersent une masse de l'ordre de 5 kilogrammes d'agent persistant. Un taux de contamination moyen $(0,3 \text{ g/m}^2)$ ne nécessite que quelques mines par hectare ».

Un nouveau système a été mis au point récemment qui révolutionne les moyens de mise en œuvre des agents chimiques. Il en est beaucoup question dans les négociations dont ces armes sont actuellement l'objet car il pose autant de problèmes qu'il paraît en résoudre. Il s'agit du système binaire.

Ce système a été conçu, officiellement du moins, pour éviter les accidents pouvant se produire lors du stockage des agents chimiques ou de leur manipulation. Il repose sur un principe relativement simple qui consiste à placer dans une arme deux agents chimiques peu toxiques séparés par un disque de rupture qui explose après la mise à feu. Le contenu des deux réservoirs se mélange et de leur réaction naît un agent létal. Il ne faut cependant pas trop se faire d'illusions sur la faible toxicité des deux composants. Comparée à la supertoxicité des neurotoxiques (GB ou VX) qui se forment lors du mélange, elle peut effectivement paraître dérisoire. Mais, souvent, les agents employés seraient tenus pour « toxiques » dans un contexte civil.

Quoi qu'il en soit, cette arme, bien que reposant sur un concept relativement ancien, a relancé la polémique sur les armes chimiques depuis qu'en 1980 le Congrès américain a autorisé la construction d'une usine de gaz binaires. La France, quant à elle, s'y intéresse de très près...

III. *LES ANTIMÉDICAMENTS*

ou
La famille des agents biologiques de guerre

> — *Vous pensez les combattre sur le plan biolo-*
> *gique ?*
> — *Nous savons maintenant que nous ne pouvons*
> *détruire leurs machines; il faut donc les détruire, eux.*
>
> *La guerre des mondes,*
> Film de George Pal et Byron Haskin
> d'après H.G. Wells, 1951

« *L'arme biologique n'est pas une arme mystérieuse, terrifiante ou difficile à manier*, écrivait le Dr Marcel Mailloux, chef de laboratoire à l'Institut Pasteur à Paris, dans une étude publiée par la revue *Le Médecin de réserve*[1]. *Au contraire, elle peut se révéler efficace, moins inhumaine que ne le sont les armes conventionnelles, et surtout l'arme nucléaire. Cette forme de guerre, peu onéreuse, pourrait être préparée et menée en silence avec des moyens réduits.* »

Tout comme l'arme chimique, l'arme biologique a ses partisans, même aujourd'hui où on ne lui reconnaît pourtant plus d'existence légale. Cependant, on ne l'a jamais employée. Du moins officiellement car les allégations la concernant ne manquent pas et il est certain que, si on n'y a pas eu recours sur le champ de bataille, on ne s'est pas privé de ses services dans la guerre secrète.

Il existe pourtant de nombreux micro-organismes qui pourraient être utilisés dans le cadre d'un conflit et l'on pourrait sans peine choisir parmi eux des agents adaptés à toute sorte de circonstances. Depuis le début du siècle, beaucoup de spécialistes se sont intéressés aux possibilités offertes par ces armes et, en 1947, un microbiologiste américain du nom de

---

1. Cité dans « Une forme de guerre peu onéreuse », article du *Monde* du 16-9-1978.

T. Rosebury[1] énonçait les dix critères qui, selon lui, devaient rendre compte de l'efficacité d'une arme biologique :

1 — Son pouvoir infectant doit être élevé pour la plupart des sujets humains.

2 — L'incubation de la maladie doit être courte et la morbidité élevée.

3 — L'agent doit pénétrer rapidement dans l'organisme par le maximum de voies (respiratoires, digestives, cutanées).

4 — Il doit posséder un potentiel de contagiosité élevé.

5 — Il doit se prêter à une production massive et ne pas présenter d'atténuation de virulence pendant la fabrication, le stockage et la dissémination.

6 — Il doit pouvoir résister à la décontamination spontanée ou artificielle.

7 — Sa détection et son identification doivent être aussi difficiles que possible.

8 — Il doit laisser les populations visées dépourvues de moyen d'immunisation.

9 — Le traitement de la maladie provoquée doit être sinon impossible, du moins très difficile.

10 — L'agent, enfin, doit présenter un danger très réduit d'action en retour pour l'utilisateur qui doit pouvoir se protéger contre lui.

Il est évidemment difficile de trouver des agents répondant en même temps à tous ces critères. Pour l'instant, il semble que l'arme biologique idéale n'existe pas. Ce qui existe, en revanche, ce sont des armes adaptées à des situations particulières. Et les agents biologiques ont d'ailleurs pour trait spécifique d'être beaucoup plus sélectifs que les agents chimiques. C'est ce qui les rend si séduisants (ou redoutables, selon le point de vue qu'on adopte). Cela, et leur prix de revient incroyablement peu élevé en regard des effets que l'on peut en attendre.

Il arrive qu'on les classe en fonction de leurs effets. On trouve ainsi des agents destinés à l'homme, aux animaux et aux plantes. J'ai cependant préféré adopter un autre type de classification qui rend mieux compte de la spécificité de chacun de ces micro-organismes pathogènes.

Cette classification, celle adoptée par l'OMS dans son rapport, prend d'abord en compte la nature des agents étudiés. On se trouve alors en présence de quatre groupes : *les infections virales, les infections à rickettsies, les infections bactériennes, les infections fongiques.*

Toutes catégories confondues, il existe plus d'une cinquantaine d'agents biologiques utilisables à des fins militaires. Nous ne retiendrons cependant que quelques exemples choisis parmi les plus significatifs, comme nous l'avons fait pour les agents chimiques.

---

1. Selon Y. Le Hénnaf, qui cite le Dr Rosebury dans *Les armes de destruction massive et leur développement en France* (1978) : « Après avoir travaillé au centre de guerre biologique de Fort Detrick dans le Maryland aux USA pendant la Seconde Guerre mondiale, T. Rosebury vira sa cuti et partit en guerre contre l'arme B, dénonçant les efforts de recherche de la machine de guerre US. »

Les infections virales

Les virus, dont les dimensions varient entre 35 millimicrons (virus de la poliomyélite) et 300 millimicrons (virus de la variole), sont les plus petites entités du monde vivant. On s'est même demandé longtemps s'ils en faisaient réellement partie. De fait, ainsi que le remarque Joël de Rosnay dans son livre *Les origines de la vie*[1], « le virus semble [...] se rattacher à aucune autre structure biologique. Comme le dit le professeur Lépine : "Il est virus, et c'est tout" ».

C'est tout, mais c'est déjà beaucoup, car le virus, « docteur Mabuse tapi au cœur de la cellule[2] », est responsable de quelques-unes des maladies les plus meurtrières du genre humain : variole, grippe, fièvre jaune, etc. De plus, il n'épargne aucun être vivant. Bactéries, plantes, animaux, rien de ce qui vit n'est à l'abri de ses assauts. Formé d'un acide nucléique et d'une coque de protéines spécifiques, il est à peu près complètement dépourvu d'enzymes. Il lui faut donc agir en parasite et bouleverser à son profit le métabolisme de la cellule pour que celle-ci fabrique les protéines et les acides nucléiques dont il a besoin. Comme l'explique Jean-Pierre Lentin, « il manipule des doubles, il envoie des commandos de propagande génétique, des messages subversifs qui renversent le pouvoir au sein des cellules et subjuguent le peuple laborieux des protéines[2] ». Pour le combattre, on ne connaît pratiquement aucun traitement, et notre seul moyen de défense est la vaccination. Mais encore faut-il l'administrer à temps, ce qui, dans le cas d'une attaque surprise, est loin d'être évident.

On comprend, dans ces conditions, que plusieurs virus offrent un intérêt militaire. Celui de la *fièvre jaune* est de ceux-là.

La fièvre jaune est transmise par un moustique, *Aedes aegypti*. C'est un médecin du début du XVIIIe siècle qui en a sans doute donné la meilleure description lorsqu'il découvrit cette maladie en arrivant aux « Indes occidentales », c'est-à-dire en Amérique, en 1715.

« Après les frissons, écrit-il, la fièvre survient, accompagnée d'atroces douleurs dans la tête, le dos et les membres, de perte des forces physiques et morales, d'une dépression extrême, d'une soif intarissable, de délire et parfois de vomissements... Quelques jours plus tard, la douleur diminue, ainsi que la fièvre... de sorte que le malade semble se porter mieux. Mais en l'examinant plus attentivement, on remarque qu'une coloration jaune apparaît dans ses yeux et sa peau. On se rend compte qu'au lieu d'aller mieux, il se porte plus mal. A ce moment-là, il crache du sang en quantité, il se refroidit et son pouls ralentit jusqu'à devenir imperceptible. Froid comme marbre, il demeure dans une torpeur d'esprit qui peut se

---

1. Éd. du Seuil, Paris, 1966, rééd. 2e trimestre 1977, Coll. « Point Sciences ».
2. Jean-Pierre Lentin : « Si les virus préparaient l'assaut final », article in *Actuel*, n° 18, avril 1981.

prolonger pendant une douzaine d'heures, sans manifestation du pouls, sans se réchauffer. Alors, le patient expire. »

Redoutée des marins et des voyageurs que leurs affaires conduisaient sous les Tropiques, la fièvre jaune fait partie de ces maladies « historiques » auxquelles d'innombrables légendes et anecdotes sont attachées. Les Haïtiens lui doivent leur indépendance puisqu'elle causa 23 000 morts dans les rangs de l'armée napoléonienne chargée de fortifier l'île et de s'en servir comme base pour la colonisation de la Louisiane et du Mexique, et l'on raconte qu'elle châtia l'équipage du *Hollandais Volant* pour avoir assassiné un de leurs camarades; elle éclata à bord et condamna ce vaisseau à hanter les mers autour du cap de Bonne-Espérance jusqu'à la fin des temps. Plus prosaïquement, 35 épidémies de fièvre jaune se déclarèrent aux États-Unis au xviiie siècle, dont la plus meurtrière frappa Philadelphie en 1793. Venue par mer des Antilles, la maladie toucha la quasi-totalité des habitants et 5 000 d'entre eux moururent.

Au xixe siècle, on s'aperçut que, pour qu'un moustique puisse devenir agent d'infection, il faut qu'il pique un malade atteint de fièvre jaune pendant les trois premiers jours de sa maladie. Après quoi, l'insecte propage la fièvre pendant le restant de sa vie. Cependant, il lui faut 9 à 12 jours pour devenir capable de transmettre le virus à l'homme si bien que les cas initiaux, peu nombreux, passent généralement inaperçus. Pendant ce temps, le nombre des moustiques infectés augmente et l'on assiste soudain à une flambée explosive chez l'homme. Chez l'hôte humain, la période d'incubation est de trois à six jours et son taux de létalité atteint 40 % chez les populations non vaccinées.

Le vaccin est la seule protection que l'on connaisse car, comme la plupart des maladies virales, la fièvre jaune n'a encore donné lieu à aucun traitement spécifique. Prévenir, oui, mais guérir, non.

On voit qu'un tel fléau avait de quoi intéresser les spécialistes de la guerre biologique. Ceux-ci ont imaginé trois moyens pour le transmettre. Ils ont tous été expérimentés en laboratoire avec d'excellents résultats. Ce sont les aérosols, les moustiques et les singes[1]. Le rapport de l'OMS précise que « le succès de l'introduction dépendrait de la constitution rapide de foyers d'infection dans des zones plus ou moins nombreuses », et que « la présence de la maladie, même dans une seule localité, exigerait des mesures extraordinaires de protection, notamment la vaccination de masse de la population et une lutte de grande envergure et de longue durée contre les moustiques ».

Pour des raisons qui n'ont pas fini d'intriguer les épidémiologistes, il semble que la fièvre jaune ne soit jamais apparue spontanément en Asie.

---

1. Dans la fièvre jaune dite « de jungle », ce sont des singes infectés que piquent les moustiques avant de transmettre le virus à l'homme. Nous avons alors affaire à un cycle « singe-moustique-homme » à la place du cycle « homme-moustique-homme » de la fièvre jaune urbaine.

Toutes les conditions nécessaires à son éclosion y sont pourtant réunies, d'où la hantise des autorités sanitaires asiatiques de la voir soudain surgir, et les précautions prises dans les aéroports pour prévenir ce qui aurait tôt fait de devenir une catastrophe.

Lorsqu'ils ont commencé à s'intéresser à la fièvre jaune, les Américains pensaient, à juste titre, que les Soviétiques y seraient très vulnérables. Il est vrai qu'aucune épidémie de cette nature n'a jamais frappé l'URSS, aussi ses habitants ne sont-ils certainement pas immunisés. Un second trait spécifique de la fièvre jaune paraît avoir retenu l'attention des spécialistes occidentaux : sa persistance sur le terrain infecté, liée à la durée de vie du moustique vecteur. De plus, l'emploi d'insectes rend difficile la détection d'une attaque, et, lorsque l'on se rend compte de ce qui s'est passé, il est souvent trop tard... La fièvre jaune n'est peut-être pas l'arme biologique idéale mais elle s'en approche beaucoup.

L'encéphalite à tiques, maladie à laquelle les populations sont presque universellement sensibles et dont le pouvoir létal élevé par aérosol laisse supposer qu'elle provoquerait une mortalité de 25 % parmi les victimes, est une autre infection virale qui a retenu l'attention des spécialistes de la guerre biologique. Il en va de même pour l'*encéphalite japonaise*, maladie épidémique au Japon, à Taïwan, en Chine continentale, en Sibérie orientale, en Corée et dans certaines îles du Pacifique occidental, et endémique[1] dans la péninsule malaise, en Thaïlande et en Inde, et pour la *fièvre dengue*, maladie « incapacitante » dont une forme hémorragique grave possède tout de même un taux de létalité élevé. On a examiné les effets de leur propagation à l'aide d'aérosols, on a envisagé l'emploi d'insectes comme vecteurs, on a établi des tableaux pour déterminer à quel type d'offensive elles pourraient convenir ou quel serait le déplacement sous le vent de concentrations létales ou incapacitantes d'un agent donné dans telles conditions atmosphériques, quel nombre de victimes on pouvait espérer suivant les groupes de population auxquels on s'attaquerait, etc. En somme, les spécialistes de la guerre sournoise se sont efforcés de mettre la mort en chiffres, en équations, en pourcentages et d'établir des probabilités afin de réduire l'imprévisible et l'incertain.

Mais l'incertain est rebelle. Et tel agent, comme le virus de l'*encéphalite équine du Venezuela*, réputé incapacitant pour l'homme, pourrait très bien se révéler létal dans des proportions bien plus élevées que celles prévues au départ.

Il nous faut, ici, reparler de la *variole* dont les symptômes et les effets ont été décrits dans notre introduction. Très contagieux, facile à produire et à disséminer, le virus variolique était pourtant considéré il y a quelques années encore comme un agent dépourvu d'intérêt militaire en raison de

---

1. On dit d'une maladie qu'elle est *endémique* lorsqu'elle sévit constamment dans un pays ou un milieu.

la très grande efficacité de la vaccination. Cette situation avait d'ailleurs quelque chose de frustrant pour les spécialistes de la guerre biologique car cet agent présentait à peu près tous les critères de l'arme B idéale et l'on ne pouvait pas l'utiliser puisque le monde entier — ou presque — était immunisé contre lui. Depuis, les choses ont changé. La variole a été éradiquée et, du même coup, on a arrêté la vaccination antivariolique dans la plupart des pays. La situation, aujourd'hui, est la suivante, telle que me l'a décrite M. Gino Levi, chef du service de presse de l'Organisation mondiale de la Santé dans une lettre datée du 29 janvier 1982 où il répondait à un certain nombre de questions que je lui avais posées sur la variole.

« En référence à votre lettre du 16 janvier, et après consultation avec le service technique concerné, j'ai le plaisir de vous communiquer les précisions suivantes :

1) En effet, la 33e Assemblée mondiale de la Santé avait préconisé la conservation de doses de vaccins antivarioliques en quantités suffisantes pour vacciner 200 millions de personnes. La réserve de 300 millions de doses de vaccins est actuellement stockée par l'OMS dans deux dépôts, l'un à Genève, et l'autre à New Delhi, Inde.

2) Pour ce qui est des stocks nationaux de vaccins, quelques pays comme la France, par exemple, continuent de conserver leur propre stock de vaccins.

3) En ce qui concerne la vaccination antivariolique, la 33e Assemblée mondiale de la Santé a recommandé en mai 1980 son arrêt dans le cadre de la politique de post-éradication, sauf pour les chercheurs particulièrement exposés. La majorité des États membres et des États associés de l'OMS ont maintenant appliqué cette recommandation.

4) Au 15 janvier 1982, il y avait seulement 8 pays où la vaccination continue et où la politique de vaccination n'est pas connue. Il s'agit de l'Albanie, de l'Algérie, de la République de Corée, de l'Égypte, de la République populaire démocratique de Corée, du Koweït, de la Roumanie et du Tchad.

5) En ce qui concerne la vaccination des personnels militaires, nous savons que le Royaume-Uni et la Finlande ont arrêté la vaccination antivariolique de leurs armées. En revanche, l'OMS n'ayant pas questionné les autorités sanitaires nationales sur ce point, il se pourrait que d'autres pays aient également arrêté la vaccination de leurs forces armées. »

Malgré les efforts remarquables déployés par l'OMS, le problème de la variole est loin d'être résolu.

En France, par exemple, quelle attitude doit-on adopter ? Faut-il comme le souhaitait l'Académie de médecine dans un vœu adopté à l'unanimité en comité secret lors de sa séance du mardi

16 décembre 1980, abroger la loi du 2 juillet 1979, limitant la vaccination antivariolique, reconstituer des stocks de vaccins et de virus, organiser une propagande en faveur de cette vaccination, telle qu'elle a été instituée par la loi du 15 février 1902 et appliquer aux réfractaires les sanctions prévues par ladite loi ? Ou bien doit-on obéir aux recommandations de l'OMS — ce qui est le cas en ce moment — et reléguer dans les oubliettes du passé la vaccination antivariolique pour économiser, à l'échelle de la planète, 1 milliard de dollars par an ? Tout dépend de la manière dont on s'y prend pour évaluer les risques d'un retour de la variole. Et tout dépend, aussi, de la confiance que l'on place dans la sagesse présumée d'un agresseur éventuel. Une attaque de grande envergure à l'aide du virus variolique entraînerait vraisemblablement une riposte de type nucléaire contre le pays agresseur, sitôt celui-ci identifié. Mais si l'agresseur n'était pas un pays ? S'il s'agissait d'une organisation clandestine, d'un groupe de terroristes ? Les conséquences seraient peut-être moins effroyables que celles dépeintes dans notre scénario, mais elles ne manqueraient cependant pas d'ampleur.

Et que l'on n'aille pas s'imaginer qu'un tel risque n'existe pas. Vers la fin des années 60 et au début des années 70, l'opinion publique internationale se scandalisa du massacre systématique des Indiens de la forêt amazonienne. Ce génocide, qui s'étendit jusqu'au début des années 70 et dont, curieusement, la presse parla de moins en moins, était opéré à la mitrailleuse, au fusil, à la grenade, au napalm, au couteau mais aussi... à la variole. L'ethnologue Francis Mazière s'en émut en 1972 et révéla que, sous couvert de philanthropie, on distribuait des chemises contaminées aux Indiens. L'un de ses interlocuteurs, rencontré en Amazonie, lui confia : « Comme on a froid, en forêt, la nuit, ils mettent les chemises, ils meurent. Pas de preuves[1] ! » Et de préciser : « Nous, on est immunisés ! C'est très bien organisé ! »

Malgré quelques cris d'alarme lancés çà et là par des journalistes, des savants et des organisations humanitaires, ce massacre passa à peu près inaperçu. Il est trop tard, maintenant, pour s'en indigner, mais on peut y voir la démonstration éloquente de ce dont certains individus sont capables lorsque leurs intérêts sont en jeu. Ce que d'anonymes multinationales[2] ont fait aux Indiens il y a quelques années, d'autres pourraient fort bien songer à le refaire ailleurs à une plus grande échelle...

En France, l'article L 5 du code de la santé publique, modifié par la loi du 2 juillet 1979, maintient seulement l'obligation de revaccination pour les personnes de 11 ans et 21 ans ayant subi la primo-vaccination, et

---

1. Entretien du 16 décembre 1972 entre Francis Mazière et des élèves du Collège technique.

2. Pas si anonymes que ça, en fait, mais les auteurs de ce génocide s'y sont pris de telle façon que quiconque entreprendrait de les dénoncer nominalement aujourd'hui encourrait de graves ennuis...

l'article L 10 du même code prévoit que « certaines catégories profession-nelles particulièrement exposées » (?) doivent être immunisées contre la variole. Mais pour les autres, c'est-à-dire l'immense majorité, rien n'est prévu.

Dans leur article « La variole : arme biologique de demain[1] ? » les Pr Marcovich et Mollaret rappellent qu'« en 1972, en Yougoslavie, une épidémie due à la réintroduction du virus par un voyageur venu d'Irak n'avait été endiguée par une campagne de revaccination qu'au prix de trente-cinq morts parmi cent soixante-quinze cas ». Et de poser la question : « Qu'en aurait-il été dans une population ayant abandonné la vaccination depuis plusieurs années ? »

Pour en finir avec cette maladie, citons encore H. Marcovich et H.H. Mollaret : « Faute de maintenir la pression d'une vigilance sans défaillance, le monde oublieux de la variole risquerait de se faire sévèrement surprendre. Les retards du diagnostic de la maladie, la remise en état d'une logistique lente et complexe, la réactivation des dispositifs sanitaires demanderont un temps pendant lequel l'épidémie s'étendra à loisir. Enfin, force sera d'attendre la constitution de l'immunité : combien de morts, combien de cécités au total ?

« La résurgence due à un acte délibéré pose un problème d'une autre dimension, parce qu'elle serait massive et multifocale, au cours d'un acte de guerre ou d'un chantage. Imagine-t-on l'impact sur une société de la réapparition d'un spectre du passé avec son cortège de morts, d'aveugles, de défigurés ? Y résisterait-elle ? »

Parmi les autres maladies virales dont on a envisagé l'utilisation comme arme biologique, citons encore la *Chikungunya*, maladie « invalidante » endémique en Afrique centrale, dans l'Asie du Sud et dans les Caraïbes, la maladie *O'nyong-nyong*, dont le virus est très proche de celui de la Chikungunya, *la fièvre du Rift*, infection « invalidante » pour l'homme mais provoquant des avortements et une mortalité élevée parmi les jeunes agneaux et les veaux, et, bien sûr, la *grippe*.

La *grippe*, telle que nous la connaissons, ne fait pas très peur. Ses apparitions périodiques dérangent plus qu'elles n'inquiètent car il est rare, de nos jours, qu'elle entraîne la mort. Il s'agit pourtant d'une affection respiratoire extrêmement contagieuse dont l'épidémiologie est rendue très complexe par les variations incessantes du virus. Un phénomène de recombinaison génétique modifie sans arrêt l'identité des souches en circulation, ce qui fait perdre son efficacité à l'immunité acquise par les précédentes infections ou vaccinations. On pouvait lire à ce propos, dans un article sur l'épidémiologie de la grippe paru dans *Pour la science*, n° 4[2],

1. *Le Monde* des 15 et 16 juin 1980.
2. « L'épidémiologie de la grippe », par Martin M. Kaplan et Robert G. Webster, in *Pour la science*, n° 4, février 1978.

que « le phénomène de recombinaison génétique entre souches humaines et animales du virus de la grippe pourrait faire apparaître de nouveaux sous-types viraux, comme celui qui causa la grande pandémie de 1918-1919 ».

Plus de vingt millions d'êtres humains sont morts en 1918 et 1919, victimes d'un virus comptant parmi les plus virulents jamais apparus. Les chercheurs qui l'ont étudié estiment qu'il est toujours impossible de prévoir la modification de la composition antigénique du virus grippal qui déclenchera la prochaine pandémie naturelle. En revanche, il est tout à fait possible de recombiner expérimentalement en laboratoire différentes souches existant pour donner naissance à une souche nouvelle contre laquelle il n'existe ni immunité naturelle ni vaccin.

« Une dissémination très limitée par aérosols d'une hypothétique souche nouvelle dans quelques villes très peuplées des régions tempérées pourrait allumer une épidémie ou une pandémie, remarque le rapport de l'OMS, qui ajoute : La dispersion à grande échelle par aérosols sur une zone peuplée pourrait paralyser l'activité au bout de 1 à 3 jours, durée de la période d'incubation, et tuer un certain nombre de personnes. [...] La létalité des souches actuelles est faible (environ 0,2 %). Une mortalité élevée, avec peut-être des millions de décès, pourrait survenir si l'expérience de 1918 se répétait. »

Le chapitre des infections virales ne serait pas complet si nous oubliions ces trois « petites dernières » que sont la *maladie à virus Marburg*, la *fièvre hémorragique à virus Ebola* et la *fièvre de Lassa*.

La *fièvre de Lassa* a fait son apparition en janvier 1969 à Lassa, un village de montagne de la Nigeria situé non loin de la frontière du Cameroun. Elle a frappé dans un hôpital missionnaire américain tuant en trois jours ses victimes couvertes d'ulcères et de plaies hémorragiques. Puis l'infection s'est répandue et elle revient maintenant périodiquement, à la saison sèche, au Libéria, en Sierra Leone et en Nigeria. On commence cependant à bien connaître le virus responsable et l'on peut soigner la plupart des malades, réduisant ainsi la mortalité.

Par contre, on en sait beaucoup moins sur la *maladie à virus Marburg*, qui doit son nom à la ville d'Allemagne où elle se manifesta pour la première fois dans un laboratoire pharmaceutique en 1967. Son virus avait provoqué des contaminations chez vingt-cinq techniciens ayant manipulé des organes de singes importés d'Ouganda[1]. Pendant plusieurs années, on s'interrogea sur la provenance de ce virus quand, en 1975, on l'isola sur le continent africain. Mais connaître son origine ne veut pas dire que l'on sache tout à son sujet ni, surtout, que l'on ait mis au point un vaccin pour le combattre.

Quant à la découverte du virus *Ebola*, elle n'a eu lieu qu'en 1976

---

1. Voir, à ce propos, ainsi qu'au sujet de la fièvre hémorragique à virus Ebola, « Les Nouvelles fièvres hémorragiques », article de Pierre Sureau in *La Recherche*, octobre 1980.

lorsque éclatèrent quasi simultanément deux épidémies, l'une au Soudan, l'autre au Zaïre. « Dans les deux foyers, précise un article paru dans *La Recherche*[1], la maladie fut extrêmement contagieuse, en particulier à l'intérieur des hôpitaux (de Maridi au Soudan et de Yambuku au Zaïre), et tout spécialement pour le personnel soignant. Elle fut, en outre, d'une effroyable gravité, puisque le taux de mortalité atteignit au Zaïre 88 %. »

On ne sait presque rien du virus Ebola (du nom d'une rivière coulant près de l'hôpital de Yambuku). Des anticorps spécifiques ont été mis en évidence chez les malades ayant survécu mais on n'a pas retrouvé le virus dans la nature et l'on ignore tout du mécanisme des infections humaines à partir du réservoir naturel supposé.

Ces trois virus, Lassa, Marburg, Ebola, sont d'une extrême virulence. Leur taux de létalité compte parmi les plus élevés qu'on connaisse et leur fragilité est leur seule qualité susceptible de nous rassurer puisque l'on est à peu près sans défenses sur le plan immunitaire. Rien n'a été publié à ce jour concernant leur utilisation éventuelle à des fins militaires[1]. De toute façon, depuis 1972, il existe très peu de littérature faisant allusion à des travaux entrepris après cette date dans le domaine des armes biologiques. En outre, il n'est sans doute pas facile de mettre au point une arme à partir de virus comme ceux de ces nouvelles fièvres hémorragiques. Ils sont trop fragiles et le manque d'immunité risquerait de les voir se retourner contre leurs utilisateurs. Mais ce sont des obstacles que l'on est déjà parvenu à franchir dans le passé et il est peu probable que l'apparition de maladies aussi virulentes n'ait pas éveillé l'attention de quelques spécialistes de la guerre biologique. Alors... au risque de faire de la mauvaise science-fiction, on peut imaginer que les vaccins recherchés fébrilement par les savants désireux de combattre ces nouvelles fièvres ont été découverts dans quelque laboratoire militaire clandestin. Peut-être a-t-on même trouvé le moyen de disséminer ces virus par aérosols sans en compromettre la virulence. Ce n'est, pour l'instant, que spéculation, mais l'histoire nous a appris que, dans ce domaine, la réalité se révélait souvent bien plus effroyable que les plus sombres fictions.

Les infections à rickettsies

Les *rickettsies* (de Ricketts, savant américain), que le *Robert* définit comme un « genre de micro-organisme proche des bactéries et des virus, parasites de l'homme et des animaux provoquant diverses maladies », sont des formes intermédiaires entre les virus et les bactéries. Comme les virus, elles ne se reproduisent que dans les tissus vivants, mais on ignore encore beaucoup de choses à leur sujet.

---

1. Y. Le Hénaff affirme cependant (in *Les armes de destruction massive et leur développement en France*) que le virus de Marburg a été « essayé dans les laboratoires militaires » et s'est révélé « efficace en aérosol ». Quant au virus de Lassa, il écrit qu'il est « en cours d'étude chez les militaires ».

La plus connue des infections à rickettsies est le *typhus*. L'agent pathogène, qui a pour nom *Rickettsia prowaseki*, est très facile à cultiver sur un embryon de poulet et l'on peut le disséminer sans difficulté par aérosols.

La période d'incubation du typhus est de 10 à 14 jours mais elle peut être plus courte en cas de forte exposition. Les symptômes apparaissent brusquement et la période critique intervient au cours de la deuxième ou de la troisième semaine. L'une des particularités de cette maladie est de voir son taux de létalité augmenter avec l'âge. Autrement dit, plus on est vieux, plus on a de chances de mourir en l'attrapant, les nourrissons n'ayant, quant à eux, pratiquement aucun souci à se faire.

S'agissant de l'utilisation de cet agent comme arme biologique, le rapport de l'OMS nous apprend que « la sensibilité est totale dans la plupart des populations, de sorte qu'une attaque surprise de grande envergure par aérosols pourrait faire de nombreux morts et malades et entraîner de profonds bouleversements sur un territoire étendu, surtout si la région visée manque d'antibiotiques ».

Cependant, le typhus est considéré par les spécialistes comme étant d'« un intérêt militaire désuet », sans doute parce que les vaccins et les antibiotiques constituent des moyens efficaces de prophylaxie et de traitement.

La *fièvre pourprée des montagnes Rocheuses*, au nom si imagé, est plus appréciée. Elle se manifesta pour la première fois au siècle dernier parmi les colons du nord-ouest de l'Amérique. Éruption de taches, forte fièvre, douleurs articulaires, tels étaient les symptômes de cette maladie nouvelle qui provoqua la mort de 20 % de ses premières victimes. On a constaté, depuis, des cas de fièvre pourprée en de nombreux points de l'hémisphère occidental. L'agent pathogène, qui a pour nom *Rickettsia rickettsii*, vit et se multiplie dans des tiques. Celles-ci, à leur tour, infestent une série d'hôtes animaux (parmi lesquels l'homme) lorsqu'elles sont parvenues à l'état adulte. Beaucoup d'animaux atteints par *Rickettsia rickettsii* n'en souffrent pas, mais, chez l'être humain, ces micro-organismes endommagent les parois des petits vaisseaux sanguins. Au stade avancé, les hémorragies se généralisent. Avant l'avènement des antibiotiques, le taux de létalité atteignait, dans certaines régions, 80 % chez les adultes non vaccinés et environ 37 % chez les enfants. La mortalité a cependant été ramenée à un taux de 3 à 7 %.

L'infection par aérosols est possible. Toutes les populations du monde sont sensibles à la fièvre pourprée des montagnes Rocheuses et, cette maladie étant inconnue dans les pays de l'hémisphère oriental, on peut penser qu'ils sont beaucoup moins bien équipés pour la prévenir et la combattre que les autres. Dans ces régions, le taux de mortalité pourrait très bien dépasser 30 %.

La *fièvre Q* ou *fièvre du Queensland* est une infection à rickettsies de type invalidante causée par *Coxiella burneti*. Dans les conditions naturelles, il s'agit d'une maladie des animaux (ovins, caprins, bovins) pouvant être transmise à l'homme par voie aérienne. La période d'incubation est de deux à trois semaines, après quoi se manifestent brusquement des symptômes proches de ceux de la grippe s'accompagnant d'une forte fièvre et de douleurs auriculaires et musculaires. Il arrive aussi parfois qu'une pneumonie se déclare cinq à six jours plus tard. Cette maladie est rarement mortelle pour l'homme mais ses victimes, épuisées, sont incapables de reprendre une activité normale avant plusieurs semaines.

Les points forts de la *fièvre Q* en tant qu'arme biologique sont, premièrement, l'extrême résistance des rickettsies qui en constituent l'agent pathogène et, deuxièmement, d'être une maladie à laquelle les hommes sont très vulnérables. Le rapport de l'ONU mentionne à ce sujet une épidémie causée par de la poussière contaminée entraînée par le vent, qui provenait d'une usine d'extraction de graisse distante de quelque 10 kilomètres. « Bien qu'elle ne se transmette que rarement entre personnes, ajoute ce rapport, cette maladie représente un risque assez courant pour le personnel des laboratoires. » L'OMS précise que « la dispersion d'aérosols de *C. burneti* pourrait avoir des effets incapacitants sur une grande fraction de la population visée et causer quelques décès [...]. L'agent infectieux pourrait subsister dans l'environnement pendant de nombreux mois et, entretenu chez les animaux, former des réservoirs permanents d'infection. Les produits alimentaires pourraient être contaminés, et devraient donc être soigneusement cuits avant d'être consommés ».

Parmi les infections à rickettsies étudiées à des fins militaires, il faut encore citer la *maladie de Veldt*, plus spécifiquement destinée à frapper les animaux et, tout particulièrement, les bovins, les moutons et les chèvres. Son agent pathogène a pour nom *Rickettsia ruminatum* et son taux de mortalité sur une population animale non traitée dans le cadre d'une épizootie naturelle est de l'ordre de 50 à 60 %. Il va sans dire que, dans le cas d'une opération de guerre biologique, la virulence de l'agent serait accrue de façon à obtenir un taux de mortalité bien supérieur. Et cela vaut d'ailleurs pour à peu près tous les agents pathogènes examinés ici.

Les infections bactériennes

Les bactéries sont plus grandes que les virus et les rickettsies. Leur taille va de 0,3 micron à plusieurs microns et ce sont des organismes que l'on classe traditionnellement dans le règne végétal bien qu'à cette échelle cela ne veuille pas dire grand-chose. De forme sphérique, en bâtonnets ou en spirales, beaucoup d'entre elles parasitent animaux et végétaux. Ce parasitisme se révèle souvent inoffensif mais il existe des bactéries pathogènes dont la présence provoque de graves désordres chez leurs hôtes.

Les bactéries se cultivent facilement et à grande échelle en employant un matériel et des techniques semblables à ceux utilisés dans l'industrie des produits fermentés. De nombreuses bactéries pathogènes sont sensibles aux antibiotiques mais les progrès accomplis ces dernières années par la génétique permettent sans trop de difficultés de sélectionner ou de produire des souches résistantes.

La plus redoutable des infections bactériennes pouvant donner lieu à une arme biologique est vraisemblablement la *peste*.

On a du mal à imaginer ce que fut l'irruption de cette maladie en 1347 en Europe. Ses effets furent tels qu'ils bouleversèrent l'ordre social alors existant et donnèrent naissance à un nouveau type de société plus équitable, plus tolérante, plus éprise de liberté. Mais le prix qu'il avait fallu payer pour en arriver là dépasse l'entendement.

Sir Arthur Conan Doyle, le père de Sherlock Holmes, a exprimé en quelques lignes superbes par leur concision toute l'horreur de la situation que connurent les Anglais touchés par la peste en juillet 1348[1] :

« Les hommes moururent, ainsi que les femmes, les enfants, le baron dans son château, l'affranchi dans sa ferme, le moine dans son abbaye et le vilain dans sa cabane de clayonnage et de torchis. Tous respiraient le même air pollué et tous mouraient de la même mort. De ceux qui étaient frappés, aucun n'en réchappait et le mal était partout le même : de gros furoncles, le délire et les pustules noires qui donnèrent son nom à la maladie. Durant tout l'hiver, des cadavres pourrirent sur les côtés des routes parce qu'il n'y avait personne pour les enterrer. Dans de nombreux villages, il ne resta pas âme qui vive. Le printemps vint enfin, apportant le soleil, la santé et le rire, le printemps le plus vert, le plus doux et le plus tendre que l'Angleterre eût jamais connu. Mais la moitié seulement de l'Angleterre put en jouir car l'autre avait disparu avec le grand nuage pourpre. »

De manière plus prosaïque, un témoin de ces événements, le moine franciscain Michel di Piazza, a fait cette description de l'irruption du fléau en Sicile :

« Au début d'octobre de l'an de grâce 1347, deux galères appartenant à des Génois, fuyant le courroux du Ciel qu'ils avaient allumé par leurs actions scélérates, entrèrent' dans le port de Messine. Ces Génois portaient en eux un mal si virulent, que ceux qui avaient le malheur de leur adresser la parole étaient pris d'une maladie mortelle, sans remède... Ils se sentaient traversés d'élancements douloureux, leurs forces les abandonnaient. Bientôt, sur la cuisse ou sur le haut du bras apparaissait un bubon de la grosseur d'une lentille, que les gens simples appelaient "bubon de feu". Cet abcès infectait tout le corps qu'il pénétrait, à ce point que le malade vomissait du sang, avec une violence inouïe. Les vomissements duraient pendant trois jours, car il n'y avait pas moyen de

1. In *Sir Nigel*, Nouvelles Éditions Oswald, 1982.

les arrêter… Alors, le malade expirait… Lorsque les habitants de Messine découvrirent que cette mort subite provenait des Génois, ils se hâtèrent de les expulser de leur ville, de leur port. Mais le mal demeura, et fut cause d'une quantité effrayante de morts. Bientôt, les hommes se haïrent au point que, si un fils était attaqué par la maladie, son père refusait de le soigner. Si, malgré tout, il osait l'approcher, il était immédiatement contaminé et ne pouvait échapper à la mort, qui survenait endéans les trois jours. Ce n'était pas tout : les siens, tous ceux qui habitaient dans sa maison, et jusqu'aux chats et autres animaux domestiques le suivaient dans la mort. »

La mort noire gagna peu à peu toute l'Europe et les hommes se sentaient complètement désarmés face à ce fléau. Des dizaines de millions de personnes moururent si bien que, lorsque l'on étudie aujourd'hui cette pandémie, on peut se faire une idée de ce que pourrait donner un conflit international où l'on emploierait la peste comme arme biologique. Du reste, c'est bien une opération de guerre biologique qui fut à l'origine de la grande épidémie de 1347. Ceux qui en furent les instigateurs étaient loin de mesurer toutes les conséquences de leur geste, mais, si cette maladie se répandit à une telle vitesse en Europe au XIVe siècle, c'est parce que des Tartares avaient eu l'idée de l'employer comme arme de guerre.

En 1343, un groupe de marchands génois revenant d'un voyage en Chine d'où ils rapportaient des soieries et des fourrures précieuses fut pris en charge par une bande de Tartares. Pour échapper à leurs poursuivants, les Génois se réfugièrent dans la ville fortifiée de Caffa en Crimée. Les Tartares se mirent aussitôt à assiéger la ville. Pendant trois ans, les adversaires restèrent sur leurs positions jusqu'au jour où les Tartares, las de catapulter de simples pierres au-dessus des murs de Caffa, se mirent à lancer des cadavres — les cadavres de leurs propres compagnons morts de la peste bubonique. Les morts qui atterrirent derrière les murs de Caffa infectèrent toute la ville. Et soudain, les assiégeants s'en allèrent. Il est vraisemblable qu'ils avaient été pris de panique devant les ravages qu'opérait la peste dans leurs propres rangs. Les Génois survivants coururent à leurs navires et prirent la mer. Beaucoup d'entre eux moururent à bord, mais les autres débarquèrent dans des ports — Constantinople, Gênes, Venise, etc. — d'où partit la grande épidémie qui devait ravager l'Europe.

Ce n'était pas la première fois que la peste frappait. Au VIe siècle, elle avait déjà joué un rôle catastrophique dans le monde romain et fortement contribué à son effondrement. Elle réapparut en 1665 avec autant de force et de virulence qu'en 1347. Puis, après 1720, elle déserta à peu près complètement l'Europe occidentale en même temps que l'un de ses vecteurs privilégiés : le rat noir.

On pensait, autrefois, que la peste était un signe du courroux de Dieu, mais les croyants furent bientôt plongés dans la plus extrême perplexité en constatant qu'elle n'épargnait personne et que le saint tombait au même titre que le brigand. Toutes sortes d'hypothèses plus folles les unes que les autres furent émises pour expliquer l'existence du fléau. Les progrès de la science aidant, on finit par s'apercevoir que la peste bubonique est propagée par des rats infectés qui transmettent la maladie à l'homme par l'intermédiaire de leurs puces. Il arrive aussi qu'elle prenne la forme d'une pneumonie très contagieuse. Les hommes se la transmettent directement par les gouttelettes qu'ils projettent en toussant. On parle alors de peste pulmonaire. Les deux variétés sont provoquées par une seule et même bactérie, *Pasteurella pestis*, qui n'a été identifiée qu'en 1894.

Pasteurella pestis est facile à préparer en grandes quantités. « Conservé dans de bonnes conditions, il reste virulent pendant de nombreuses années, lit-on dans le rapport de l'OMS. Il est très résistant; quand il est enfermé dans de petites gouttelettes, il faut au moins une heure d'exposition à la lumière solaire pour le tuer. La dessication lui est nocive, mais, s'il est protégé par des substances muqueuses ou autres, il est capable de résister au dessèchement pendant plusieurs jours. Comme il s'accommode d'un large éventail de conditions thermiques (− 20 °C à + 45 °C), il serait relativement peu affecté par le temps, si chaud ou si froid qu'il pût être. La lyophilisation permet de le conserver très longtemps. »

La peste constitue à bien des égards une arme biologique extrêmement puissante, surtout sous sa forme pulmonaire. Elle est très facile à disséminer et elle a, par conséquent, beaucoup intéressé les spécialistes de la guerre bactériologique. Sa virulence est telle que l'on peut compter sur un taux de létalité de 60 à 70 % dans une population où la proportion initialement infectée serait de 50 %. Et puis, la vaccination préventive, qui n'a qu'une efficacité relative contre la peste bubonique, est inopérante contre la peste pulmonaire. Le traitement à la streptomycine a quelques chances de succès, mais encore faut-il l'entreprendre à temps...

Dans leur rapport, les experts de l'OMS estiment qu'en cas d'attaque par peste pulmonaire par un seul avion de bombardement, répandant par aérosols 50 kg de poudre sèche sur une étendue de 2 km dans une ville de 5 millions d'habitants :

— 150 000 personnes seraient infectées directement;
— 36 000 mourraient directement;
— 80 000 à 100 000 devraient être hospitalisées ou isolées;

Des cas secondaires se manifesteraient parmi le reste de la population et 500 000 personnes supplémentaires pourraient être atteintes. Au total, 100 000 décès au moins seraient à prévoir et l'on assisterait à la naissance d'épidémies secondaires propagées par les fuyards. Les hôpitaux et les services d'ensevelissement seraient débordés, ce qui aurait pour conséquence d'accroître les risques d'extension des épidémies.

La peste ne présente, au fond, qu'un seul désavantage, mais il est de taille et peut se révéler dissuasif : elle risque fort bien de se retourner contre ses utilisateurs. N'est-ce pas, d'ailleurs, ce qui se passa chez les Tartares au xive siècle ?

Autre infection bactérienne à laquelle les spécialistes de la guerre biologique ont accordé la plus extrême attention : le *charbon*.

L'agent pathogène de cette maladie s'appelle *Bacillus anthracis*. Il se présente sous deux formes : celle de bâtonnets isolés ou accouplés en 2 ou 3 articles, et celle de longs filaments segmentés. Dans le sang, *Bacillus anthracis* a l'aspect de bâtonnets immobiles de 5 à 8 microns de long.

Le charbon est une maladie qui frappe surtout les moutons, mais bœufs et chevaux y sont aussi très sensibles. Ces animaux se contaminent en avalant avec leur nourriture broutée dans les champs des spores charbonneux. La maladie peut s'observer chez les bergers, les bouchers, les garçons d'abattoirs, les vétérinaires, les tanneurs, les ouvriers travaillant la laine, les poils, les crins, d'où le nom de « maladie du trieur de laine » qu'on lui donne souvent.

Selon le mode de transmission, la maladie peut se présenter sous forme cutanée (infection par contact), intestinale (infection par ingestion) ou broncho-pulmonaire (infection par inhalation). La forme broncho-pulmonaire est la plus grave et elle évolue très vite, la mort survenant dans les deux à trois jours dans tous les cas si le malade n'est pas traité immédiatement aux antibiotiques. Les laboratoires ont cependant réussi à obtenir par sélection des souches virulentes qui résistent aux antibiotiques. Ce sont de telles souches qui seraient employées en cas d'utilisation militaire du charbon et l'on pense qu'elles pourraient entraîner un taux de létalité avoisinant 80 % chez les sujets non traités et parmi le bétail.

Le problème, avec *Bacillus anthracis*, c'est qu'il conserve son pouvoir infectant pendant de longues, très longues années, comme en témoigne l'expérience menée par les Britanniques sur la petite île de Guinard. Et la propagation *aérienne* de spores renfermant cette bactérie risquerait de contaminer pour une durée indéterminée des lieux très éloignés de la cible. Mais il est tellement facile de cultiver des quantités considérables de bacilles du charbon et de produire des aérosols à forte concentration de spores très résistantes que les inconvénients liés au pouvoir infectant de cet agent risquent de passer pour secondaires...

La *tularémie*, la *brucellose* et la *fièvre typhoïde* sont trois autres infections bactériennes ayant retenu l'attention des spécialistes.

La *tularémie*, qui doit son nom au comté de Tulare en Californie où une épidémie éclata en 1911, est une maladie infectieuse fébrile due à *Francisella* ou *Pasteurella tularensis*. Elle est transmise des rongeurs sauvages à l'homme par des tiques et peut revêtir plusieurs formes suivant la voie d'entrée de l'agent pathogène : peau ou conjonctive, voie digestive, voies respiratoires. La tularémie contractée par inhalation entraîne la pneumonie dans près de la moitié des cas et son taux de létalité peut alors osciller entre 40 et 60 %. « Étant donné son très fort pouvoir infectant par diverses voies, remarque le rapport de l'OMS, *P. tularensis* se prête particulièrement bien à la guerre biologique. Sa dissémination par aérosols pourrait vraisemblablement infecter au moins la moitié de la population exposée et probablement une proportion beaucoup plus grande des sujets soumis à de fortes expositions. »

Lors de la crise cubaine de 1961, les Américains songèrent très sérieusement à employer une souche incapacitante (c'est-à-dire sensible aux antibiotiques et d'une virulence relativement faible mais entraînant tout de même une mortalité importante) de tularémie en conjonction avec une dissémination de fièvre Q. Ils espéraient ainsi neutraliser la population cubaine en vue d'une invasion. L'attaque aurait été conduite suffisamment à l'avance pour laisser le temps d'agir aux agents pathogènes.

La *brucellose* est, avant tout, d'un point de vue militaire, une infection incapacitante. Cette maladie infectieuse causée par trois variétés de bactéries, du genre *Brucella*, *Brucella abortus*, *Brucella suis* et *Brucella melitensis*, est transmise à l'homme par des animaux domestiques tels que bovins, porcins, ovins et caprins. Sa caractéristique essentielle est de faire avorter les animaux infectés. Chez l'homme ce sont les types *melitemsis* et *suis* qui provoquent les formes les plus sévères de la maladie. Elle se caractérise alors par des poussées irrégulières de fièvre (fièvre ondulante ou fièvre de Malte), des douleurs musculaires et une grande fatigue. Dans le cas d'une attaque par aérosols, on a calculé que l'effet incapacitant durerait au moins deux à trois semaines malgré l'antibiothérapie, et qu'il pourrait se prolonger plus longtemps encore, des rechutes restant possibles pendant des mois ou des années.

La *fièvre typhoïde*, enfin, passe, elle aussi, pour une maladie incapacitante aux yeux des militaires malgré un taux de létalité probable de 10 % chez les sujets non traités. L'agent pathogène a pour nom *Salmonella typhi*. Cette maladie infectieuse, contagieuse et souvent épidémique se caractérise par une fièvre élevée « en plateau », un état de stupeur (d'où son nom, du grec *tuphos*, torpeur) et des troubles digestifs graves. Son emploi en tant qu'arme pourrait s'opérer à l'aide d'aérosols, mais aussi par contamination des eaux de consommation. Dans ce dernier cas, la présence de germes pathogènes ne pourrait être décelée avant plusieurs heures, voire plusieurs jours.

Les infections fongiques

Par infections fongiques, on entend des infections causées par des champignons ou mycètes microscopiques. Une seule maladie — la plus souvent citée dans la littérature spécialisée — retiendra notre attention : la *coccidioïdomycose*.

Transmise par la poussière et causée par le champignon *Coccidiodes immitis* la coccidoïdomycose est aussi appelée fièvre du désert car son agent pathogène se trouve dans les sols désertiques aux États-Unis, en

Amérique du Sud et en URSS. Ses spores sont très stables et se prêtent facilement à la dispersion sous forme d'aérosols. Leur inhalation provoque, après une incubation de 10 à 20 jours, une maladie d'allure grippale accompagnée de fièvre, de frissons, de toux, de douleurs pleurales, de maux de tête et de courbatures dorsales. Dans la plupart des cas, la maladie guérit après quelques semaines. Cette infection est donc plutôt de nature incapacitante. Toutefois, avant l'introduction de l'amphotéricine %, la forme généralisée entraînait une mortalité de 50 %. S'agissant de son utilisation comme arme biologique, le rapport de l'OMS précise que « des aérosols à haute concentration, qui sont techniquement réalisables, pourraient certainement provoquer des infections étendues, mais il est extrêmement difficile de faire la moindre prévision quant à leur effet. Utilisé comme arme biologique, *Coccidiodes immitis* pourrait provoquer un bouleversement général dans l'existence des collectivités affectées étant donné qu'on ne connaît pas de prophylaxie ou de chimiothérapie efficaces ».

Agents antiplantes

Dans ce rapide survol des principaux agents biologiques susceptibles d'être utilisés en cas de conflit, nous n'avons pas mentionné les maladies spécifiquement antiplantes. De la *mosaïque du tabac*, causée par un virus, à la *rouille du café*, due à un champignon, en passant par la *rouille du riz*, provoquée par une bactérie, il en existe environ une vingtaine qui ont failli être utilisées à plusieurs reprises au cours des quarante dernières années et dont l'emploi a fréquemment été allégué. Ces infections nécessitent des quantités infiniment plus modestes que celles requises par les agents chimiques pour un résultat identique, et l'on frémit à l'idée des conséquences qu'aurait pu avoir leur emploi au Vietnam si les stratèges américains leur avaient donné la préférence sur les défoliants. Cependant, comme tous les agents biologiques, ils mettent longtemps à agir et leur utilisation ne peut convenir qu'à un nombre très précis et limité de situations. Si la bombe atomique n'avait pas été mise au point suffisamment tôt vers la fin de la Seconde Guerre mondiale, on aurait peut-être eu recours à eux pour affamer le Japon et les spécialistes estiment, aujourd'hui, que cela aurait provoqué beaucoup plus de morts qu'Hiroshima et Nagasaki. En somme, la violence du feu de la bombe A a évité aux Japonais la lente agonie d'une effroyable famine...

L'homme à la valise

Les moyens employés pour la mise en œuvre des agents biologiques diffèrent sensiblement de ceux conçus pour les agents chimiques. La méthode la plus susceptible d'être employée serait sans doute celle des aérosols car les voies respiratoires sont sensibles à l'infection par un grand nombre de micro-organismes et une attaque unique pourrait couvrir une surface d'objectif très vaste. De plus, les mesures d'hygiène courante seraient inefficaces contre une infection par les voies respiratoires.

La taille des particules constituant un paramètre très important quant à leur aptitude à pénétrer dans les poumons, la méthode de production des agents biologiques doit être réglable et assurer la dispersion d'un grand nombre de particules de moins de 5 microns de diamètre.

Le rapport de l'ONU rappelle qu'il existe trois méthodes pour produire des aérosols contenant des agents biologiques.

« La dissémination peut s'effectuer au moyen d'explosifs, à peu près comme dans le cas d'agents chimiques. Toutefois, outre qu'il est difficile de régler avec précision la dimension des particules ainsi produites, le choc et la chaleur dégagés par l'explosif risquent de détruire une grande partie de l'agent. On peut aussi obtenir des particules d'aérosol en éjectant sous pression par des buses un produit contenant en suspension les organismes employés. La dimension des particules dépend de la pression, du calibre des buses, des caractéristiques physiques de l'agent et des conditions atmosphériques. On peut obtenir à partir d'un solide des particules de taille voulue (agent sous forme sèche) en procédant au calibrage avant dispersion. On peut également produire des particules d'aérosol par pulvérisation en libérant un liquide contenant l'agent en suspension dans un jet d'air à grande vitesse. Ce procédé convient particulièrement dans le cas de dispositifs de pulvérisation susceptibles d'être employés sur des avions à haute performance. »

En plus des aérosols, on a aussi étudié des armes telles que des bombes à fragmentation pouvant causer des blessures, mais sa très faible rentabilité confère peu d'intérêt à ce genre de système, aussi a-t-on tendance à ne pas lui prêter beaucoup d'attention aujourd'hui, dans le domaine BC.

Il existe encore des moyens plus spécifiquement adaptés à la guerre secrète ou à des opérations de sabotage pour mettre en œuvre des agents pathogènes.

« L'image conventionnelle de la guerre biologique, le mystérieux "homme à la valise" qui empoisonne les réserves d'eau et les systèmes de ventilation, semble avoir été écartée par de nombreux experts, remarque Carl-Goran Hedén[1]. Cette attitude pourrait bien être prématurée, en tout cas si l'on considère certaines situations spécifiques, par exemple la désorganisation des services sanitaires due à une attaque nucléaire, ou à une mobilisation, situation où les répercussions psychologiques d'un sabotage biologique pourraient être extrêmement graves. »

---

1. « Le nuage empoisonné », chapitre in *Les armements modernes, op. cit.*

10 tonnes pour 100 000 km²

Si les armes biologiques venaient à être utilisées un jour, les conséquences seraient incalculables. En 1969, un colonel soviétique disait qu'« en comparant les pertes en vies humaines résultant des armes conventionnelles, des armes toxiques et des armes atomiques d'un côté, et celles des armes biologiques de l'autre, on peut penser aujourd'hui que c'est la guerre biologique qui aurait le plus d'effets ».

Le Groupe de Recherche et d'Information sur la Paix[1] de Bruxelles a publié, dans son *Dossier* n° 18 du 25 avril 1980 consacré aux « Armements chimiques et biologiques », un tableau éloquent sur les estimations comparatives des « effets destructeurs d'attaques hypothétiques sur des populations totalement non protégées suite à l'emploi d'armes chimiques, nucléaires ou biologiques pouvant être portées par un bombardier stratégique ».

Selon ce tableau, une bombe nucléaire d'1 mégatonne atteindrait une surface de 300 km² là où 15 tonnes d'agents neurotoxiques toucheraient 60 km² et où 10 tonnes d'agents biologiques couvriraient jusqu'à 100 000 km².

Le délai avant le début de l'effet se mesure en secondes pour l'arme nucléaire, en minutes pour l'agent neurotoxique et en jours pour l'agent biologique.

L'arme nucléaire provoquerait des dégâts matériels sur une surface de 100 km² alors que les agents chimiques et biologiques laisseraient les édifices intacts[2].

Au chapitre des effets secondaires, on trouve une contamination radioactive sur une surface de 2 500 km² pendant 3 à 6 mois pour les armes nucléaires, une contamination par la persistance des agents de quelques jours à quelques semaines pour les agents chimiques et une épidémie possible ainsi que la création de nouveaux point endémiques de maladie pour les agents biologiques.

Quant aux effets maximum sur l'homme, il faut compter 90 % de morts avec les armes nucléaires, 50 % de morts avec les neurotoxiques, 50 % de morbidité et 25 % de morts avec les agents biologiques mais pour une surface beaucoup plus considérable qu'avec les armes nucléaires.

Ce ne sont là, bien sûr, que des indications. Si les chiffres sont assez précis en ce qui concerne les armes nucléaires, ils le sont moins lorsque l'on aborde les armes chimiques et ne représentent plus que des estimations moyennes probables quand il s'agit des armes biologiques. Le nombre de morts, par exemple, varie considérablement selon la nature de

---

1. GRIP, chaussée Saint-Pierre, 141, 1040 Bruxelles, Belgique.

2. C'est là une estimation très théorique ne tenant pas compte des dégâts pouvant être provoqués par les victimes des armes B et C. On imagine aisément les accidents qui pourraient résulter de l'inhalation de neurotoxiques par des conducteurs de machines par exemple.

l'agent utilisé et les 25 % donnés ici à titre d'exemple correspondent à un nombre assez limité de maladies. De plus, les progrès effectués depuis quelques années dans le domaine des manipulations génétiques permettent d'obtenir des souches de micro-organismes pathogènes d'une résistance et d'une virulence inimaginables. En déshabillant un virus de son enveloppe protéique et en le recombinant avec une autre protéine, on peut « construire » un virus d'un type nouveau contre lequel les médicaments sont impuissants. Voilà qui permet pleinement à l'arme biologique de revendiquer le titre d'arme de destruction massive, même s'il s'agit, souvent, d'une arme à double tranchant...

Il n'y a pas lieu de désespérer, pourtant, car il arrive aux micro-organismes, las, peut-être, du rôle que certains veulent leur faire jouer, de se révolter et de faire preuve d'un surprenant sens de l'humour. C'est ce qui s'est passé en 1973, aux États-Unis, lorsqu'un ennemi sournois, quasi invisible, s'est attaqué aux armes américaines les plus modernes. Plus ces armes dépendent de l'électronique, plus le danger est grand. Or ce sont des micro-organismes — champignons, bactéries, etc. — qui se sont mis à proliférer dans les délicats circuits de ces machines de mort, créant ainsi de véritables « ponts vivants » entre différents composants et provoquant des courts-circuits intempestifs. D'autres micro-organismes, en se décomposant, ont produit des acides organiques déclenchant des processus rapides de corrosion d'éléments vitaux de missiles et de charges nucléaires et classiques.

Après les agents antipersonnels, antianimaux et antiplantes, serions-nous sur le point d'assister à l'avènement des agents antiarmes ? Voilà, en tout cas, qui changerait les données du problème...

IV. *PLUS JAMAIS ÇA !*

> *« Le commandement militaire a reconnu après coup que, si l'on avait suivi mes conseils et préparé une attaque de large envergure, au lieu de faire à Ypres une expérience vaine, l'Allemagne aurait gagné cette guerre. »*
>
> Fritz Haber, évoquant la première attaque aux gaz des Allemands, le 22 avril 1915, cité par J. Borkin in *L'I.G. Farben*, Alta, 1979

Dans son édition du 9 avril 1915, le *Times* de Londres ironisait à propos d'une rumeur selon laquelle les Allemands s'apprêtaient à asphyxier les troupes alliées à l'aide de cylindres contenant des gaz toxiques. Tout ceci tenait de la plaisanterie de mauvais goût, à en croire le signataire d'un article intitulé « *A new german weapon : poisonous gas for our troops* » (*une nouvelle arme allemande : des gaz empoisonnés pour nos troupes*), et il ne pouvait bien évidemment s'agir que d'une opération de guerre psychologique menée par l'ennemi pour semer la panique parmi les hommes bloqués dans les tranchées. La plaisanterie, pourtant, ne fit pas rire longtemps...

Le 22 avril 1915, à 5 heures du matin, les Alliés subirent un bombardement violent dans un secteur du front occidental, près d'Ypres, en Belgique, entre Bixcshotte et Langemarck, et lorsque les bombes cessèrent de tomber, un nuage jaune verdâtre s'éleva de la ligne de feu allemande puis se déplaça, porté par le vent, vers l'ennemi. Plus tard, dans un rapport, le maréchal britannique Sir J.D. P. French devait décrire en ces termes ce qui se passa alors :

« Un observateur par avion a signalé qu'à l'heure indiquée il a vu une épaisse fumée jaune sortir des tranchées allemandes, entre Langemarck et Bixcshotte. Ce qui suivit est presque impossible à décrire. Sur toute la ligne tenue par la division française, l'effet de ces gaz était si brutal que toute activité militaire était rendue pratiquement impossible. Au début de l'opération, personne ne pouvait comprendre de quoi il s'agissait, les gaz qui couvraient le sol supprimant toute visibilité. Des centaines d'hommes étaient morts ou agonisants. Au bout d'une heure, la position a dû être abandonnée; des canons sont restés sur place, au nombre de cinquante environ. »

Bilan de l'opération : 15 000 victimes dont 5 000 morts, et une brèche de 6 kilomètres de large ouverte vers les ports non fortifiés de la Manche et de la mer du Nord. Les Allemands avaient de quoi être satisfaits; leur état-major eût été moins borné qu'ils eussent pu gagner la guerre à ce moment. Mais les chefs de l'armée allemande ne comprirent pas tout le parti qu'ils pouvaient tirer de l'arme chimique. Pour eux, l'opération du 22 avril 1915 tenait de l'expérience sans lendemain et ils refusèrent de lui donner toute l'ampleur que réclamaient ses initiateurs. Quand ils s'aperçurent de leur erreur, il était trop tard. Les Alliés, échaudés, avaient pris leurs précautions. Plus question de les surprendre. Cagoules de toile imprégnées d'une solution chimique appropriée puis masques à gaz étaient là pour les protéger contre les effets des gaz toxiques...

La préhistoire de la guerre BC

Ainsi débuta véritablement la guerre chimique qui devait faire 1 300 000 victimes[1] au cours de la Première Guerre mondiale et provoquer l'indignation du monde entier, comme si celui-ci venait soudain de découvrir une forme de combat inconcevable par sa cruauté et sa sournoiserie, une arme nouvelle inimaginable, indigne d'hommes prétendant se comporter en soldats. Pourtant, si le 22 avril 1915 marque les débuts officiels de l'emploi des gaz dans des opérations militaires, cette date n'est pas la première référence que l'on possède de la guerre chimique dans l'histoire. Dès 600 av. J-C, Solon, celui-là même que ses contemporains appelaient « Le Sage », se servait comme d'une arme des vertus purgatives des racines d'ellébore en en faisant jeter dans les eaux du Pleistos, rivière où s'abreuvaient ses ennemis. Il en résulta une violente diarrhée chez l'adversaire qui fut vaincu par cet incapacitant fruste mais efficace.

Peut-être l'histoire de la guerre chimique remonte-t-elle même plus loin encore dans le passé mais la chronique n'en a pas conservé le souvenir. En revanche, quatre siècles après Solon, un général carthaginois abandonnait son camp à l'ennemi en laissant derrière lui du vin traité avec un narcotique. Peu de temps après, il revenait avec ses hommes et massacrait tranquillement ses adversaires plongés dans un profond sommeil. Déjà, à

1. Chiffre provenant d'un rapport de la commission des sciences et de l'astronautique établi à l'intention de la Chambre des représentants des États-Unis en 1959.

cette époque. les incapacitants ne militaient pas en faveur de la guerre humaine...

Les exemples ne manquent pas, dans l'histoire, de l'emploi de poisons ou de narcotiques pour contaminer des réserves d'eau, de vin ou de nourriture afin de tuer ou de désarmer un ennemi, et il n'y a rien d'étonnant, par conséquent, à voir l'amiral Dundonald suggérer, lors de la guerre de Crimée, de suffoquer la garnison russe tenant les ports de Sébastopol par des vapeurs sulfureuses. Cette proposition fut cependant rejetée car elle paraissait trop effroyable pour être envisagée. Au XIXᵉ siècle, on était pourtant déjà bien loin des racines d'ellébore et il arrivait fréquemment que des inventeurs proposassent de véritables munitions chimiques comme ce fut le cas, par exemple, pour Le Fortier, en France, en 1830, et J.W. Doughty en Amérique, en 1862, au cours de la guerre de Sécession. Mais les chefs militaires se méfiaient de ces armes nouvelles. Elles leur paraissaient trop horribles, trop inhumaines. Il est vrai que leur seule évocation réveillait de vieux spectres comme ceux des empoisonneurs des siècles passés, ces criminels si odieux et si lâches qu'un homme de loi du nom de Vermeil avait proposé, en 1781, de les punir par un supplice atrocement symbolique : « Le coupable arrivé au lieu de l'exécution et étant monté sur un échafaud, près duquel il existerait une grande chaudière d'eau bouillante, le bourreau lui présenterait une coupe dont il lui jetterait la liqueur sur la face, comme pour l'accabler de l'horreur de son forfait, en lui en offrant l'image, et le renverserait ensuite dans la chaudière d'eau bouillante. » On ne plaisantait pas avec les empoisonneurs.

En fait, les armes BC sont à la guerre ce que le poison est au crime domestique. « Parmi les moyens de se débarrasser de son prochain, écrit Arlette Lebigre dans un article intitulé « Le "Grand Siècle" des empoisonneuses[1] », le poison a [...] toujours occupé une place particulière. Secret et discret, difficilement soupçonnable (et d'autant plus volontiers soupçonné), il renchérit par sa traîtrise sur la perversité du geste meurtrier. » Et de rappeler ces mots d'un autre juriste du XVIIIᵉ siècle, F. Serpillon : « Il n'y a point de crime plus noir et plus lâche que celui du poison. »

Si la simple évocation des armes chimiques provoquait au XIXᵉ siècle un sentiment de répulsion comparable à celui dont le poison était généralement la cause, les armes biologiques, quant à elles, suscitaient une horreur et un dégoût bien plus effroyables encore. Le souvenir des grandes épidémies de peste du Moyen Age et du XVIIᵉ siècle n'était pas prêt de s'éteindre et, là aussi, on ne manquait pas de références historiques relatives à l'emploi ou à des propositions d'emploi d'agents biologiques en temps de guerre. Rien de comparable, bien sûr, à ce que

1. In *L'Histoire*, nᵒ 37, Le Seuil, septembre 1981.

pourrait provoquer l'utilisation massive et rationnelle de ce type d'arme dans un conflit moderne, mais tout de même...

Sans remonter jusqu'à Hannibal, qui faisait lancer sur les ponts de navires ennemis des pots d'argile remplis de serpents — lesquels constituent bien, jusqu'à preuve du contraire, un « matériau biologique » —, on peut considérer que la tactique consistant à infecter des réserves d'eau en jetant dans des puits des cadavres d'hommes ou d'animaux, le plus souvent victimes de maladies infectieuses, se répandit très tôt et très vite. C'est ainsi que l'empereur Frédéric Barberousse se rendit maître de la ville italienne de Tortona en 1155.

Pendant les Croisades, les chrétiens inaugurèrent une tactique offensive dont ils n'allaient pas tarder à être eux-mêmes les victimes en lançant par-dessus les remparts des cités assiégées des cadavres d'animaux et de soldats frappés par la peste. On a vu ce que cela donna lorsque les Tartares, au XIVe siècle, s'approprièrent cette peu chevaleresque méthode de combat...

En 1650, on commença d'envisager l'utilisation d'armes plus élaborées et le lieutenant général d'artillerie du royaume de Pologne, Sieminovicz, proposa l'emploi de globes empoisonnés par de la bave de chiens enragés et d'autres substances susceptibles de provoquer des épidémies. Son idée fut rejetée avec l'indignation qu'on imagine puis, quelques années plus tard, le roi Louis XIV alloua une pension à vie à un chimiste italien en lui demandant, en échange, de ne jamais révéler le secret d'une arme biologique qu'il prétendait avoir découverte.

Un siècle s'écoula avant que l'on assistât à une nouvelle offensive sur le front de la guerre biologique, mais celle-ci fut particulièrement odieuse, brutale et sournoise. Elle fut imaginée par un colonel anglais du nom de Bouruet qui envisagea de répandre la variole parmi les tribus indiennes rebelles en leur faisant parvenir des couvertures contaminées. Ce fut un certain Sir Jeffrey Amherst qui se chargea de cette besogne en envoyant aux Indiens deux couvertures et un mouchoir provenant d'un hôpital de contagieux. Les tribus n'étant pas immunisées, il s'ensuivit une brusque épidémie qui combla, paraît-il, tous les vœux du colonel.

Tous les militaires ne partageaient pas les vues tactiques et stratégiques de cet officier britannique. Au XIXe siècle, il se trouvait encore des idéalistes pour rêver sinon d'une guerre « humaine », du moins d'une forme de conflit évitant « les armes qui aggravent inutilement les souffrances des hommes mis hors de combat ». C'est dans cet esprit que fut conçue et mise au point la déclaration de Saint-Pétersbourg de 1868. Bien que ne visant pas expressément les armes chimiques et biologiques, ce texte énonçait pour la première fois un principe fondamental du droit de la guerre : *le seul but légitime que les États doivent se proposer durant la guerre est l'affaiblissement des forces militaires de l'ennemi.*

Mais tout cela restait très abstrait.

Les choses se précisèrent avec la déclaration de la conférence de

Bruxelles de 1874 où, pour la première fois, étaient mentionnés expressément les agents chimiques et biologiques, l'article XIII de cette déclaration interdisant l'emploi du « poison ou d'armes empoisonnées ».

En 1899, lors de la première conférence de la paix réunie à La Haye, on se fit plus explicite encore en stipulant que « les Puissances contractantes s'interdisent l'emploi de projectiles qui ont pour but unique de répandre des gaz asphyxiants ou délétères ».

Vingt-sept nations, dont presque toutes les Grandes Puissances, ratifièrent cette déclaration. Les États-Unis refusèrent toutefois de signer la stipulation concernant les gaz asphyxiants ou délétères, l'amiral Mahan soulignant le fait que cette méthode de guerre n'était pas plus cruelle que les autres... L'Allemagne, en revanche, figurait bel et bien parmi les puissances signatrices et, en 1907, elle signa également la convention de Genève mettant hors la loi toutes les armes à base de produits toxiques. Pourtant, le 22 avril 1915...

Le chimiste et le fantassin

Lorsque l'occasion se présenta pour eux de recourir aux gaz asphyxiants, les Allemands virent un avantage dans le fait d'avoir signé la déclaration de La Haye et la convention de Genève car cela donnait à cette arme nouvelle le pouvoir de la surprise ! Mais les choses ne sont pas si simples, et ce n'est pas seulement pour surprendre ses adversaires que l'Allemagne décida d'employer l'arme chimique. Cette décision est l'aboutissement d'une série de facteurs nombreux et complexes où le cynisme le dispute au patriotisme et l'idéalisme scientifique à la réalité putride du champ de bataille.

Pour comprendre ce qui s'est passé, il faut d'abord se rappeler que l'Allemagne, tout comme les Alliés, n'avait jamais imaginé que la guerre pût durer si longtemps. Les chefs allemands étaient fidèles à la stratégie qui leur avait assuré la victoire sur la France en 1871 et que le général comte Alfried von Schlieffen, chef de l'état-major général de 1895 à 1906, avait perfectionnée avant de convaincre son successeur, le général Helmuth von Molkte, qu'elle constituait la seule méthode possible pour gagner une guerre. Le plan Schlieffen, véritable bible de l'armée allemande en 1914, reposait sur l'hypothèse d'une victoire foudroyante. Il consistait à engager le plus grand nombre possible de divisions du côté français tandis qu'une force réduite tiendrait tête sur le front de l'est. Une fois la France vaincue, il suffirait de déclencher une offensive générale contre les Russes pour mettre ceux-ci en déroute. Et l'Angleterre, qui ne pourrait plus compter sur ses alliés, serait alors contrainte de demander la paix.

Le problème, c'est que les Allemands étaient tellement convaincus du bien-fondé de cette hypothèse qu'ils n'en avaient imaginé aucune autre. Mais la réalité se révéla tout autre. Très vite, ce qui aurait dû être une guerre éclair se transforma en une guerre de positions, une guerre d'usure...

Or, pour répondre aux objectifs du plan Schlieffen, l'Allemagne avait procédé à une mobilisation générale la privant de sa communauté industrielle et de sa capacité de production. Bientôt, elle se trouva manquer cruellement de matières premières et tout particulièrement de nitrate dont on avait besoin pour fabriquer des explosifs. Le nitrate, jusqu'ici, les Allemands se l'étaient procuré au Chili, comme tout le monde. Mais les Anglais, maîtres des mers, avaient imposé un blocus interdisant à l'Allemagne d'importer le précieux matériau. Il ne restait donc qu'une solution : puisqu'on ne pouvait plus importer du nitrate, il fallait en fabriquer.

L'homme chargé de la mise au point du nitrate de synthèse s'appelait Haber. Fritz Haber. Chimiste de génie ayant déjà réussi, en 1909, à combiner l'azote atmosphérique avec l'hydrogène de l'eau pour en faire de l'ammoniac, il était, à présent, professeur à l'institut Empereur Guillaume de physique, chimie et électronique. Malgré son patriotisme confinant au fanatisme, ses origines israélites lui valurent d'abord d'être accueilli par l'état-major de l'armée allemande avec une certaine froideur. Mais l'urgence de la situation créée par la bataille de la Marne, en septembre 1914, où l'on avait brûlé tant de poudre que l'Allemagne risquait de se trouver à court de munitions d'un jour à l'autre, poussa les chefs militaires à lui faire confiance.

Avec l'appui de Rathenau, président de l'Office des Matières Premières stratégiques, créé pour l'occasion, Haber réclama la démobilisation immédiate d'un certain nombre de spécialistes et la remise en route d'usines ayant cessé de fonctionner lors de la déclaration de guerre. Il réclama également une énorme subvention. On lui accorda tout ce qu'il demandait et, à Oppau, dans une usine qui produisait avant-guerre quarante tonnes d'ammoniac synthétique par jour servant à la fabrication de nitrate destiné à l'agriculture, Haber se mit au travail avec une équipe fonctionnant jour et nuit.

On ne lésina ni sur les hommes ni sur les moyens. Cependant, les résultats se firent attendre. L'état-major s'impatienta. La guerre de positions s'était enlisée dans la boue des tranchées et, d'un côté comme de l'autre, on ne voyait pas comment rétablir la mobilité des armées en surmontant « la triple résistance du projectile, de la bêche et du barbelé[1] ».

C'est dans ce contexte que Falkenhayn, successeur du maréchal von Molkte à la tête du commandement suprême, chargea un officier, le major Max Bauer, d'une enquête concernant l'éventualité de la mise au point d'une arme nouvelle pouvant sortir l'armée de son inaction.

1. L'expression est du major général J. F. C. Fuller qui l'emploie dans *La conduite de la guerre*, Payot, Paris, 1963.

« Le rétablissement de la mobilité était, au fond, un problème humain, écrit le major général J. F. C. Fuller[1]. Sans le fantassin, les tranchées n'étaient que des enchevêtrements de fossés et d'obstacles. C'était l'homme qui, avec son fusil et sa mitrailleuse dans la tranchée derrière les fils de fer, leur conférait une valeur tactique; par conséquent la solution résidait soit dans leur élimination soit dans leur désarmement. »

Bauer alla trouver plusieurs consultants scientifiques du ministère de la Guerre parmi lesquels Haber et trois prix Nobel : Walther Nerust, Emil Fischer et Richard Willstaetter. Il apprit par ces hommes que l'industrie des colorants, dans laquelle la firme allemande Bayer, membre du trust de l'IG Farben[2], était depuis longtemps passée maîtresse, donnait lieu à des sous-produits hautement toxiques dont la chlorine et le phosgène.

Depuis le début de la guerre, l'industrie des colorants était un peu en sommeil. Quand Bauer demanda à Carl Duisberg, le président-directeur général de Bayer, s'il lui paraissait possible de transformer la chlorine et le phosgène en armes de guerre, Duisberg s'enthousiasma. Pensez... Non content de faire redémarrer son industrie, on lui fournissait l'occasion d'être l'un des principaux artisans de la victoire de l'Allemagne en mettant au point une arme nouvelle qui, enfin, allait rendre à l'armée toute sa mobilité en attendant la venue imminente d'un nitrate de synthèse. Et de se mettre aussitôt à la tâche en participant lui-même aux expériences... Voici dans quels termes il décrivait les effets du phosgène dans une lettre adressée à Bauer au début de 1915[3] :

« Je peux vous dire à ce sujet que j'ai dû rester huit jours couché, après avoir respiré cette horrible drogue pendant quelques instants... Si nos ennemis sont traités pendant plusieurs heures de suite avec ce poison volatil, ils seront mis hors de combat, à mon avis pour un laps de temps indéterminé. »

Bayer mit d'abord au point un bromide auquel on donna le nom de code de T-stoff et que l'on décida d'essayer contre les Russes en janvier. Ce fut un échec. Les Allemands avaient compté sans les rigueurs de l'hiver russe. Sitôt libéré, le gaz se solidifiait et tombait en poussière sur le sol gelé.

C'est alors que Haber, l'homme du nitrate, entra en scène. Là où Duisberg avait jugé bon d'employer un bromide, il recommanda l'utilisation de la chlorine et suggéra d'attendre le printemps pour lancer la grande offensive des gaz asphyxiants. La chlorine présentait de nombreux avantages. D'abord, elle abondait dans les usines de colorants. Ensuite, la BASF (*Badische Anilin und Soda Fabrik, Ludwigshafen* — Fabrique

---

1. *Op. cit.*

2. IG Farben : *Interessen Gemeinschaft Farbenindustrie* : groupement d'intérêts de l'industrie des colorants, trust regroupant plusieurs compagnies allemandes de produits chimiques, créé au début de ce siècle par le président-directeur général de la firme Bayer : Carl Duisberg.

3. Cité par Joseph Borkin in *L'I.G.Farben*, Alta, Paris, 1979.

badoise d'aniline et de carbonate neutre de sodium, à Ludwigshafen), autre firme faisant partie de l'IG Farben, avait réussi à stocker ce gaz dans des cylindres métalliques, alors que jusqu'ici on l'avait mis dans des récipients de verre, peu pratiques d'un point de vue militaire. Enfin, c'était un asphyxiant contre lequel les attaquants pourraient aisément se protéger afin d'éviter tout risque de le voir se retourner contre eux.

Haber fut donc chargé de la mise au point d'une arme de guerre à base de chlorine, tâche dont il s'acquitta avec un zèle et un enthousiasme très opportuns. Le secret le plus absolu entoura cette expérience qui faillit cependant être compromise par une explosion coûtant la vie à un des assistants du chimiste.

Mais au fur et à mesure que les jours s'écoulaient Fritz Haber était de plus en plus convaincu de l'efficacité de son arme secrète. Selon lui, il suffirait de frapper un grand coup avec la chlorine sur le front occidental pour remporter la victoire. Les Alliés n'y étaient absolument pas préparés et l'effet de surprise jouerait immanquablement.

Il avait raison. Mais heureusement, les chefs militaires allemands ne partageaient pas son point de vue. Là où il voyait une arme stratégique pouvant mettre fin à la guerre, l'état-major ne percevait qu'une arme tactique bonne, tout au plus, à créer un effet de panique momentanée pour tenter une percée. Fritz Haber réclamait des troupes importantes. On les lui refusa en ne lui accordant qu'une seule compagnie d'infanterie pour intervenir quand les gaz auraient été lâchés.

Bon gré mal gré, Haber se rendit sur le front occidental dans la région choisie par l'état-major en avril 1915. Cinq mille cylindres métalliques remplis de chlorine liquide furent mis en batterie dans les tranchées de première ligne. Il ne s'agissait pas de projectiles mais de récipients qu'il faudrait ouvrir le moment venu en comptant sur le vent pour pousser le gaz vers l'ennemi. C'est pourquoi cette expérience, qui aurait dû avoir lieu début avril, fut remise plusieurs fois en raison des conditions atmosphériques qui ne lui étaient pas favorables.

Si beaucoup d'erreurs avaient été commises par les chefs militaires allemands, les Alliés, eux non plus, n'avaient pas été avares de faux pas. Plusieurs indices auraient pu les mettre en garde contre ce qui se préparait dans les tranchées ennemies. Des prisonniers et des déserteurs leur avaient parlé de ces étranges cylindres que l'on s'apprêtait à ouvrir près d'Ypres. A l'occasion d'un bombardement, il était d'ailleurs arrivé qu'un de ces cylindres explosât et qu'une fumée jaune verdâtre s'élevât du côté allemand. On avait même trouvé des masques à gaz rudimentaires dont étaient équipées les troupes adverses. Tout cela aurait dû mettre la puce à l'oreille des Français, Anglais et autres Canadiens, d'autant que le radio allemande, pour préparer l'opinion à son offensive d'avril en lui donnant des airs de représailles, s'était mise à répandre la rumeur selon laquelle les troupes russes, britanniques et françaises employaient des gaz toxiques.

Eh bien, non. C'est à peine si les Anglais consentirent à se pencher sur le problème. En l'absence d'informations précises sur la nature du gaz que les Allemands étaient censés se préparer à employer, on préféra considérer tout cela comme une vaste fumisterie et l'on ne s'en occupa pas davantage...

On connaît la suite et les Alliés ne furent sauvés d'une défaite grave que par l'incompétence des chefs de l'armée adverse. Et c'est pourquoi Haber devait écrire, non sans quelque amertume :

« Le commandement militaire a reconnu après coup que, si l'on avait suivi mes conseils et préparé une attaque de large envergure, au lieu de faire à Ypres une expérience vaine, l'Allemagne aurait gagné cette guerre. »

Qu'importe. Après ce coup d'essai, et fortement encouragé par les 15 000 victimes que la chlorine avait causées dans les rangs de l'armée alliée, Fritz Haber se prépara à renouveler son expérience sur le front russe. Sa femme Clara essaya de l'en dissuader mais il ne voulut rien savoir; la nuit même de son départ pour l'est, Clara se suicida. Mais chez Haber le patriotisme l'emportait sur les sentiments qu'il pouvait éprouver envers son épouse. Le 31 mai 1915, les Russes étaient à leur tour victimes de la chlorine...

La première guerre chimique mondiale

Pour cette offensive sur le front de l'est, qui eut lieu dans le secteur de Bolimov, à une cinquantaine de kilomètres au sud-ouest de Varsovie, la Ire armée allemande déchargea 264 tonnes de chlorine contenue dans quelque 12 000 cylindres métalliques sur un front large de 12 km. Malgré les Fyens mis en œuvre, l'assaut de l'infanterie allemande qui suivit cette attaque aux gaz asphyxiants fut un demi-échec. Les Allemands pensaient avoir neutralisé les Russes comme ils avaient neutralisé les Français, et ils furent passablement surpris de s'apercevoir que fusils et canons étaient toujours prêts à les accueillir de l'autre côté. Le nuage de chlorine n'avait eu apparemment aucun effet...

En fait, il avait touché près de 9 000 hommes, dont un millier de morts, mais cela n'était rien en comparaison de ce qui aurait pu se passer si l'effet de surprise avait joué à l'est comme il avait joué à l'ouest un mois plus tôt. Les seuls surpris, dans l'histoire, furent les Allemands. Les Russes, quant à eux, savaient à quoi s'en tenir car leurs alliés les avaient informés de ce qui était arrivé à Ypres, et ils avaient pu se préparer à l'attaque.

Malgré cet échec, la guerre chimique faisait désormais partie de l'appareil militaire allemand.

« L'Allemagne n'avait pas besoin d'une pesante organisation d'État pour chercher de nouvelles armes chimiques, pour en préparer la fabrication, pour les produire, devait écrire un expert anglais du nom de Victor Lefebure, ... en faisant confiance aux producteurs allemands de matières colorantes, ainsi qu'à l'institut Empereur Guillaume..., l'Allemagne n'avait que faire de ces énormes régies administratives qui ont coûté si cher aux Alliés... A quoi bon fabriquer une machine de production lourde et inefficace, quand on en a une sous la main [les compagnies allemandes du type IG Farben] qui fonctionne à merveille et qui est toute prête à satisfaire les demandes du gouvernement[1] ? »

Prenant conscience, bien que tardivement, de l'importance de l'arme nouvelle mise au point par Fritz Haber, les Allemands s'organisèrent. Les autorités demandèrent de nouveaux gaz plus efficaces que la chlorine et contre lesquels il fût plus difficile de se protéger. Des conférences eurent lieu à Berlin réunissant des représentants de plusieurs firmes de produits chimiques appartenant, pour la plupart, à l'IG Farben, afin de procéder à une répartition des tâches.

« Il y avait, d'autre part, une coopération étroite entre l'industrie et l'armée, écrit Joseph Borkin[2]. On voyait constamment des soldats en uniforme arriver très nombreux comme stagiaires, dans les usines. Des cours étaient organisés pour les préparer à la guerre chimique. Le résultat de ce régime était une symbiose très efficace entre trois éléments : l'industriel, le scientifique, et le militaire. »

Mais tout cela se produisait un peu tard. Une chance avait été offerte à l'Allemagne de gagner la guerre grâce à l'arme chimique. Elle n'avait pas su la saisir. Pareille occasion ne se renouvellerait plus.

Bien que l'on eût recours à des gaz de plus en plus toxiques tels que le phosgène ou l'ypérite, la guerre chimique ne tint pas ses promesses. L'effet de surprise était considérablement amorti et l'adversaire était instruit et équipé de manière à se défendre.

Dès 1916, le Dr André Kling, directeur du laboratoire municipal de la Ville de Paris, publiait un rapport « rigoureusement secret », intitulé *Les armes chimiques utilisées par l'armée allemande contre le front français*.

Ce rapport avait pu être établi à partir de diverses sources que le Dr Kling énumérait comme suit :

1) constatations personnelles sur le front après attaques;

2) prélèvements divers de gaz, projectiles spéciaux, non explosés ou à l'état de débris;

3) rapports des médecins chefs des centres médico-légaux au sujet des symptômes d'intoxication et des lésions constatées chez les victimes;

4) analyse des viscères des victimes ayant succombé;

5) résultats d'essais physiologiques sur animaux à partir de produits provenant d'engins ennemis ou de produits reconstitués en laboratoire.

Plusieurs « substances agressives utilisées par l'ennemi » y étaient recensées parmi lesquelles le chlore, le brome, la chlorhydrine sulfurique, quelques dérivés bromés organiques et le phosgène, apparu pour la première fois en novembre 1916, mais connu et *attendu* par les Alliés depuis plusieurs mois.

1. Cité par Joseph Borkin, *op. cit.*
2. *Op. cit.*

Ce rapport est intéressant à plus d'un titre car il témoigne d'une connaissance précise de la part des Alliés des agents chimiques que l'ennemi utilisait contre eux. D'autre part, il nous renseigne sur les moyens de mise en œuvre de ces agents. Et l'on s'aperçoit que les cylindres de chlorine qu'il fallait ouvrir en attendant que le vent pousse le gaz vers l'adversaire furent rapidement suivis par des engins plus sophistiqués.

S'agissant de ces cylindres et des vagues gazeuses qu'ils provoquaient, le Dr Kling écrit :

« Naturellement ces vagues ne peuvent être lancées avec fruit que dans la mesure où le vent a une direction, une vitesse (3 à 5 mètres à la seconde) et une constance appropriées. Un temps couvert, avec brouillard ou pluie, ne saurait également convenir. Il est toujours à craindre — et c'est le danger le plus grave que présente l'emploi de cette arme — que les vagues ne se rabattent sur les tranchées d'émission.

« L'ennemi s'en prémunit en mettant à profit les observations météorologiques locales qui le renseignent sur les jours et heures les plus favorables aux attaques, et en disposant les tubes d'évacuation en avant du remblai de ses tranchées. Il semble également — sans que la chose soit absolument prouvée — allumer dans ses tranchées des feux destinés à produire un courant d'air ascendant qui s'oppose à leur invasion par le chlore. Enfin les pionniers, qui sont chargés de lancer des vagues gazeuses, sont protégés par des masques beaucoup plus efficaces que ceux dont disposent les combattants. Les premiers reçoivent, en général, des appareils respiratoires à oxygène ou à oxylithe, tandis que les seconds, après s'être contentés tout d'abord de bâillons imprégnés d'hyposulfite de soude, utilisent aujourd'hui des masques imperméables, s'appliquant exactement sur la tête et munis, en avant de la bouche, de cartouches contenant des lits filtrants de charbon végétal, de ponce artificielle imbibée de carbonates alcalins et d'hexaméthylène-tétramine (urotropine).

« Au début, les vagues gazeuses formaient un flot continu d'assez longue durée. Depuis quelques mois, au contraire, les Allemands les utilisent sous la forme de vagues successives, qui ne déferlent que quelques minutes (10 à 15), mais se renouvellent à plusieurs reprises.

« En raison de l'importance des préparatifs nécessités pour la production de ces vagues et de la quantité de gaz agressifs qu'il faut y consacrer, les attaques de ce genre ne se multiplient guère et ne se renouvellent jamais pendant plusieurs jours consécutifs sur le même point, lorsque la première ou la seconde d'entre elles a présenté quelque intérêt. »

Les attaques opérées à l'aide de cylindres offraient beaucoup d'inconvénients. Les Allemands s'efforcèrent de les surmonter rapidement en adoptant des engins plus élaborés. Parmi eux, des grenades — dont certaines étaient de simples ampoules de verre destinées à se briser au choc — renfermant un mélange d'anhydride sulfurique et de chloridryne sulfurique ou du brome industriel, ainsi que différentes sortes de projectiles.

Schématiquement, on peut dire qu'il existait deux sortes de projectiles à gaz allemands : les uns ne comportaient aucune charge explosive. Le détonateur de la fusée assurait une fragmentation sommaire de l'obus. Ils étaient désignés par une croix. D'autres comportaient deux croix; ils étaient alors pourvus d'une charge explosive plus forte, qui assurait une meilleure fragmentation des parois.

Les croix étaient de différentes couleurs correspondant à la nature des agents employés :

Croix vertes : phosgène, surpalite.

Croix bleues : cyanide, aduisite.

Croix jaunes : ypérite, lévisite.

Les Allemands effectuaient trois sortes de tirs avec ces obus : de surprise, de neutralisation et d'infection.

Les *tirs de surprise* étaient exécutés à grande vitesse avec des obus d'une grande toxicité afin d'atteindre l'adversaire avant qu'il ait pu se mettre à l'abri.

Les *tirs de neutralisation* avaient pour but de rendre difficile à l'ennemi la traversée d'une zone ou, du moins, de le gêner dans ses efforts et de saper son moral.

Les *tirs d'infection*, enfin, consistaient à infecter pour plusieurs jours à l'aide d'agents persistants une zone stratégique importante pour l'adversaire.

Les Alliés étaient bien renseignés sur les armes chimiques allemandes; ils purent donc se protéger contre elles avec une efficacité croissante et en fabriquer à leur tour.

Le taux des effectifs mis hors de combat par les gaz, quand débuta ce genre d'offensive, était de 35 %. Il tomba à 24 % grâce à des masques rudimentaires, puis à 6 et enfin à 2,5 % dès qu'apparurent les premiers masques perfectionnés. En France, au lendemain de la première attaque par les gaz, on adopta comme moyen de protection de simples tampons imbibés d'hyposulfite de soude et de carbonate de soude dissous dans de l'eau glycérinée. C'était le *tampon P* que l'on perfectionna en l'imprégnant d'huile de ricin et de ricinate de soude.

Quand le phosgène et l'acide cyanhydrique firent leur apparition, on ajouta de nouvelles compresses : la rouge, imbibée de sulfanilate de soude, contre le phosgène, et la verte, imprégnée d'acétate basique de nickel, contre l'acide cyanhydrique. L'ensemble constituait le *tampon P2*. La protection qu'il offrait était cependant très insuffisante et l'on s'ingénia bientôt à emprisonner ce tampon dans une enveloppe enserrant le nez et la bouche, englobant le menton et pouvant se fixer facilement. On obtint ainsi le *masque T* ou *TN*, suivant le nombre de compresses. En assemblant à l'avance masque et lunettes, on créa le premier masque complet, le *TNH*. Puis, d'améliorations en améliorations, on arriva au *masque M2* dont des millions d'exemplaires furent fabriqués, puis au masque *ARS* à tampon de charbon actif dont la durée de préservation dans les milieux toxiques était considérablement accrue. De ce masque, qui devait rester longtemps en service dans l'armée française, on avait fabriqué 6 millions d'exemplaires à la fin de la guerre.

L'ypérite donna lieu, dans les deux camps, à la confection de vêtements spéciaux protégeant tout le corps, et l'on vit même, en 1918, l'armée américaine équiper ses chevaux de masques et de « chaussures » destinées à leur protéger les pieds. On alla jusqu'à fabriquer des masques pour les chiens, car ces animaux étaient utilisés pour porter les messages.

Très tôt, les Alliés se dotèrent de leur propre arsenal chimique. Les Anglais, les premiers, eurent recours à un mortier d'un type spécial appelé projecteur Livens, du nom de son inventeur. C'était un canon très rudimentaire évoquant ceux du Premier Empire : une charge de poudre projetait des bombes toxiques à une distance pouvant atteindre plusieurs kilomètres. Il pouvait être mis en batterie dans une tranchée peu profonde et utilisé pour des tirs par salves de 100 à 500 à la fois. Un jour, les Britanniques en tirèrent 2 500 sur Lens.

Toutefois, la portée des projecteurs Livens était trop réduite, et ils ne pouvaient neutraliser les batteries adverses. C'est pourquoi, contre ces dernières, les combattants eurent recours à l'artillerie pour les contre-battre à l'aide d'obus spéciaux. L'emploi de ces projectiles se développa considérablement, si bien qu'à la fin de la guerre, lors de certaines offensives, ils constituaient les trois quarts des chargements des caissons d'artillerie. Ainsi, certaines sources affirment que 17 millions d'obus toxiques auraient été lancés par les Français au cours de ce conflit... Pourtant, la guerre chimique avait mal commencé pour eux. Faute d'être préparés à cette forme de combat, il leur avait fallu 10 mois pour envoyer du chlore à l'ennemi, 7 mois pour lui envoyer du phosgène et 11 pour lui envoyer de l'ypérite.

Ce n'était pas de nitrate que manquaient les Français, mais de brome, substance indispensable à la fabrication des produits toxiques. Heureusement, M. Kaltenbach, ingénieur responsable de la mise au point de la fabrication du brome, tant en France qu'en Tunisie, avait reçu à ce sujet, quelques jours seulement avant la guerre, le plan d'ensemble d'un nouveau procédé allemand accompagné de quelques détails. Avec ce document très insuffisant, il parvint à reconstituer l'appareil nécessaire à la confection du précieux composé et les services français purent disposer du brome dont ils avaient besoin. Il leur en fallait 4 tonnes, alors que la France n'en produisait pas : avant la guerre, elle importait tout d'Allemagne ! Au début, pour s'en procurer de faibles quantités, les Français avaient dû s'adresser aux Américains qui le leur avaient vendu de 40 à 50 francs le kilo; avec leurs usines de guerre, le kilo ne coûta bientôt plus que 6 à 8 francs...

1 300 000 gazés pour un Nobel

Revenons en 1915. Le nitrate synthétique que cherchaient désespérément les Allemands fut mis au point au mois de mai de cette année-là. Les Alliés sachant désormais se protéger contre les gaz, on peut se demander pourquoi la guerre chimique continua, et même s'intensifia après cette date.

D'abord, il faut savoir que, malgré les moyens de protection dont on disposait de part et d'autre, toutes les attaques à l'aide d'agents chimiques ne se soldèrent pas par des échecs. Ainsi, la première utilisation de l'ypérite — ou gaz moutarde — dans le saillant d'Ypres, le 11 juillet 1917, causa dans les semaines qui suivirent, et en raison de la persistance de cet agent, plus de 30 000 pertes humaines chez les Britanniques. Dès cet instant, les Anglais, qui l'avaient rejeté en 1916, se mirent à le fabriquer en grandes quantités et les Français suivirent, quelques mois plus tard. « Ce toxique pouvait attaquer n'importe quelle partie du corps humain, en causant des brûlures étendues, écrit l'ingénieur en chef de l'armement Pierre Ricaud[1]. Insidieux et persistant, il obligeait à garder presque en permanence le masque et des vêtements de protection spécialement étudiés. Dès son apparition, l'ypérite devint le principal gaz de combat, responsable de la plupart des pertes dues aux gaz, et fut rapidement adoptée par les autres belligérants. »

C'est grâce aux gaz, encore, que le général von Hutier effectua une spectaculaire percée sur le front russe, à Riga, le 1er septembre 1917. Et les Allemands eurent encore recours à l'arme chimique dans leurs grandes batailles du front occidental en mars, avril, mai et juin 1918. Ils y utilisèrent le phosgène et l'ypérite en très grandes quantités afin de démoraliser leurs adversaires, et le général Ludendorff devait écrire dans ses souvenirs de guerre : « ... l'effet de notre artillerie était basé sur les gaz » et « son feu court et violent avait pour but de paralyser l'artillerie ennemie... et de fixer l'infanterie dans les abris ».

Les Allemands n'y allèrent pas de main morte. On raconte à ce propos qu'en avril 1918 la ville d'Armentières fut à ce point inondée d'ypérite que celle-ci coulait dans les caniveaux.

Mais en dehors de ces succès ponctuels, dus à des emplois particulièrement prodigues des gaz de combat, ce qui valut surtout aux munitions toxiques d'être tenues en haute estime par les belligérants était la gêne qu'elles causaient dans les rangs ennemis. Le port du masque respiratoire et de la tenue de protection réduisait de moitié la valeur du combattant et protégeait peu de l'ypérite. Lorsque ce dernier gaz était employé — et il le fut beaucoup à partir de 1917[2] — les hommes devaient trouver refuge dans

---

1. « Les armes chimiques et biologiques », article in *Encyclopaedia Universalis*, vol. 4.

2. Ceci ne concerne, bien sûr, pas que les Allemands. A partir de juin 1918, 25 % des munitions d'artillerie de l'armée française étaient des obus à l'ypérite.

des abris ou se battre dans des conditions très pénibles. C'est pourquoi l'arme chimique fut si utilisée tout au long de cette guerre. Elle ne servait pas réellement à tuer, mais à paralyser les défenses de l'adversaire. La mort venait ensuite, comme un bonus accordé par l'infanterie.

Il est cependant difficile d'apprécier aujourd'hui l'importance exacte de cette arme en 14-18. Les gaz de combat ne constituaient, au fond, qu'une arme nouvelle parmi d'autres comme le tank, l'aviation et le sous-marin. Chacune avait sa place dans cette guerre d'un type nouveau et il est sûr que l'issue de certains engagements sur les fronts européens aurait été différente si les gaz n'avaient pas été employés. Mais l'issue même de la guerre eût-elle été modifiée ?... C'est là toute la question qui divise encore à ce jour les experts.

L'important, c'est que la guerre chimique n'appartenait désormais plus au domaine de la spéculation abstraite. L'emploi des gaz avait profondément marqué les esprits. A en croire le *Quid*, qui reprend les chiffres du rapport de la commission des sciences et de l'astronautique à l'intention de la Chambre des représentants des États-Unis, plus de 125 000 tonnes de produits chimiques toxiques auraient été utilisées de 1915 à 1919. 1 300 000 personnes auraient été gazées et 100 000 d'entre elles en seraient mortes. L'*Encyclopaedia Britannica*, de son côté, cite des chiffres différents mais plus précis : 800 000 victimes en tout, 275 000 chez les Russes, 190 000 chez les Français, 181 000 chez les Anglais, 78 763 chez les Allemands et 70 552 chez les Américains. Quoi qu'il en soit, on attribue aux gaz le quart du chiffre des victimes des armes conventionnelles.

Ceci explique sans doute pourquoi Fritz Haber jugea bon, après la signature de l'armistice du 11 novembre 1918, d'émigrer incognito en Suisse affublé d'une fausse barbe. Il y avait été précédé par Carl Duisberg, le président-directeur général de Bayer, qui avait lui-même expérimenté les effets du phosgène sur sa personne au début de l'année 1915.

Mais, pendant que ces deux hommes essayaient d'échapper à la vindicte populaire, les vainqueurs de l'Allemagne exigeaient des explications sur les procédés secrets mis au point par les diverses usines de l'IG Farben et utilisés par elles pour la fabrication de gaz toxiques, explosifs, produits colorants et nitrates.

Cela n'alla pas sans mal, car les compagnies de l'IG Farben prétendirent que leur position sur le marché d'après-guerre risquait de souffrir d'une divulgation de leurs procédés de fabrication. Finalement, on parvint à un compromis satisfaisant à peu près tout le monde, sauf la France qui aurait souhaité connaître tous les secrets de l'industrie chimique allemande et détruire purement et simplement toutes les usines de matériel militaire de ce pays ainsi que les fabriques de colorants et de nitrates. Le compromis auquel aboutirent Allemands, Anglais et Américains prévoyait qu'aucune information technologique ne serait demandée, aucune question ne serait posée, si elle ne se rapportait pas à des armes ou des applications militaires.

S'agissant des gaz de combat, les Alliés n'apprirent pas grand-chose de leurs ennemis de la veille. Un rapport établi par des experts américains se contente de préciser que « les Allemands se sont bornés à faire un choix judicieux parmi les sous-produits de leur fabrication commerciale de produits chimiques ». Choix qui leur était d'ailleurs d'autant plus facile que l'Allemagne était alors la première puissance chimique mondiale. D'où quantité de tracasseries de la part des vainqueurs de 14-18 qui entendaient bien, après-guerre, ravir aux Allemands — et sur leur dos — leur position aussi privilégiée que redoutable. On ne s'étonnera pas, par conséquent, que, lors du traité de Versailles, en 1919, l'Allemagne jugeât les conditions de paix qui lui étaient proposées « inacceptables à tous égards ».

Le plus humiliant, pour les vaincus, concernait les clauses en rapport avec ce qu'on appelait les « points d'honneur ». Les Alliés ne se contentaient pas de demander un procès public où l'empereur Guillaume devrait comparaître sous le grief de « suprême offense à la loi morale commune à tous les peuples et au respect des traités ». Ils voulaient également traduire en justice devant les tribunaux militaires d'autres personnes accusées d'avoir « commis des actes contraires aux lois et coutumes de la guerre ». Les dirigeants des compagnies de l'IG Farben en eurent froid dans le dos car, comme le remarque Joseph Borkin[1], « dans l'esprit des Alliés, IG Farben et gaz toxiques étaient devenus des vocables synonymes ».

Après maintes discussions où l'industrie chimique allemande occupa la place d'honneur, et qui se déroulèrent dans une atmosphère si tendue que certains ministres allèrent jusqu'à envisager une reprise des hostilités, le traité de Versailles fut signé le 28 juin 1919. En ce qui concerne l'arme chimique, l'article 171 de ce traité déclare que, « l'emploi des gaz asphyxiants, toxiques ou similaires, ainsi que de tous liquides, matières ou procédés analogues étant prohibé, la fabrication et l'importation en sont rigoureusement interdites en Allemagne ».

On dirait un faire-part de décès alors qu'à bien des égards c'est un acte de naissance, car de nombreux pays qui n'avaient pas été impliqués dans la guerre se sentirent obligés de prêter attention à cette arme nouvelle et beaucoup d'entre eux mirent au point leur propre programme de recherches.

Quant aux criminels de guerre que les Alliés souhaitaient traduire en justice, ils occupèrent de nouveau le devant de la scène à l'automne 1919, lorsque le comité du prix Nobel commit la maladresse de récompenser Fritz Haber pour ses travaux sur la synthèse de l'ammoniac. Dire que

---

1. *Op. cit.*

l'indignation provoquée dans le monde par cette nouvelle fut grande est un euphémisme. A titre d'exemple, voici ce que l'on pouvait lire, alors, dans la revue *Nature*, la plus importante des publications scientifiques de langue anglaise :

« Il convient de rappeler le fait suivant : c'est à l'institut Empereur Guillaume pour le progrès scientifique que le conseiller privé Haber a fait ses expériences sur les gaz asphyxiants. Ce fut le prélude à la bataille d'Ypres et à cette forme de guerre qui a déshonoré pour toujours le peuple allemand[1]. »

Deux Français qui auraient dû recevoir le Nobel cette année-là déclarèrent qu'ils n'accepteraient pas le prix si Haber devait le partager avec eux et le *New York Times* du 27 janvier 1920 commenta l'événement en ces termes :

« Il n'est pas douteux que le docteur Haber peut se réclamer de nombreux titres scientifiques éminents, en dehors de ses travaux portant sur les gaz toxiques. Il est certain, d'autre part, que les membres du jury suédois lui ont décerné le prix sans intention blâmable. Cependant, la sympathie générale se tourne vers les Français qui refusent d'en partager l'honneur avec lui. On peut se demander pourquoi le prix de littérature qui récompense les œuvres d'imagination les plus riches d'idéalisme ne serait pas décerné à l'homme qui rédigeait chaque jour les communiqués du général Ludendorff[1]. »

Malgré l'indignation qui se manifesta dans la plupart des pays, Fritz Haber se vit bel et bien décerner son prix Nobel de chimie en 1920, mais cela ne l'empêcha pas de figurer parmi les neuf cents criminels de guerre présumés que les Alliés voulaient traduire devant un tribunal militaire, selon une liste qu'ils remirent aux Allemands en février 1920. Cette liste ne put toutefois être utilisée pour diverses raisons tenant à la mauvaise orthographe de certains noms, à l'impossibilité d'identifier certains accusés, etc. On en proposa donc une autre en mai 1920 d'où le nom de Haber avait miraculeusement disparu. Il n'y eut, en fin de compte, que six condamnés à des peines de courte durée, le plus lourdement touché devant effectuer deux ans de prison pour avoir tué un prisonnier de guerre.

Pour la petite histoire, il faut savoir que Fritz Haber dut regretter amèrement ses élans patriotiques de naguère lorsque les nazis parvinrent au pouvoir quelques années plus tard. Chassé de son poste à l'université de Berlin en raison de ses origines juives, il dut s'expatrier et mourut de chagrin à Bâle en janvier 1934, rejeté et ignoré par une Allemagne dont les nouveaux maîtres avaient interdit à quiconque d'évoquer ne fût-ce que son souvenir.

---

1. Cité par Joseph Borkin, *op. cit.*

Entre la peste et le choléra

Si la Première Guerre mondiale marque les débuts officiels de la guerre chimique, il semble bien qu'il en soit de même pour la guerre biologique, quoique à une échelle beaucoup plus restreinte. Les Allemands n'ont d'ailleurs jamais admis les faits qui leur sont reprochés dans ce domaine. Pourtant, dans le rapport qu'il remit en 1946 au secrétaire à la Guerre des États-Unis, M. George W. Merck, consultant spécial sur la guerre biologique, n'a pas hésité à écrire : « Il existe des preuves irréfutables [...] qu'en 1915, des agents allemands ont inoculé des bactéries pathogènes (*"disease producing bacteria"*) à des chevaux et à du bétail quittant les ports américains pour être envoyés aux Alliés. »

T. Rosebury, un autre Américain, cite, dans un numéro de *The Bulletin of the Atomic Scientists* de 1960, plusieurs sources selon lesquelles les Allemands auraient tenté d'inoculer la morve à des chevaux et l'anthrax à du bétail à Bucarest en Roumanie en 1916, et sur le front français en 1917. L'épisode roumain est, paraît-il, également étudié attentivement dans un livre écrit en 1919 par un certain de Flers et il y est fait allusion dans un rapport présenté à Genève quelques années plus tard par Bordet.

Plusieurs auteurs cités par T. Rosebury, et notamment Duffour et LeBourdelles, font par ailleurs état d'allégations plus inquiétantes. Selon eux, les Allemands auraient tenté de répandre le choléra en Italie pendant la guerre. On ne possède malheureusement pas de détails sur la nature de cette opération présumée, si bien que l'on ignore quel crédit il convient d'apporter à cette information.

Plus grave encore est l'accusation portée par K. Răska dans son livre paru à Berlin en 1962, *Der Gesundheittschutz im biologischen Krieg* (« La protection médicale dans la guerre biologique »), et cité dans l'ouvrage du SIPRI, *The Rise of CB Weapons* (« La montée des armes BC[1] ») : les Allemands auraient essayé de répandre la peste à Saint-Pétersbourg en 1915 et un agent ennemi aurait été capturé en 1916 alors qu'il tentait de déclencher une épidémie de cette même maladie en Russie. On est, bien sûr, en droit de penser qu'un homme seul n'aurait sans doute pas obtenu de résultats spectaculaires dans une opération de ce genre. L'ouvrage de K. Răska fait toutefois état d'une épidémie « réussie » causée par un saboteur allemand solitaire en Mésopotamie en 1917. Il y aurait eu 4 500 victimes... Mais il ne s'agissait que de mules à qui notre saboteur avait inoculé la morve.

Le livre du SIPRI, ouvrage de référence sérieux et documenté s'il en est, fait justement remarquer que le *Rapport présenté à la conférence des préliminaires de paix par la commission des auteurs de la guerre et sanctions*[2] ne mentionne aucun des incidents rapportés ci-dessus, mais

1. *The rise of CB weapons*, vol. 1 de la série *The problem of chemical and biological warfare*, Stockholm International Peace Research Institute (SIPRI), Stockholm, 1971.

2. In *La documentation internationale, La paix de Versailles : responsabilité des auteurs de la guerre et sanction*, Paris, 1930.

qu'il accuse en revanche les Allemands d'avoir empoisonné des puits avec des cadavres en février 1917, et d'avoir largué par avion au-dessus de certaines cités roumaines, dont Bucarest, des fruits, du chocolat et des jouets infectés.

Dans un ordre d'idée assez proche, le président du Collège Royal de chirurgie de Londres fit allusion, en 1929, à des bombes lâchées par l'aviation allemande sur les troupes britanniques, qui auraient contenu le bacille de la peste. L'accusation était grave et l'ambassade d'Allemagne répliqua qu'il s'agissait d'allégations sans fondement en précisant : « L'ancien commandant de la "Flugzeugmeisterei", qui était chargé des aspects techniques concernant l'Armée de l'Air allemande et, plus spécialement, des lâchers de bombes, ainsi que l'ancien chef du Département médical de l'Armée de l'Air ont tous deux affirmé catégoriquement que les bombes larguées n'avaient jamais transporté de bacilles d'aucune sorte et que l'on n'avait jamais effectué la moindre tentative pour propager la peste de cette façon[1]. »

Malgré toutes ces rumeurs, allégations, allusions, accusations, l'arme biologique passe donc officiellement pour n'avoir jamais été employée au cours de la Première Guerre mondiale. Du moins est-ce ce qui ressort d'un rapport sur la guerre chimique et biologique préparé par un sous-comité de la Commission mixte temporaire de la Société des Nations en 1924. En l'absence de toute preuve et devant le refus des Allemands de reconnaître les faits qui leur sont reprochés, on ne peut que se ranger à l'avis officiel, même s'il reste bien des questions qu'une telle attitude laisse sans réponses...

Des armes hors la loi

L'emploi de l'arme chimique pendant la guerre avait frappé bien des imaginations. De vieilles peurs étaient remontées à la surface, des angoisses souvent incontrôlables devant la menace d'une arme sournoise, invisible, anonyme. Et les différents traités de paix signés à l'issue du conflit s'étaient empressés d'interdire tout recours aux « gaz asphyxiants, toxiques ou similaires ». Nous l'avons vu pour le traité de Versailles, mais d'autres documents du même ordre, signés vers la même époque, contiennent une disposition similaire. C'est le cas, notamment, du traité de Saint-Germain avec l'Autriche (1919), du traité de Neuilly avec la Bulgarie (1919), du traité du Trianon avec la Hongrie (1920) et du traité de Sèvres avec la Turquie (1920)[2].

---

1. Cf. « Medicine and war », article in *Time* du 1-3-1929.
2. Dans son livre *Les armes chimiques et biologiques : le sort d'une interdiction* (*op. cit.*), Ricardo Frailé précise que ce dernier traité fut remplacé en 1923 par le traité de Lausanne qui ne contient pas de disposition particulière visant les armes chimiques.

Cependant, les gaz de combat n'avaient pas que des adversaires. Suivant les intérêts en jeu, la propagande avait offert trois images totalement contradictoires de l'arme chimique pendant le conflit : arme terrifiante, arme humaine, arme ni plus ni moins horrible que les autres. Ces images avaient laissé des séquelles dans l'esprit du public après la signature de l'armistice et, en 1919, si l'attitude dominante était celle de la répulsion, on rencontrait aussi des avis plus nuancés dont certains se révélaient même franchement enthousiastes.

Les partisans de la guerre des gaz se recrutaient principalement parmi les civils. Les militaires, de leur côté, étaient plutôt hostiles à cette forme de combat. On les sait généralement assez opposés aux innovations, surtout lorsque celles-ci proviennent de civils, et ceux d'entre eux qui avaient rencontré l'arme chimique en Europe en gardaient, dans la plupart des cas, un assez mauvais souvenir.

Mais il y avait pourtant, dans l'armée, de farouches défenseurs de cette arme. Aux États-Unis, par exemple, un certain brigadier Fries était directement concerné par l'intérêt voué par son pays à l'arme chimique puisqu'il faisait partie de l'« Army Chemical Warfare Service », un département créé de toutes pièces par l'armée américaine avant la fin de la guerre pour répondre aux nécessités du moment. Or, maintenant que les hostilités avaient pris fin, on menaçait de démanteler purement et simplement l'ACWS. A en croire les discussions ayant précédé le traité de Versailles, les gaz de combat risquaient d'être mis hors la loi. A quoi bon, alors, se doter d'une arme que l'on ne pourrait pas employer ? Mais le brigadier Fries ne l'entendait pas de cette oreille... Et il n'était pas le seul.

Chez les civils aussi, on trouvait des avocats de la guerre chimique. Ceux-ci, pour la plupart, se recrutaient d'ailleurs parmi le personnel dirigeant des grandes sociétés industrielles chimiques américaines. Et pour cause...

Afin de sensibiliser l'opinion et obtenir les appuis et les crédits dont elles avaient besoin, ces sociétés se lancèrent, en 1919 et jusqu'en 1925, dans une vaste campagne promotionnelle, fortement appuyée par l'ACWS, dont le thème dominant était l'importance cruciale que revêtirait cette arme dans les guerres à venir.

Le brigadier Fries et ses amis gagnèrent la première bataille, sinon la guerre, et l'ACWS ne fut pas démantelé. En revanche, on assista à une autre campagne, de contre-propagande cette fois, menée par la Croix-Rouge internationale, entre autres, pour obtenir l'interdiction de ces méthodes de combat. Cela ne concernait pas que les États-Unis. D'autres pays, comme l'Angleterre ou la France, comptaient aussi leurs propres partisans de l'arme chimique et la Croix-Rouge entendait bien leur barrer la route comme à leurs homologues américains.

Dans chaque pays, derrière les défenseurs de la guerre des gaz, on trouvait des représentants de l'industrie chimique locale. Ainsi, en Angleterre, le signataire d'un article intitulé « Chemists work for the nation » paru dans le *Times* du 28 mars 1919 n'était-il autre qu'Herbert Levinstein, personnalité de tout premier rang dans l'industrie des colorants et ex-fabricant d'ypérite pendant la guerre. L'année suivante, trois autres articles parurent dans le *Times* des 29 juillet, 7 août et 23 août 1920. Intitulés respectivement « Dyes : the key of war », « Gas war lessons : military value of dye industry » et « Dyes as the key of warfare » (*Les colorants : clé de la guerre, Les leçons de la guerre des gaz : l'importance militaire de l'industrie des colorants* et *Les colorants comme clé de la guerre*), ils étaient tous signés par un mystérieux « correspondant spécial » derrière lequel se dissimulait le major Victor Lefebure, un expert de la guerre chimique occupant une place très importante à l'Imperial Chemical Industries, Ltd[1].

Les arguments en faveur de l'arme chimique étaient partout les mêmes : 1) c'est une arme humaine; 2) elle est appelée à jouer un rôle déterminant dans les guerres à venir. Répétés inlassablement avec le concours de publicitaires aux États-Unis, ou de manière plus fruste mais tout aussi persuasive dans d'autres pays, ils auraient peut-être fini par convaincre tout le monde si les adversaires de cette forme de combat n'avaient répliqué en mettant l'accent sur toute la part d'horreur qu'elle comportait.

Pour ceux qui souhaitaient voir interdire tout emploi des gaz en temps de guerre, il convenait d'abord de montrer aux civils qu'ils étaient directement concernés. Pour ce faire, sans épargner au public d'impressionnantes descriptions de cadavres rongés par les vésicants, on montra que la guerre chimique avait changé et qu'il fallait désormais compter avec l'aviation, laquelle dotait l'arme C de vertus stratégiques. Rien de plus facile, désormais, que de survoler les tranchées pour aller répandre des gaz toxiques sur les villes éloignées du front. Nul n'était plus à l'abri de cette arme terrible... Et il fallait d'autant plus la redouter que sa fabrication était à la portée de n'importe quel État ou peu s'en fallait.

Petit à petit, on s'achemina ainsi vers la mise au point d'un texte interdisant le recours aux gaz asphyxiants en cas de conflit.

Dans un tel contexte, il était d'ailleurs à peu près inévitable que le conseil de la Société des Nations se saisît de la question des armes chimiques. Et peut-être la campagne plus ou moins orchestrée par la Croix-Rouge internationale n'avait-elle d'autre objectif que de sensibiliser la SDN à ce problème.

Le 6 février 1922, à Washington, la France, les États-Unis, l'Italie, l'Angleterre et le Japon signaient une convention dite « Traité (ou Pacte) de Washington » posant les premières véritables bases normatives de l'interdiction d'emploi des armes chimiques et d'après laquelle ces puissances s'engageaient à ne pas utiliser les gaz de combat, en cas de

---

1. Voir *The rise of CB weapons*, chap. 3, SIPRI, Stockholm 1971.

conflit éventuel, et à n'y recourir qu'au cas où la puissance agressive en ferait elle-même usage. Ce texte ne manquait pas d'intérêt. Malheureusement, il n'entra jamais en vigueur car la France refusa de le ratifier pour des raisons concernant, d'ailleurs, non pas les armes chimiques mais l'emploi des sous-marins. Toutefois, un mouvement avait été amorcé.

La conférence organisée par la SDN, qui devait déboucher sur le protocole de Genève interdisant l'« utilisation, en temps de guerre, de gaz asphyxiants, toxiques ou autres et de tous liquides, substances ou matériels analogues (ainsi que) de méthodes bactériologiques de guerre » s'ouvrit le 4 mai 1925 et, contre toute attente, il ne s'agissait pas d'une conférence concernant les armes B et C.

« Cette conférence devait porter sur le commerce international des armes, explique Ricardo Frailé[1]. Parmi celles-ci, bien sûr, figuraient les armes chimiques, mais leur rôle apparaissait très secondaire. Cependant, comme il s'agissait d'une conférence se déroulant peu de temps après la guerre de 14-18, les délégués se mirent très vite à en parler et, à partir de cet instant, ils commencèrent à envisager la mise au point d'un texte interdisant le transfert et la production de ces armes. Toutes sortes de problèmes apparurent, montrant qu'il était impossible d'interdire la production et le commerce des armes chimiques, alors on dut en quelque sorte se rabattre sur une interdiction d'emploi. »

Ces « problèmes de toutes sortes » sont liés à la bivalence de certains gaz pouvant aussi bien être utilisés à des fins pacifiques qu'à des fins d'agression. Il n'était pas possible d'interdire leur production, ce qui aurait eu pour conséquence de priver l'industrie chimique de produits essentiels à son bon fonctionnement, ni leur exportation car, dans ce cas, les pays producteurs de ces gaz auraient acquis une supériorité intolérable sur les pays non producteurs en temps de guerre. C'est pourquoi les délégués à la conférence de Genève choisirent de réglementer l'emploi — et l'emploi seulement — de ces gaz en période de conflit.

« Cette solution facilitait grandement les choses, commente Ricardo Frailé, car cela revenait à adopter une règle relevant du droit de la guerre alors que, si l'on avait voulu continuer à se préoccuper du commerce ou de la fabrication des gaz, un autre problème serait apparu : celui du contrôle. Or rien n'est plus incertain que le contrôle dans un domaine comme celui-ci. Cependant, le Protocole de 1925 n'interdit ni de produire, ni de fabriquer, ni de stocker des armes chimiques. Mais il faut bien comprendre que ce n'est pas son objet. L'objet du Protocole, c'est d'interdire l'emploi. C'est une règle du droit de la guerre. Bien sûr, parallèlement à cela, il existe des règles de désarmement ou de non-armement. Toute confusion ne peut que lui être préjudiciable. Dans le Protocole de Genève, les États voulaient interdire l'emploi; l'emploi a

---

1. Entretien privé.

été interdit. Maintenant, il est certain qu'une telle interdiction n'empêche pas les nations de se préparer à la guerre chimique en effectuant des recherches, en constituant des stocks, etc. Mais ce n'est pas une lacune. La règle a parfaitement traité l'interdiction d'emploi; elle a parfaitement réalisé l'objectif qu'elle s'était fixé. »

La mise au point du Protocole n'alla pas sans poser de nombreux problèmes. Après avoir résolu la délicate question de la nature de l'interdiction à formuler, il fallut établir si la Conférence convoquée était apte à traiter de la guerre chimique.

La Pologne insista également pour que l'on inclût les armes biologiques — ou plutôt « bactériologiques », comme on disait à l'époque — dans la résolution finale, sans quoi celles-ci n'eussent pas été concernées par la règle d'interdiction. Enfin, il fallut apporter quelques réformes au projet du futur Protocole afin de lui conférer un véritable caractère d'universalité. Certains pays comme l'Union soviétique, en effet, refusaient toute conférence autre que technique et humanitaire. Ils auraient donc vraisemblablement refusé de signer un accord émanant d'une conférence portant sur le commerce des armes. Aussi le Protocole devait-il consacrer, dans sa formulation, une entreprise humanitaire en se dissociant de la Conférence qui l'avait vu naître...

Tout cela ne pouvait être résolu facilement et les problèmes rencontrés par les délégués internationaux participant à la Conférence donnent une idée de ceux auxquels on se heurte actuellement pour la mise au point d'une convention sur l'interdiction de fabrication et de stockage des armes chimiques, encore qu'en 1925 les questions à résoudre fussent infiniment moins complexes qu'en ce début des années 80.

Quoi qu'il en soit, le comité de rédaction parvint à élaborer un texte satisfaisant à peu près tout le monde qui fut adopté à l'unanimité le 10 juin 1925 et signé par les représentants de 26 pays le 17 juin suivant avant d'entrer en vigueur le 8 février 1928.

Le président de la commission générale déclara que ce texte lui paraissait « de nature à avoir une heureuse répercussion dans l'opinion publique universelle[1] ». Cependant, tout le monde ne partageait pas son enthousiasme. Le délégué norvégien, par exemple, fit remarquer qu'il ne voyait pas comment, une fois la guerre déclenchée, on pourrait « empêcher l'emploi des moyens les plus abominables[1] », et le représentant français se rangea à son côté en proposant de chercher un moyen de « rendre la guerre impossible ». Pas moins. De fait, sans s'en rendre compte, le délégué français offrait de mettre en place un système relevant de ce que nous appellerions aujourd'hui la philosophie de la dissuasion, puisque, en posant, sans le formuler dans ces termes, le problème des sanctions, il proposait de décourager l'adversaire éventuel en lui donnant

---

1. Cité par Ricardo Frailé, *op. cit.*

la certitude que, s'il prenait l'initiative du conflit, alors s'élèverait « contre lui, armée, la totalité des nations civilisées[1] ». Cette proposition allait prendre tout son sens quelques années plus tard...

Oui, mais...

Le protocole de Genève est un texte d'une importance capitale dans l'histoire de la guerre chimique et biologique et tous les événements postérieurs à son élaboration ont provoqué des commentaires s'y référant. Il serait faux de croire, cependant, que tous les États représentés se sont empressés d'y adhérer et de le ratifier, de même qu'il serait illusoire de penser que tous ceux qui l'ont fait ont accompli ce geste sans réserves.

Bien sûr, d'une certaine manière, la mise au point de ce texte consacre la victoire des adversaires de l'arme chimique et répond au sentiment d'hostilité quasi général qui régnait à l'époque envers cette forme de guerre. Mais les partisans des gaz de combat n'avaient pas dit leur dernier mot. L'exemple des États-Unis est, à cet égard, particulièrement éloquent.

Ce pays, en effet, a attendu le 10 avril 1975 pour ratifier le Protocole. Les raisons qui le poussèrent à attendre si longtemps sont liées à la campagne menée depuis 1919 par les partisans américains de l'arme chimique.

Une fois le Protocole mis au point, le plus urgent, pour l'American Chemical Warfare Service et l'American Chemical Society, chefs de file des amis de la guerre des gaz, consistait à empêcher coûte que coûte sa ratification par le gouvernement américain. Les défenseurs de l'arme C employèrent les grands moyens et, lorsque le débat concernant la ratification s'ouvrit devant le Sénat, en décembre 1926, ils étaient certains de l'emporter. Ils avaient passé plus d'un an à se battre pour défendre leur cause et rallier des partisans. Le comité exécutif de l'American Chemical Society s'était élevé avec véhémence contre le Protocole en montrant, le plus philanthropiquement du monde, que « l'interdiction de la guerre chimique signifiait l'abandon des méthodes humaines au profit des vieilles atrocités du champ de bataille[2] » et le brigadier Fries avait rallié à sa cause des anciens combattants ainsi que des militaires qu'il était parvenu à convaincre que s'opposer à la ratification signifiait se battre pour une armée forte et prête à toute éventualité. Le résultat fut conforme à leur attente. Un sénateur alla jusqu'à dire qu'il ne voyait pas l'intérêt qu'auraient les Américains à se battre avec « les mains liées dans le dos », c'est-à-dire sans pouvoir utiliser les armes qu'ils souhaitaient. La formalité de la ratification fut donc remise à une date ultérieure et le Protocole ne

1. Cité par Ricardo Fraile, *op. cit.*
2. *Time*, 6 août 1925.

fut plus jamais soumis au Sénat, jusqu'en 1975. Malgré l'opposition de certains dirigeants américains à l'arme chimique, comme Roosevelt, les États-Unis se trouvèrent bientôt aux prises avec d'incessants conflits armés (Seconde Guerre mondiale, guerre de Corée, guerre du Vietnam, etc.) rendant impensable la ratification d'un accord concernant une méthode de combat. Il fallut une pression considérable de la part de l'opinion publique internationale et, surtout, de l'opinion américaine pour qu'à la suite de l'écocide vietnamien, ainsi que d'un certain nombre d'incidents et de révélations dont il sera question ultérieurement, les États-Unis acceptent de ratifier ce texte si important mais si contraignant en 1975... Et encore le firent-ils en émettant certaines réserves quant aux obligations auxquelles ils acceptaient de se soumettre.

D'autres pays qui, pour la plupart, n'ont pas attendu aussi longtemps que les États-Unis pour ratifier cette convention, ont également émis des réserves quant à l'obligation qui les liait à cette convention. C'est le cas de la France, de l'URSS ou de la Chine. Entre autres...

Les réserves françaises et soviétiques sont d'ailleurs de même nature. Voici ce que l'on peut lire dans le texte français :

« 1° Ledit Protocole n'oblige le gouvernement de la République française que vis-à-vis des États qui l'ont signé et ratifié, ou qui y auront adhéré;

2° Ledit Protocole cessera de plein droit d'être obligatoire pour le gouvernement de la République française à l'égard de tout ennemi dont les forces armées ou dont les Alliés ne respecteraient plus les interdictions qui font l'objet de ce Protocole. »

Un problème demeurait, cependant, que le texte du Protocole n'était pas parvenu à résoudre : celui des sanctions à appliquer à un État partie de cette convention rompant ses engagements. Grâce à une initiative française, cette question allait être au cœur des débats préparatoires de la conférence pour la réduction et la limitation des armements de 1932 avant que de poser un problème d'une brûlante actualité lors de la guerre italo-éthiopienne, en 1935-1936...

V. *LA GRANDE ILLUSION*

> *On comprend, dès lors, que les gaz utilisés dans la guerre future seront aussi divers que les venins en erpétologie. On les utilisera par groupes, et les moins utiles ne seront pas ceux qui, agréablement parfumés, serviront à camoufler la présence des autres et, par suite, à ne pas éveiller la méfiance des populations non éduquées.*
>
> Jean Laurent
> in *La Science et la Vie*, n° 163, janvier 1931

A lire la presse scientifique et politique de l'entre-deux-guerres, on a le sentiment qu'à partir de 1926 les nations, celles-là même qui venaient de mettre hors la loi la guerre chimique et biologique, furent prises d'une peur soudaine qui les poussa à s'équiper, à s'organiser, à développer des stratégies offensives et défensives, en un mot à *se préparer* comme jamais elles ne l'avaient fait à une forme de combat dont personne ne paraissait douter qu'il jouerait un rôle déterminant dans les guerres à venir.

En fait, peu de militaires étaient alors convaincus de l'intérêt de l'arme chimique, et il y en avait encore moins pour se soucier de l'arme biologique. Mais ce qui se disait dans les états-majors n'atteignait pas le grand public et l'homme de la rue avait une tout autre perception de la guerre des gaz que celle partagée à l'époque par la plupart des chefs d'armée et bon nombre de politiciens. Peut-être en avait-on trop parlé quand on cherchait à sensibiliser l'opinion pour faire admettre à la communauté internationale la nécessité d'une convention interdisant l'emploi de ces armes. Toujours est-il qu'en 1926 le public voyait dans la menace chimique quelque chose de monstrueux, une atrocité sans nom susceptible de fondre sur lui à chaque instant, lâchée du ciel par quelque avion ennemi volant en rase-mottes au-dessus des villes. Et contre une telle horreur on se sentait démuni. Impuissant. Incapable de se protéger comme de répliquer. D'une certaine manière, on peut dire qu'il régnait à l'époque, dans la plupart des nations occidentales, une hantise chimique

117

comparable en bien des points à la hantise atomique qui allait déferler sur ces mêmes pays dans les années 50. Et s'il en était ainsi, c'est parce que l'arme chimique était devenue un symbole. Celui de la guerre sous toutes ses formes et son cortège d'épouvante.

Fini, la guerre humaine...

Depuis la fin des hostilités, l'image de marque de la guerre chimique avait fait l'objet d'enjeux considérables. Ses défenseurs comme ses détracteurs n'avaient pas craint d'en rajouter dans les deux sens pour rallier à leur cause des partisans de plus en plus nombreux. Chacun avait gagné quelques batailles, mais la partie était loin d'être jouée et, dans cette dialectique aux résonances souvent douteuses, thèses et antithèses continuaient de s'affronter en s'écartant chaque fois un peu plus de l'objet réel du débat.

A la limite, plus personne ne se souciait de savoir ce que représentait vraiment la menace chimique. Celle-ci, telle qu'on se l'imaginait généralement, était devenue un objet trop commode au service d'autres causes pour que l'on se préoccupât de sa véritable nature. Alors, peu importait que l'on eût une vue très utopique de la guerre des gaz. Ce n'était pas là que se situait réellement la question.

Ce rôle symbolique dévolu à l'arme chimique ne revêtait d'ailleurs pas que des aspects antipathiques. Les pacifistes, par exemple, en firent très vite leur cheval de bataille en mettant l'accent sur les souffrances des gazés, sur le caractère aveugle et inhumain de ce type de guerre qui frappait sans distinction civils et militaires, sur l'atrocité même de telles méthodes, quintessence insoutenable de ce que la guerre pouvait avoir de plus horrible, de plus effroyable, de plus scandaleux. Et, paradoxalement, leurs arguments en arrivaient à rejoindre ceux de leurs adversaires. Car ce que voulaient ces derniers, c'était pousser leurs gouvernements respectifs à accorder plus de crédits à leur armement, à développer et intensifier ce que nous appellerions aujourd'hui leur politique de défense. Pour parvenir à leurs fins, ils avaient besoin d'être appuyés par l'opinion et, pour gagner celle-ci, le meilleur moyen était encore de lui faire peur. Les militaristes, par conséquent, ne se privaient pas d'exagérer, parfois jusqu'à la caricature, les préparatifs supposés des autres nations à la guerre chimique. Regardez, disaient-ils, comme ils sont en avance sur nous. Il faut absolument que nous nous donnions les moyens de répliquer et de nous défendre. Il faut que nous nous dotions d'une force de représailles au moins équivalente à celle de l'adversaire et que nous soyons en mesure de nous protéger contre toute agression de cette nature. Sans quoi, Dieu sait ce qui arrivera !

Fini, la guerre humaine. Ça, c'était bon pour convaincre les tièdes quand il s'agissait de refuser la ratification du Protocole de Genève ou de se doter d'une politique chimique offensive. Maintenant, les choses avaient changé et le meilleur argument en faveur d'un juste réarmement des nations occidentales, c'était l'angoisse, la hantise des gaz.

En raison des sentiments d'effroi qu'elle inspirait et de son caractère trouble, insaisissable, quasi immatériel, l'arme chimique constituait bien, en cette fin des années 20, un symbole parfait tant pour les pacifistes que pour les militaristes. Comme le poison dans le crime domestique, elle semblait renchérir « par sa traîtrise sur la perversité de l'acte meurtrier », et on la soupçonnait « d'autant plus » que sa discrétion même et les secrets entourant sa fabrication et sa mise en œuvre la rendaient « insoupçonnable ». Mais le symbole devint de plus en plus irréel. Irrationnel. Extravagant.

La presse et la littérature de l'époque se sont largement fait l'écho de cette grande angoisse chimique savamment orchestrée et entretenue à l'insu du public, et parfois, aussi, de ceux-là mêmes qui en tiraient parti.

Leitmotiv des discours pacifistes et militaristes, on la retrouve partout, sous la plume d'écrivains tels que H. G. Wells (*The shape of things to come*, 1933), ou Sir Norman Angell (*The menace to our national defence*, 1934), comme dans les thèmes abordés par la Croix-Rouge internationale lors de ses réunions, ou dans des articles publiés dans des revues de vulgarisation scientifique ou de grands organes d'information.

Le rôle de la Croix-Rouge fut particulièrement déterminant dans les orientations défensives qu'adoptèrent de nombreux États en matière de politique d'armement. Ainsi, lors de sa conférence de Rome, en 1929, son Comité international encouragea-t-il fortement les Croix-Rouge nationales à faire pression sur leurs gouvernements respectifs pour que ceux-ci ratifient le protocole de Genève lorsqu'ils ne l'avaient pas encore fait et étudient des mesures de défense civile mettant leurs populations à l'abri d'une éventuelle agression par les gaz.

A peu près à la même époque, on pouvait lire dans la presse quantité d'articles alarmistes attirant l'attention du public sur la nécessité d'une politique défensive de grande envergure contre la menace chimique. C'est le cas, par exemple, d'un texte signé Jean Laurent paru en France dans *La Science et la Vie*, n° 163 de janvier 1931, et intitulé « La chimie n'est pas toujours bienfaisante » : « Demain, les gaz toxiques ne seront pas seulement projetés par l'artillerie ou par de simples émissions, mais déversés par l'aviation elle-même, pouvait-on lire dans le chapeau de présentation. L'atmosphère devenant alors intensément délétère, il est évident que les masques primitifs "en circuit ouvert" doivent céder la place aux masques "en circuits fermés", c'est-à-dire aux appareils régénérant automatiquement l'atmosphère respirée, et complètement étanches à l'atmosphère extérieure. Cette protection contre les gaz nocifs intéresse combattants et non-combattants. C'est pour cette raison que les municipalités se préoccupent, en Europe, non seulement d'équiper la population en masques protecteurs, mais encore de mettre à sa disposition des abris spéciaux où l'air serait constamment régénéré par des dispositifs appropriés. »

Le thème dominant de cette grande campagne protéiforme antigaz était, grosso modo, le suivant : jusqu'ici, l'arme chimique n'avait guère frappé que des combattants. Son maniement peu aisé en avait fait une arme tactique réservée aux tranchées, et si des villes comme Armentières avaient eu à en souffrir, c'était pour déloger des soldats ennemis qui s'y étaient réfugiés. Mais, depuis la fin de la guerre, elle avait vu peu à peu son sort se lier à celui de l'aviation militaire[1] et, en s'intégrant à la guerre aérienne, de tactique, elle était devenue une arme stratégique. Citant le lieutenant-colonel Vauthier, Jean Laurent écrivait : « Transportés au-dessus des grandes villes à doses massives par de grands avions modernes, *conjointement avec les explosifs et les bombes incendiaires*, les gaz toxiques constitueraient la plus terrible des armes visant, non plus le front, mais les centres nerveux du pays attaqué. » Voilà qui résume assez bien ce que tout le monde pensait en Europe et aux États-Unis entre 1926 et le milieu des années 30.

« L'avion se rit des barrières fortifiées ou des positions ennemies, pouvait-on lire encore, en 1933, sous la plume du lieutenant-colonel Reboul[2]. Il ira répandre, très loin en arrière, sur les populations qui auraient pu se croire à l'abri de toutes inquiétudes, des tonnes de produits toxiques, contre lesquels il sera très difficile de se défendre. Qu'on pense que le record de distance en circuit fermé, ce qui compte le plus pour l'aviation de bombardement, est passé de 1 915 kilomètres, en 1920, à 10 460 kilomètres en 1931. »

Les bombes à gaz, dont il existait un modèle de 200 kg pouvant contenir jusqu'à 70 % de son poids en toxique, n'étaient rien à côté de ce que préconisaient certains militaires, à savoir la suppression pure et simple de l'enveloppe des bombes, ce qui, théoriquement, devrait assurer un rendement toxique de 100 %. Autrement dit, l'ypérite, qui incarnait aux yeux de tous la menace chimique par excellence, pourrait être projetée à l'état de fines gouttelettes par un avion arroseur, un *Canadair* de la mort renfermant dans ses soutes assez de gaz pour infecter de vastes zones dont l'accès serait ensuite interdit pendant plusieurs jours.

Tout cela était lourd de conséquences, notamment sur un plan tactique : plus question d'exposer autant d'hommes en premières lignes qu'on l'avait fait au cours de la Grande Guerre. En revanche, il faudrait tenir prêtes à rejoindre rapidement le front d'importantes réserves. Car

---

1. Ce n'est pas du tout par hasard si le brigadier Fries, toujours le plus fougueux défenseur de la guerre chimique aux États-Unis, avait été rejoint, au cours des années 20, par des partisans de l'aviation et des tanks, chacun voyant chez l'autre l'arme complémentaire dont la sienne propre avait besoin pour accroître son efficacité sur le champ de bataille. Tankistes, aviateurs et chimistes se battaient côte à côte dans les ministères et devant le Congrès pour qu'on leur accorde les crédits et l'autonomie dont ils estimaient avoir besoin.
2. « Qu'a fait la France pour parer à la guerre chimique ? » in *La Science et la Vie*, n° 197, novembre 1933.

les troupes en premières lignes restaient, quels que fussent les nouveaux visages de la guerre chimique, les plus exposées à recevoir des gaz à tout moment. Il faudrait aussi tenir compte des canons créant une zone dangereuse jusqu'à une dizaine de kilomètres du front. Mais surtout, on devrait penser, encore et toujours, aux risques que ferait courir à tous la guerre aérochimique. Au-delà de la distance couverte par les tirs d'artillerie, les points dangereux étaient donc les localités, les rassemblements de personnel et de matériel particulièrement exposés aux attaques des avions.

La politique défensive de chaque nation ne pouvait se permettre de négliger aucun de ces aspects. D'autant que, dans l'esprit du plus grand nombre, se préparer à cette forme de combat signifiait être prêt à *résister* à une agression par les gaz et non à mener soi-même une offensive toxique.

Prévenir, sinon guérir...

Naturellement, c'est au combattant qu'il fallait songer en premier. Partant du principe que les masques à circuit ouvert, qui n'étaient que de simples filtres, étaient devenus inefficaces, on vit apparaître d'impressionnants appareils respiratoires en circuit fermé tels que le système anglais *Proto* — déjà utilisé vers la fin de la Première Guerre mondiale —, l'appareil américain *Paul* à dosage automatique de l'oxygène, les appareils allemands *Droeger H.S.S., Audos* et *Inthabad* ou l'appareil français *Tissot*. Dans ce dernier, l'air expiré traversait une solution de potasse retenant le gaz carbonique avant de pénétrer dans un sac respiratoire à la sortie duquel il était additionné d'oxygène emmagasiné sous pression dans une bouteille. Un tel système paraît bien simple aujourd'hui et, en le perfectionnant, on lui a trouvé de nombreuses applications pacifiques mais, lors de sa mise au point, c'était une véritable révolution. A peu près tous les appareils filtrants apparus entre la fin de la guerre et le début des années 30 reposaient, d'ailleurs, sur un principe proche du système *Tissot*. Cependant, en 1927, les Allemands reprirent une vieille idée consistant à régénérer l'oxygène par simple décomposition du gaz carbonique expiré au moyen de peroxyde de sodium. Ce fut l'appareil *Inthabad* fabriqué par la firme *Auer*.

De tels systèmes assuraient une protection très efficace contre les gaz, à condition, toutefois, que le soldat prît soin de revêtir une tenue réfractaire à l'ypérite. Malheureusement, on s'aperçut très vite qu'il était impossible d'envoyer des hommes au combat avec un masque aussi encombrant ! Il leur faudrait donc se contenter d'un masque léger leur permettant de voir dans toutes les directions !... A peine les avait-on inventés que les appareils respiratoires en circuit fermé se trouvaient condamnés à n'être utilisés que très exceptionnellement. Leur présence sur le champ de bataille risquait, en effet, de conduire à la catastrophe, d'autant que le soldat serait sans doute appelé à fournir des efforts violents, aussi bien pour combattre que pour se déplacer.

Pendant la Première Guerre mondiale, les états-majors s'étaient presque exclusivement préoccupés de l'organisation des moyens de défense individuels. On ne s'était pas inquiété de la protection de la population civile contre les gaz, car les prouesses de l'aviation militaire de l'époque ne permettaient pas de réaliser un bombardement toxique sur un grand centre urbain. Vers la fin des années 20 et le début des années 30, tout avait changé, et les civils apparaissaient désormais aussi vulnérables que les militaires. On entendit donc des voix s'élever dans toutes les nations exposées à la guerre chimique pour réclamer la mise en œuvre de moyens de défense collectifs. En France, le Pr Parisot, de la faculté de Nancy, et le commandant Hanra, directeur des mines de Mancieulles, multiplièrent les mises en garde et les exposés pour attirer l'attention des pouvoirs publics sur les dangers encourus par les civils dans le cas d'une guerre aérochimique. Trois types de mesures furent proposés : des mesures préventives, des mesures de protection proprement dites et des mesures curatives.

En matière de mesures préventives, on préconisa l'élaboration de plans de transport soigneusement établis permettant d'évacuer rapidement dans les grands centres urbains toute la population inutile pour la défense de la cité et pour la vie de la nation. Mais pour qu'un tel plan eût quelque chance de fonctionner on réclama la mise au point d'un système de guet parfaitement organisé, des liaisons téléphoniques pour propager l'ordre d'alerte, une éducation de la population et une minutie extrême dans tous les soins de détail. Il convenait, en effet, de rendre la tâche de l'ennemi aussi difficile que possible en masquant à sa vue tous les repères sur lesquels pouvaient se guider des aviateurs : cheminées d'usines, baies d'atelier, etc.

La plus importante de ces mesures concernait l'éducation de la population. Les Allemands, dans ce domaine, devancèrent toutes les autres nations, lesquelles, dans la plupart des cas, ne purent que s'inspirer des modèles qu'ils proposaient. Pour entraîner les civils au port du masque, un savant du nom de Buscher imagina une boîte comprenant des tubes contenant des produits lacrymogènes, des produits « croix verte » (phosgène, surpalite), des produits « croix bleue » (cyanide, aduisite), des produits « croix jaune » (ypérite, lévisite) avec un pistolet pour les projeter. Les quantités ainsi émises n'étaient pas dangereuses mais elles suffisaient à apprendre à mettre correctement un masque. Ce même savant créa des boîtes d'allumettes spéciales dégageant des doses infimes de ces agents pour apprendre à les reconnaître à leur odeur. On les employa beaucoup dans les écoles allemandes pour habituer les enfants au port du masque et les écoliers pouvaient aussi contempler des tableaux affichés dans la plupart des salles de classe pour indiquer les gaz les plus redoutables. Enfin, dans chaque pays, on fabriqua des masques en quantité considérable pour que personne n'en manquât. Certains États mirent en œuvre de vastes programmes de défense civile comprenant des manœuvres en grandeur réelle auxquelles les populations étaient invitées à participer. Ce fut le cas en URSS, en juin 1928, où une trentaine d'avions simulèrent une attaque chimique sur Leningrad en lâchant des bombes dégageant une poudre inoffensive sur une population que l'on avait brièvement préparée à la chose. A en croire la presse soviétique de l'époque, l'expérience ne fut guère concluante et les gens y assistèrent davantage en spectateurs amusés qu'en acteurs consciencieux. Néanmoins, on la renouvela à Kiev, quelques mois plus tard, sans plus de succès, semble-t-il.

On savait bien, dans tous les pays du monde, qu'il ne serait jamais possible d'évacuer complètement une ville et que les masques n'offriraient qu'une protection très limitée tant sur le plan quantitatif que qualitatif. On imagina donc l'aménagement de locaux parfaitement étanches. Ces abris devraient être capables de résister aussi bien aux obus explosifs qu'aux incendies et aux gaz, d'où la nécessité d'installer un circuit d'air régénéré, soit par filtration de l'atmosphère puisée à l'extérieur, soit par régénération au peroxyde de l'atmosphère intérieure. L'Allemand Ludavez Bartmann proposa d'utiliser les conduites de gaz et d'eau ainsi que les égouts, de la manière suivante : « A l'alerte, par un jeu de soupapes disposé d'avance, le gaz de ville contenu dans les conduites serait immédiatement évacué dans l'atmosphère, notamment par les réverbères, et remplacé aussitôt par de l'air comprimé respirable. Les portes et les fenêtres étant hermétiquement closes, une surpression de quelques millimètres d'eau serait établie de la sorte, à l'intérieur des maisons, et suffirait à refouler au-dehors les gaz toxiques. Ceux-ci, d'autre part, seraient aspirés par la voie des égouts au moyen de puissants ventilateurs, tandis que les canalisations d'eau, aboutissant à des tubes à pluie artificielle établis sur le faîte et sur les corniches des maisons, réaliseraient la neutralisation de l'ypérite et du phosgène[1]. » La solution était ingénieuse, certes, mais quant à son application...

Plus réaliste, un officier italien, le colonel Romani, proposa la construction d'abris collectifs à toits coniques destinés à faire ricocher les obus. Mais la solution la plus couramment adoptée consista tout simplement à installer des abris dans des caves à voûtes très résistantes, renforcées, et aux ouvertures hermétiquement closes. Quant au renouvellement de l'air, on retint généralement le système de régénération par filtration de l'atmosphère extérieure. Dans toutes les villes où existait un métro, enfin, on y installa des abris. Ils furent très utiles au cours de la Seconde Guerre mondiale... mais pas contre les gaz.

Restait les mesures curatives. Elles concernaient aussi bien les soins à donner à la population civile atteinte que la désinfection du terrain ou des régions soumises à un bombardement par obus à gaz persistant. Tout cela

---

1. Cf. Jean Laurent, article cité.

nécessitait la mise en service d'appareils de détection, l'organisation d'équipes sanitaires pour transporter blessés et gazés vers les hôpitaux et les centres de soins, et la création d'équipes de désinfection ayant pour tâche de nettoyer les parties de terrain contaminées par des produits vésicants avec du chlorure de chaux dilué et du sable.

Les gouvernements ne donnèrent pas tous immédiatement suite aux suggestions qu'on leur faisait en matière de défense passive, beaucoup s'en faut. D'une part, les risques d'une agression chimique leur paraissaient relever d'un avenir assez indéterminé et, d'autre part, ils craignaient souvent de jeter un doute sur la bonne foi des signataires du protocole de Genève en se lançant trop ouvertement dans une politique défensive de grande envergure. Néanmoins, nul n'était réellement à l'abri de la Grande Peur des gaz sauf, peut-être, quelques militaires mieux informés que les autres. L'on avait aussi souvent tendance à surestimer les moyens de guerre chimique dont étaient censés disposer les autres pays, même dans les milieux proches des pouvoirs et des états-majors. Il n'y a rien d'étonnant, par conséquent, à ce que les délégués participant aux travaux préparatoires à la conférence pour la réduction et la limitation des armements qui devait s'ouvrir à Genève en 1932 fussent, eux aussi, obsédés par la menace chimique et ses corollaires.

La question des représailles

Dès 1926, année où commencèrent ces travaux, la commission générale, organe plénier de la conférence, créa un comité spécial sur les armes chimiques et bactériologiques chargé d'examiner et de résoudre les questions relatives à la préparation de ce type de guerre. Pour les délégués, il s'agissait, à n'en pas douter, d'armes cruciales. L'objectif principal de ce comité était de renforcer l'interdiction d'emploi formulée par le Protocole de Genève. L'idéal, bien sûr, aurait été la mise au point et l'acceptation par toutes les parties d'un texte interdisant aux États signataires la fabrication, l'importation ou l'exportation des substances utilisables pour la guerre chimique ou bactériologique lorsque celles-ci n'ont pas « d'emploi normal en temps de paix ». Mais cela posait à nouveau le problème du contrôle. Or la législation fédérale des États-Unis, l'une des Grandes Puissances représentées à cette conférence, n'autorisait pas le gouvernement à accepter une telle perspective.

« Le dilemme restait sans issue, écrit Ricardo Frailé[1], chacun affirmait que la seule interdiction d'emploi ne présentait aucune garantie sérieuse, qu'elle était insuffisante et devait être complétée, mais personne ne pouvait s'engager à en tirer les conclusions pratiques aptes à mettre en œuvre l'ébauche d'un désarmement. »

---

1. *Op. cit.*

Finalement, on en revenait toujours à l'interdiction d'emploi mais, celle-ci ayant déjà été formulée en 1925, la renforcer n'eût servi à rien si ce n'est à discréditer le Protocole aux yeux de l'opinion internationale sans offrir, en contrepartie, des garanties supplémentaires.

Devant tant de difficultés, on faillit abandonner purement et simplement. Mais le délégué français, Paul Boncour, ne l'entendait pas ainsi. Il demanda, avec l'appui de son collègue polonais, la mise au point d'un système de sanctions sévères pouvant prendre la forme de représailles très étendues contre tout État violant son engagement en ayant recours aux armes chimiques ou biologiques. Ainsi espérait-on dissuader d'employer de telles méthodes de guerre ceux qui ne respecteraient pas une règle relevant du droit de la guerre telle que le Protocole.

Prévoir des sanctions, cela supposait, d'abord, que les faits allégués aient dûment été constatés. Les membres du comité spécial orientèrent par conséquent leurs discussions dans ce sens.

L'important était d'agir vite. On proposa la création d'une commission de constatation de première urgence chargée de réunir les preuves de la réalité des faits allégués. On pouvait également prévoir une commission de surveillance en place sur le territoire de l'État afin de mettre en œuvre les moyens de prévenir la guerre. Ou bien encore, on imagina l'accréditation par la commission permanente du désarmement de certains représentants qualifiés auprès des États entre lesquels se déroulerait le conflit. Quoi qu'il en soit, la participation d'experts se révélait obligatoire.

Et après ? Que faire une fois la violation du Protocole effectivement constatée ? Là résidait, en fait, toute la question. Devait-on prévoir des représailles de même nature ? Dans quelle mesure les États parties du Protocole devaient-ils intervenir ? Selon quels critères ? Quelles méthodes ? Une chose était certaine : il fallait d'abord aider l'État victime et, ensuite, réprimer l'État coupable. Bien. Mais après avoir dit ça on n'avait pas dit grand-chose… De quelle sorte serait l'aide apportée à l'État victime ?

On se prononça, en fin de compte, pour une assistance scientifique, médicale et technique ainsi qu'une aide financière, en prenant soin de préciser qu'une telle aide devrait nécessairement être adaptée à l'État concerné. Un pays fort, une « grande puissance », en effet, n'aurait certainement pas besoin d'une assistance identique à celle que réclamerait un pays faible. Quant à la répression de l'État coupable, elle devrait, elle aussi, être modulée en fonction du type de pays auquel on aurait affaire et de la nature de l'agression, mais elle pourrait, dans certains cas, aller jusqu'aux représailles de même nature.

A priori, tout semblait résolu et l'on espérait que ce train de mesures revêtirait un caractère dissuasif.

Mais, en fait, ces propositions laissaient en suspens plusieurs questions. Et d'abord celle-ci : quelle attitude adopter face à un État agressé — donc victime — qui emploierait le premier les armes interdites contre son agresseur ? Et ensuite : jusqu'où pouvait-on aller dans le domaine des représailles de même nature ? Fallait-il comprendre les armes biologiques dans cette formulation ? Oui, disaient la Roumanie, le Royaume des Serbes, la Croatie et les Slovènes. Non, rétorquait la Belgique.

En fin de compte, on se prononça pour une *interdiction absolue d'emploi des armes biologiques*, même à titre de représailles, en vertu du principe selon lequel il s'agissait d'armes frappant tout le monde aveuglément, de manière incontrôlable.

Le 30 mai 1933, après maintes discussions, propositions et contre-propositions faisant pleinement apparaître l'extrême complexité des problèmes liés à l'élaboration d'une convention de ce genre, la commission générale adoptait en première lecture le projet que voici :

« *L'emploi d'armes chimiques, incendiaires ou bactériennes est interdit vis-à-vis de tout État partie ou non à la présente Convention et au cours de toute guerre, quel qu'en soit le caractère. Toutefois, la présente disposition ne privera du droit de représailles aucune des parties qui aura été victime de l'emploi illégal d'armes chimiques ou incendiaires, sous réserve des conditions dont il pourra être convenu ultérieurement.* »

« Il s'agit du dernier projet au sujet de la guerre chimique et bactérienne, note Ricardo Frailé[1]. La Conférence ne prit aucune autre initiative dans ce domaine. En novembre 1935, le secrétaire général de la SDN transmettait aux membres de la Conférence un rapport préliminaire sur le travail accompli; en janvier 1936 le conseil de la SDN décidait de remettre la convocation de la Conférence. En fait, elle ne devait plus jamais se réunir. »

Les choses en étaient là lorsque, le 3 octobre 1935, sans déclaration de guerre, l'Italie engageait un corps expéditionnaire en Éthiopie à la suite d'un incident survenu entre des soldats indigènes appartenant à l'armée italienne et des troupes régulières éthiopiennes dans une zone de l'Éthiopie sous contrôle italien. Trois mois plus tard, l'agresseur se voyait accusé d'utiliser l'arme chimique...

La guerre des gaz avait frappé là où l'on s'y attendait le moins. La plupart des nations occidentales vivaient dans la hantise de voir leur villes victimes de l'arme aérochimique et voilà qu'elle intervenait en Ethiopie, sans que personne (et surtout pas les intéressés) y fût le moins du monde préparé ! Du coup, on ne sut plus très bien quelle attitude adopter...

Abiet... abiet... abiet...
Le 30 décembre 1935, l'empereur Haïlé Sélassié envoyait un télé-

---

1. *Op. cit.*

126

gramme au secrétaire général de la SDN pour dénoncer l'agression dont son pays était victime en déclarant que, le 23 décembre, les Italiens avaient utilisé contre les Éthiopiens des gaz toxiques. Les accusations en provenance d'Éthiopie ne tardèrent pas à affluer au conseil de la SDN et la presse européenne s'en empara en accusant l'Italie de violer le protocole de Genève qu'elle avait pourtant signé et ratifié sans réserve le 3 avril 1928. Le gouvernement italien commença par nier toutes ces allégations puis, bientôt, les confirma implicitement, et justifia son comportement en rappelant que le Protocole n'interdisait pas l'emploi d'armes chimiques à titre de représailles contre un État ayant accompli d'autres actes contraires aux lois de la guerre. Autrement dit, la guerre aérochimique est le prix que doivent payer les États se rendant coupables d'atrocités.

Ces prétendus actes barbares commis sur les Italiens — torture et décapitation de prisonniers, émasculation des blessés, sauvagerie envers des non-combattants, meurtres, usage systématique de balles dum-dum, etc. — n'ont jamais été démontrés, et quand bien même l'auraient-ils été que cela n'aurait en rien servi à justifier le recours à l'arme chimique à titre de représailles. Le prétexte invoqué n'avait aucun fondement juridique car il n'avait jamais été question dans aucun texte qu'un État se libère des obligations définies par le protocole en raison d'une quelconque violation par l'adversaire d'une autre règle du droit de la guerre.

Les Éthiopiens ne furent bientôt plus seuls à protester. Des voix européennes se mêlèrent aux leurs; celles d'ambulanciers, de correspondants de guerre, de médecins etc. Le Dr Marcel Junod, délégué de la Croix-Rouge internationale, témoigne[1]. Alors qu'il se rendait au quartier général de l'empereur Haïlé Sélassié en février 1936, il sentit « tout le long du trajet » une « odeur de raifort persistante ». Demandant à l'officier abyssin qui l'accompagnait d'où cela provenait, il reçut cette réponse :

« — Comment [...] ? Vous ne savez pas... ? C'est l'odeur d'ypérite. Chaque jour l'aviation fasciste en déverse dans tout le secteur.

« Ainsi donc, commente le Dr Junod, les rumeurs que j'avais entendues à Addis-Abéba sont parfaitement fondées. Mon ami abyssin ajoute :

« — Ils nous inondent d'ypérite sous deux formes. Soit par des bombes brisantes d'où le gaz liquide gicle jusqu'à deux cents mètres du point d'éclatement. Soit directement des avions, au moyen de diffuseurs qui laissent tomber une pluie de fines gouttelettes. C'est un gaz qui brûle mais n'étouffe pas. Nos soldats sont pieds nus et contractent d'horribles brûlures. D'autre part, les mulets crèvent tous de gastro-entérite en mangeant de l'herbe ypéritée. »

---

1. In *Le troisième combattant*, Ringier Press Service, Zofingue, 1947. Rééd. Payot, Paris, 1963.

L'ypérite ne fut pas le seul gaz employé au cours de ce conflit. A en croire A. Stepanov et H. N. Popov[1], deux spécialistes soviétiques de la guerre chimique, les Italiens auraient utilisé quelque 700 tonnes d'agents chimiques en Éthiopie dont 60 % de vésicants et 40 % d'asphyxiants. Sur les 50 000 victimes éthiopiennes de cette guerre, 15 000 auraient été causées par les gaz. C'est un chiffre impressionnant qui tient au fait que les Éthiopiens étaient totalement démunis face à des armes de cette sorte. L'armée mussolinienne le savait et c'est sans doute pourquoi elle choisit de utiliser...

Plus loin, le Dr Marcel Junod, dont le texte, bien que tardif, est très représentatif des témoignages qui parvenaient chaque jour à la SDN en 1936, raconte encore :

« Je distingue dans le lointain une longue plainte qui me fait tressaillir. C'est comme un chant déchirant qui vient et qui disparaît, dans un rythme lent mais obstiné.

« [...]

— « *Abiet... abiet... abiet...* (Aie pitié... aie pitié... aie pitié...)

« Partout sous les arbres, des hommes sont étendus. Ils sont là des milliers. Je m'approche, bouleversé. Je vois sur leurs pieds, sur leurs membres décharnés, d'horribles brûlures qui saignent. La vie, déjà, s'en va de leur corps rongé par l'ypérite.

« — *Abiet... abiet...*

« Le chant s'élève vers l'empereur. Mais d'où viendra le secours... Il n'y a plus de médecins. Les ambulances sont détruites. Je n'ai plus aucun moyen matériel de venir en aide à ces malheureux. Ceux qui me regardent ne me voient déjà plus. Je n'ai même pas de quoi soulager leur souffrance.

« Dans la nuit qui vient, la plainte immense et vaine continue à monter vers l'empereur solitaire :

« — *Abiet... abiet... abiet...* »

Comment la communauté internationale allait-elle réagir à cette situation ? Il était impensable qu'elle restât les bras croisés.

De fait, la Société des Nations n'avait pas attendu que l'Italie fût accusée d'employer l'arme chimique pour prendre des mesures contre elle. Le 10 octobre 1935, soit une semaine après le début des hostilités, son assemblée avait adopté une proposition émettant le vœu « que les membres de la Société, autres que les Parties, constituent un Comité composé d'un délégué par État membre, assisté d'experts, en vue d'étudier et de faciliter la coordination [des] mesures de sanctions » à prendre contre l'Italie. Si l'on avait décidé d'agir ainsi avant même que l'Italie eût recours à la guerre des gaz, c'est parce qu'on l'avait reconnue coupable d'avoir engagé une guerre... Tout simplement. Mais cela suffisait amplement.

---

1. *Les armes chimiques et la défense antichimique*, Moscou, 1962.

L'adoption de cette proposition se traduisit par un embargo sur les armes à destination de l'Italie (embargo qui fut, dans l'ensemble, assez bien appliqué par la quasi-totalité des États membres de la SDN) ainsi que par un certain nombre de sanctions d'ordre économique. Mais cela se révéla pratiquement sans effet sur la conduite de la guerre puisque les États-Unis, non membres de la Société des Nations, ne se sentaient pas liés par les mesures d'embargo économique, et que l'Italie continuait de recevoir du charbon de l'Allemagne hitlérienne, retirée de la SDN depuis le 19 octobre 1933. Par ailleurs, beaucoup de produits indispensables aux combats n'étaient pas concernés par ces mesures de rétorsion. La forme y était, mais le fond faisait cruellement défaut...

Quant à la guerre chimique proprement dite, le conseil de la SDN avait chargé un organe dénommé Comité des Treize de procéder à une enquête en Éthiopie, afin de respecter la procédure voulant que tout fait allégué pouvant entraîner des sanctions au plan international fût d'abord dûment constaté. Pour ce faire, le secrétaire général de la SDN demanda au Comité international de la Croix-Rouge (CICR) de lui fournir des informations. Le CICR s'y refusa. N'était-il pas tenu à la neutralité en de telles circonstances ? Pour des raisons identiques, d'ailleurs, ce même CICR ne put répondre favorablement à une requête de la Croix-Rouge éthiopienne, demandant que les autres Sociétés nationales de la Croix-Rouge lui fassent parvenir de grandes quantités de masques à gaz ainsi que des manuels enseignant comment se protéger contre les agents toxiques. Le comité international craignait, en effet, que ces masques fussent utilisés par les troupes combattantes...

Une telle attitude n'était pas pour faciliter la tâche du Comité des Treize. Celui-ci choisit pourtant d'accorder plus de foi aux allégations éthiopiennes qu'aux dénégations italiennes et finit par reconnaître officiellement la réalité de la guerre chimique menée par les troupes mussoliniennes. En conséquence, le comité international adressa le 9 avril 1936 aux deux belligérants un « pressant appel » pour qu'ils prennent « toutes les mesures nécessaires pour empêcher tous manquements » aux conventions et aux principes du droit des gens relatifs à la conduite de la guerre.

Une dizaine de jours plus tard, le conseil de la SDN réaffirmait dans un texte d'une extrême timidité l'importance du protocole de Genève en rappelant au passage que cette convention comptait l'Italie et l'Éthiopie au nombre de ses signataires. Et ce fut tout.

Les deux adversaires étaient traités sur un pied d'égalité et nulle part on ne portait d'accusation visant spécifiquement l'Italie pour son recours à l'arme chimique. Curieuse conclusion pour une décennie hantée par la guerre des gaz, obsédée par la menace aérochimique, et désireuse d'écarter à tout jamais et par n'importe quel moyen cette méthode de combat des champs de bataille...

Avec le recul, cela paraît scandaleux. Bien sûr, lorsque la SDN morigéna les belligérants, l'Italie était déjà soumise depuis plusieurs mois à un embargo; mais cette mesure n'avait rien à voir avec l'utilisation des gaz. Alors, tout de même... On ne peut que s'estimer déçu et frustré de voir un texte comme le protocole se révéler d'une telle inutilité confronté aux faits. N'était-ce pas l'occasion ou jamais d'en montrer l'efficacité ? On comprend mal que, devant l'évidence de sa violation, les États membres de la SDN aient pu hésiter à mettre en œuvre des sanctions militaires contre l'agresseur. On se dit que le CICR aurait dû sortir de sa neutralité et aider le Comité des Treize dans son action. On se dit... mais on oublie aussi certaines choses fondamentales.

En ce qui concerne le CICR, par exemple, sa tâche a toujours été — et est encore — très délicate. Son objectif prioritaire n'est pas d'établir les violations du droit de la guerre mais de soigner les blessés et d'intervenir sur un plan strictement humanitaire. Il lui faut donc être présent sur tous les champs de bataille. Or ce sont les États belligérants qui l'y autorisent, ce qui ne va pas toujours sans difficultés, et seule une complète neutralité peut lui permettre de les surmonter[1]. On comprend donc combien délicate était sa position lors du conflit italo-éthiopien. Satisfaire à la requête du Comité des Treize eût risqué d'être interprété par l'Italie comme une démarche d'ordre juridique totalement déplacée par rapport aux objectifs humanitaires de la Croix-Rouge, qui eût pu voir alors sa présence contestée en Éthiopie. Il est donc parfaitement compréhensible que ses responsables n'aient pas voulu courir ce risque.

L'attitude de la SDN est plus ambiguë. Sa relative timidité s'explique par le contexte politique de l'époque. Elle sentait monter le péril de la Seconde Guerre mondiale et s'efforçait de tout mettre en œuvre pour étouffer ce qui pouvait accroître la tension qui régnait alors en Europe et dans le monde. Les effets à long terme de cette politique timorée furent contraires à ceux escomptés, mais qui aurait pu le prévoir en 1936 ? L'épisode italo-éthiopien ne constitue rien d'autre, au fond, qu'une étape d'un processus infiniment plus complexe ayant conduit le monde aux événements que l'on sait...

« Ainsi, écrit Ricardo Frailé[2], la SDN ne put ni empêcher l'accomplissement de l'acte d'agression italien, ni s'opposer efficacement à la présence des gaz sur le terrain. Le rôle de ces derniers dans le dénouement du conflit semble avoir été primordial. »

Le 9 mai 1936, un décret de Mussolini déclarait l'Éthiopie annexée à l'Italie.

---

1. Malgré cela, le CICR a longtemps été écarté de certains pays comme l'URSS, par exemple, qui, lors de la guerre de Corée, ne s'est pas fait faute de rappeler que la Croix-Rouge internationale avait visité les camps de concentration et déclaré, ensuite, que la situation y était parfaitement satisfaisante.

2. *Op. cit.*

Le 15 juillet 1936, toutes les mesures restrictives touchant l'agresseur étaient abrogées...

La preuve venait d'être faite de la futilité des conventions, traités et protocoles face à la froide détermination d'un pouvoir totalitaire.

Du « projet Tomka » aux neurotoxiques allemands

De 1926 au milieu des années 30, le monde s'était prémuni contre une éventuelle guerre aérochimique, mais lorsque les gaz avaient réellement frappé il s'était trouvé désarmé.

L'arme chimique n'était pourtant pas une chimère, et il venait d'être démontré qu'elle menaçait bien les civils au même titre que les combattants. Mais quelle réalité se dissimulait derrière l'attitude d'hostilité méfiante qu'affichaient alors la plupart des États envers cette arme ? En quoi consistaient vraiment les programmes militaires des différentes nations en matière d'armement chimique ? La grande peur qui régnait alors en Occident était-elle à la mesure de la menace recelée par les arsenaux ?

Jusqu'au milieu des années 30, la réponse à cette dernière question est non. Cela ne signifie pourtant pas que les États n'effectuèrent aucun préparatif avant cette date, mais plusieurs facteurs intervinrent qui freinèrent l'enthousiasme des partisans de ce genre de guerre. Tout en se livrant à des recherches, on ne fit pas des gaz l'arme suprême que redoutaient tellement leurs adversaires et dont rêvaient si fort leurs défenseurs. On les étudia avec plus ou moins de zèle et de conviction suivant les pays et le contexte, mais nulle part on ne vit d'état-major ou de gouvernement leur faire suffisamment confiance pour fonder toute une stratégie sur leur seul emploi.

Mais, entre 1934 et 1936, les arguments des pacifistes et des militaires commencèrent à porter leurs fruits. La peur qui régnait depuis une dizaine d'années poussa les nations à s'armer, ne fût-ce que pour être en mesure de répliquer, le moment venu. Et à l'hystérie défensive de la décennie précédente succéda une hystérie de la représaille, sans que personne songeât, cependant, à adopter une politique réellement offensive.

Prenons l'Allemagne. La plupart des nations occidentales la regardaient avec méfiance, comme on regarde un ogre qui sommeille. Avant 1914, ce pays s'était imposé comme la première puissance chimique mondiale. Grisée par ses succès, elle n'avait pas su jusqu'où aller trop loin dans la démonstration de sa suprématie et elle en avait payé le prix en 1918, lorsque ses vainqueurs lui avaient interdit toute recherche concernant les gaz de combat et leur mise en application. Mais, les années passant, la vigilance de la commission de contrôle instituée au lendemain de 14-18 pour veiller à la bonne application des clauses du traité de Versailles eut tendance à se relâcher. Les Allemands en profitèrent et, dès 1924, ils commencèrent à entreprendre quelques travaux concernant les armes chimiques. Il ne s'agissait, au début, que de recherches de nature défensive pour la mise au point de masques et de systèmes de protection antigaz. Puis, en 1926, on créa à Berlin un laboratoire central de recherche sur la guerre chimique. Son rôle ne concernait encore que la défense, mais, comme il fallait bien tester les appareils et les équipements que l'on y mettait au point, on commença de fabriquer des gaz toxiques en petite quantité à la Technische Hochschule de Berlin-Charlottenburg, à seule fin d'expériences, bien entendu. Très vite, le laboratoire accueillit des chercheurs à qui l'on demanda de travailler sur de nouveaux gaz de combat. D'autres établissements similaires entreprirent des travaux du même ordre et, vers la fin de l'année 1926, l'Allemagne, que ne surveillait plus aucune commission de contrôle, était à nouveau entraînée, presque malgré elle, dans un programme de recherches chimiques de nature offensive.

Ce programme n'avait toutefois rien d'impressionnant, car les crédits manquaient pour lui donner l'ampleur souhaitée, et les chefs d'armée allemands comptaient parmi les moins convaincus en Europe de l'intérêt de la guerre chimique. Néanmoins, un centre d'essais devint bientôt nécessaire. Or, depuis 1922, l'Allemagne avait noué des liens étroits avec l'Union soviétique pour la réalisation en commun d'un certain nombre de programmes militaires auxquels devaient participer les armées des deux pays. Il en existait un qui concernait les armes chimiques, leur fabrication et leur expérimentation. Jusqu'en 1926, tout cela était resté très théorique, mais les Allemands reprirent contact à ce sujet avec leurs partenaires soviétiques et les deux parties arrivèrent à un accord connu sous le nom de *Projet Tomka*[1].

Ce projet vit le jour en 1928 à Shikhani, en URSS, à 15 kilomètres de Volsk. Une trentaine d'Allemands y collaborèrent. Les Soviétiques étaient plus nombreux, mais les deux groupes limitèrent leurs rapports aux strictes nécessités de leur mission. Ce projet se poursuivit jusqu'en 1933, bien que le plus gros de l'équipe allemande quittât le centre en 1931. Il concernait surtout l'ypérite et ses différentes utilisations sur le champ de bataille. Le climat de Shikhani, soumis à d'importantes variations de température (de 45 ° à − 45 °), convenait parfaitement à des expériences sur le comportement de ce gaz soumis à diverses sortes d'environnements. On se livra aussi à des recherches d'ordre défensif et l'on étudia de nouvelles armes à base d'ypérite.

Le *Projet Tomka* était tellement secret que ceux qui y étaient impliqués risquaient la peine de mort s'ils en parlaient autour d'eux. Il permit à l'Allemagne d'accomplir des progrès considérables en matière de guerre chimique, sur un plan théorique, du moins, car lorsque ce projet prit fin

---

1. Cf. F. L. Carsten : *The Reichswehr and Politics 1918-1933*, Oxford, 1966 et SIPRI, *op. cit.*, vol. 1, chap. 4.

les chefs militaires allemands étaient toujours aussi peu convaincus de l'intérêt des gaz de combat.

L'Allemagne avait ratifié sans réserve le protocole de Genève en 1929, sans doute dans l'espoir que cela la mettrait à l'abri d'une agression qu'elle ne se croyait pas en mesure d'affronter, et si elle vivait, comme les autres nations occidentales, dans la hantise de la guerre chimique, il importait assez peu à ses chefs de disposer d'une telle force de combat. Après 1934, toutefois, les choses changèrent, et lorsque éclata la Seconde Guerre mondiale l'Allemagne était l'une des nations les mieux équipées au monde. Heureusement pour les Alliés, elle mesurait mal cette suprématie nouvellement acquise et prêtait à ses adversaires une force de représailles dont ils étaient souvent loin de disposer.

En 1934, les nazis commencèrent à s'intéresser de très près à l'arme chimique et se lancèrent dans un programme de recherches accéléré participant pleinement de la politique de réarmement qu'ils venaient d'entreprendre sur une large échelle. L'administration militaire (*Waffenamt*) fut dotée d'un département autonome spécialisé dans la guerre des gaz, le *Waffenamt Prüfwesen 9* plus communément appelé *Wa Prüf 9*, et, en 1935, on promulgua un décret obligeant les chercheurs à envoyer au laboratoire de Berlin-Spandau un échantillon de toute découverte effectuée dans le domaine des produits toxiques afin d'en étudier les éventuelles applications militaires. Ce décret ne tarda pas à avoir des conséquences très importantes sur l'évolution de la guerre chimique. En décembre 1936, un chimiste allemand, le Dr Gerhard Schrader, qui travaillait sur les insecticides dans les laboratoires du Wuppertal-Elberfeld de l'IG Farben, mit au point un nouveau produit dont il testa les effets sur une colonie de pucerons. Il avait employé une très petite quantité de ce composé et, pourtant, pas un insecte ne survécut. En janvier 1937, Schrader perfectionna sa découverte et il s'aperçut, à cette occasion, qu'elle ne concernait pas que les insectes. L'homme pouvait aussi être affecté et d'une manière que le savant jugea « extrêmement déplaisante ». C'était un euphémisme, car ce que le Dr Gerhard Schrader venait d'inventer n'était autre que le premier membre de la famille des *anticholinestérasiques*, les plus modernes des toxiques mortels appelés aussi *neurotoxiques organophosphorés* ou, tout simplement, *neurotoxiques* : le *tabun*.

Le gouvernement allemand vit immédiatement l'intérêt de cette découverte et ordonna la fabrication de tabun à l'échelle industrielle. Lorsqu'elle débuta, en 1942, la famille des neurotoxiques comptait un nouveau membre, le *sarin*, mis au point en 1938.

Ces composés n'avaient plus rien à voir avec les gaz utilisés au cours de la Première Guerre mondiale ou en Éthiopie. Deux à trois fois plus toxique que l'ypérite, le tabun était encore surpassé par le sarin qui l'était quatre fois plus que lui. Les Allemands construisirent une usine spéciale à Dyhernfurt, où, dans le plus grand secret, ils produisirent près de

30 000 tonnes de tabun de 1942 à 1945 et environ 7 000 tonnes par an de sarin, ce dernier gaz étant également fabriqué dans une autre usine située à Falkenhagen. Puis, en 1944, ils se mirent à produire un troisième neurotoxique, encore plus puissant que le tabun et le sarin : le *soman*.

« Aucun poison sur le champ de bataille n'est plus efficace qu'un gaz neurotoxique, écrivent Matthew Meselson et Julian Robinson[1]; un tel gaz, qui associe forte toxicité et rapidité d'action, efficacité sur la peau et sur le système respiratoire, facilité d'insémination, coût faible et stabilité, est supérieur à tout autre agent chimique. »

La supériorité de l'Allemagne vers la fin des années 30 ne devait pas tout aux neurotoxiques, d'autant que ceux-ci n'avaient pas encore commencé à être produits industriellement. Dans leur délire belliciste, les nazis jouèrent sur plusieurs tableaux. Ils reprirent les travaux effectués dans le cadre du *Projet Tomka* pour les poursuivre dans un nouveau centre d'essais situé à Lüneburg Heath et les moyens mis à la disposition des chercheurs travaillant dans ce centre n'avaient plus rien de comparable avec ceux dont avaient dû se contenter leurs prédécesseurs en URSS. Puis, en 1938, à Celle, près de Hanovre, ils ouvrirent une école militaire de défense antigaz à proximité d'une autre école, la *Nebeltruppenschule*, où étaient formés les cadres et les combattants spécialisés dans la guerre chimique. A cette époque, l'armée allemande comptait six bataillons de spécialistes de ces méthodes de combat. Deux ans plus tard, elle en comptait une vingtaine et, lors du déclenchement des hostilités, en 1939, ses arsenaux renfermaient 12 000 tonnes d'agents chimiques de guerre dont 80 % d'ypérite. Cependant, seule une faible quantité de ces agents était prête à être utilisée. Le reste attendait sagement dans des récipients d'aller remplir des armes appropriées.

Si les Allemands avaient décidé de donner un tel coup d'accélérateur à leur programme chimique militaire, c'est parce qu'ils se croyaient très inférieurs aux autres nations dans ce domaine. Ce sentiment d'infériorité provenait en partie de la prise de conscience d'une contradiction, que l'on rencontrait dans la plupart des pays occidentaux avant 1935, entre la hantise de la guerre chimique, qui régnait alors dans les esprits, et le peu d'intérêt porté par les chefs militaires aux gaz de combat. Tout se passait comme si les responsables de l'armée allemande s'étaient soudain sentis coupables de s'être si peu intéressés à une arme que le monde semblait tellement redouter. Au fond, si les « autres » en avaient peur à ce point, c'est qu'ils avaient peut-être leurs raisons et il était impardonnable de ne pas y avoir prêté plus d'attention. Le retard de l'Allemagne devait être rattrapé au plus vite. Mais était-il rattrapable ?...

En 1949, le général Ochsner, chef des troupes chimiques allemandes

---

1 « La guerre chimique et le désarmement » *Pour la Science*, n° 32, juin 1980.

pendant la guerre, devait résumer en ces termes la situation qui régnait dans son pays vers 1937-1938[1] :

« Il devint de plus en plus évident aux yeux des autorités responsables allemandes que l'Allemagne, en raison des restrictions qu'elle avait subies dans toutes les sphères de l'armement, avait probablement été complètement dépassée dans le domaine des armes chimiques, plus encore que dans tout autre secteur. On s'aperçut également que l'Allemagne ne pourrait pas, en un temps raisonnable, rattraper les puissances étrangères qui avaient acquis une telle avance, tant en ce qui concernait les aspects techniques du problème, eu égard à sa capacité de production, que l'entraînement de la Wehrmacht et de la nation tout entière. La possibilité [de combler ce retard] paraissait encore plus éloignée quant à la protection des grandes villes sur lesquelles pesait une menace imminente. On fut alors contraint d'admettre, en raison de tous ces facteurs, qu'il était d'un intérêt vital pour l'Allemagne que les agents chimiques ne fussent pas utilisés pendant la guerre. »

Autres forces en présence

Les autres pays n'étaient pourtant pas tous aussi préparés à la guerre chimique que le croyaient les nazis. Seuls les Soviétiques auraient pu rivaliser avec eux, et encore... Ils ne disposaient pas des neurotoxiques. Pour avoir travaillé en leur compagnie, les Allemands étaient cependant très au fait de la capacité militaire chimique des Russes, et comme ces derniers comptaient parmi les nations du monde les mieux armées dans ce domaine, cela n'était guère rassurant pour leur ex-partenaire.

L'URSS s'était dotée d'une organisation chimique militaire dès 1920, mais c'est en 1928 que ses chefs d'état-major commencèrent réellement à mettre au point une doctrine spécifique en matière de guerre des gaz. On inaugura alors un vaste programme de recherches à la fois offensives et défensives, et de nombreux centres d'essais abritèrent toutes sortes d'expériences sur des armes nouvelles. Les plus importants étaient le Polygone Kuzminki, près de Moscou, le centre de Gorokhovetshy, près de Gorki, et le TsVKhP de Shikhani où se déroula le *Projet Tomka* jusqu'en 1933, mais que les Soviétiques continuèrent d'utiliser après cette date.

Au cours des années 30, les Russes construisirent plusieurs usines de production d'agents chimiques de guerre, notamment à Bandyuzhky, sur la rivière Kama, à Kuibyshev et à Karaganda et, au cours de la Seconde Guerre mondiale, ces usines fabriquèrent jusqu'à 8 000 tonnes d'agents par mois, du moins si l'on en croit certaines sources allemandes[2].

---

1. Cité in SIPRI : *The rise of CB weapons*, chap. 4, Stockholm, 1971.
2. Citées par F. J. Brown : *Chemical warfare : a study in restraints*, Princeton, 1968.

L'Union soviétique ratifia néanmoins le protocole de Genève en 1928, non sans émettre quelques réserves, et le commissaire de la Guerre Voroshilov, que le *Projet Tomka* avait, en son temps, enthousiasmé, put déclarer à l'occasion d'un discours prononcé le 22 février 1938 :

« Il y a dix ans ou plus, l'Union soviétique a signé une convention abolissant l'usage des gaz empoisonnés et des armes bactériologiques. Nous adhérons toujours à cette convention, mais si nos ennemis utilisent de telles méthodes contre nous, je vous déclare que nous sommes prêts — totalement prêts — à les utiliser aussi et à le faire contre nos agresseurs sur leur propre territoire. »

Si l'URSS était prête à subir et à mener une guerre chimique vers la fin des années 30, on ne peut pas en dire autant des États-Unis. Au cours des années 20, ce pays avait adopté une politique ayant pour principe de ne pas recourir en premier à l'arme toxique en cas de conflit et à reculer le plus possible le déclenchement de représailles de même nature. Cela ne plaisait pas beaucoup aux partisans de la « guerre humaine » mais les chefs militaires américains ne s'intéressaient que très modérément aux gaz de combat.

Les USA se laissèrent cependant gagner comme le reste du monde par la grande peur des gaz à partir de 1926 et, n'ayant pas ratifié le protocole, ils estimèrent n'avoir guère confiance dans les mesures d'interdiction édictées par la SDN. Leurs responsables révisèrent leur politique et cherchèrent alors à se doter d'une force de représailles. Cette décision ne fut pas facilitée par l'arrivée au pouvoir de Roosevelt, dont l'hostilité envers tout ce qui pouvait ressembler de près ou de loin à un gaz de combat était légendaire. Le Président se plia toutefois de mauvaise grâce aux exigences de ses conseillers et, à partir de 1933, l'Armée américaine commença de se pourvoir d'une capacité de riposte chimique importante.

La plupart des recherches et des expériences étaient réalisées à l'Edgewood Arsenal, dans le Maryland, un centre créé vers la fin de 1917 pour répondre aux urgences de l'époque. C'est là que les gaz étaient fabriqués et ce centre connut un singulier regain d'activité après 1933, lorsque les États-Unis changèrent de politique.

Roosevelt n'était cependant pas seul à ne pas aimer les gaz de combat. En 1935, des bouleversements dans l'état-major faillirent compromettre les efforts entrepris depuis deux ans, car les nouveaux chefs militaires étaient nombreux à partager les vues de leur Président. De plus, 1929 et la crise appartenaient à un proche passé. L'argent était rare et l'on n'avait pas très envie de l'employer à la mise au point de nouveaux équipements militaires. Si bien qu'à la fin des années 30 les États-Unis, malgré tout ce qu'ils avaient accompli — ou tenté d'accomplir — depuis 1933, étaient à peine mieux armés pour affronter une guerre chimique qu'une dizaine d'années auparavant. On estime généralement qu'au début de la Seconde Guerre mondiale, ils ne disposaient que de 500 tonnes environ d'agents chimiques de guerre dont la moitié était de l'ypérite.

La France et l'Angleterre n'étaient guère mieux loties.

En Angleterre, on avait arrêté toute fabrication de gaz de combat lors de la signature de l'armistice. Vers 1920, le ministère de la Guerre avait même envisagé de fermer la station expérimentale de défense chimique de Porton où se poursuivaient encore quelques recherches de nature défensive. Mais, en 1922, le gouvernement s'était ressaisi. Pas question de fermer Porton ! Les risques encourus en cas d'agression étaient trop grands; il fallait se donner les moyens de se protéger, sinon de répliquer.

L'Angleterre ratifia le protocole de Genève en 1930 en se réservant le droit d'user de représailles mais, à cette époque, c'était un droit très théorique; son armement chimique était si peu important qu'elle se fût trouvée bien en peine de répliquer à qui que ce soit si elle avait dû essuyer une offensive toxique.

On ne sait pas avec exactitude quand les Anglais décidèrent de se doter d'une force de représailles réelle, mais cela se passa vraisemblablement vers 1936 comme le suggèrent plusieurs déclarations faites cette année-là[1]. La production d'agents chimiques à grande échelle ne commença sans doute que vers la fin de l'année 1938, et lorsque éclata la Seconde Guerre mondiale les Britanniques avaient en stock environ 500 tonnes d'ypérite et 5 tonnes de bromobenzyl cyanide. Ils devaient également fabriquer un peu de phosgène par la suite.

Outre Porton, les Anglais disposaient d'autres centres d'essais dont certains étaient situés sur leurs territoires d'outre-mer, en Inde, en Australie et au Moyen-Orient. Peu avant la guerre, ils passèrent un accord avec les Français pour utiliser l'un des centres expérimentaux d'armement chimique les plus importants du monde à Béni Ounif, dans le Sahara algérien.

Ce centre, qui se trouvait à environ 300 kilomètres au sud d'Oran, faisait près de 5 000 km^2. Il fut inauguré en 1939 et n'abrita pratiquement que des travaux de nature offensive. Mais les Français, lorsqu'ils se lancèrent dans cette aventure avec leurs partenaires britanniques, n'étaient pas tout à fait des débutants en la matière. Aux yeux des Allemands, ils passaient même, avec les Soviétiques, pour les mieux préparés à la guerre chimique. Cette vision des choses était exagérée, mais il est vrai que la France avait poursuivi pendant de longues années d'importants efforts défensifs pour éviter à ses civils et à ses combattants d'avoir trop à souffrir d'une éventuelle offensive.

Pendant la Première Guerre mondiale, la responsabilité de l'armement chimique français fut confiée à l'Organisation du service des gaz de combat qui dépendait, au sein de l'armée, de l'inspection générale de l'artillerie. Les officiers spécialisés dans ces méthodes étaient appelés

---

1. Cf. sur l'entraînement des troupes en atmosphère contaminée le *Times* du 8 avril 1936 : « Poison gas : no British Army training in its use ».

Officiers Z et la production d'agents chimiques était assurée par six usines d'État à Angoulême, Saint-Denis, Vincennes, Melun, Avignon et Aubervilliers, ainsi que par vingt-quatre fabriques privées.

Vers la fin de la guerre, tout ce qui concernait l'approvisionnement de l'armée en munitions de type C et en équipements de protection passa sous le contrôle du service du matériel chimique qui comportait deux branches : l'inspection des études et expériences chimiques et la direction du matériel chimique de guerre. La France disposait alors de plusieurs centres d'essais à Satory, Vincennes, Fontainebleau et Entressen dans les Bouches-du-Rhône. Ce dernier, dénommé Polygone d'Entressen, était d'ailleurs le plus important.

En 1922, on créa près de Paris un centre de recherches spécialisé qui prit le nom d'Atelier de Pyrotechnie du Bouchet. Lorsque les Allemands pénétrèrent en France en 1940, les employés de l'Atelier du Bouchet, leurs dossiers et la plus grosse partie de leur matériel furent transférés à Montpellier, puis à Toulouse. Bientôt, l'occupant interdit toute recherche de nature offensive et les activités de l'Atelier prirent fin. Le centre d'essais de Béni Ounif s'arrêta lui aussi de fonctionner, mais pas pour tout le monde car les Allemands s'en emparèrent et y menèrent leurs propres expériences jusqu'à la fin de la guerre.

Non contente d'avoir été la première puissance à ratifier le protocole de Genève, le 10 mai 1926, la France en est le dépositaire. Elle avait toutefois accompli cette formalité avec réserves, et s'était presque aussitôt préparée sur le mode défensif à l'éventualité d'une guerre toxique. C'est son délégué, rappelons-le, qui vers la fin des années 20 avait, le premier, posé la question des sanctions à appliquer en cas de violation du protocole. Le problème des représailles était donc de ceux qui préoccupaient tout particulièrement les autorités françaises et il est logique que ce pays songeât à se doter d'une force chimique lui permettant de répliquer à un adversaire utilisant le premier cette arme contre lui. On ne possède pas de chiffres sur la nature de cette force mais il semble qu'elle ait été fondée en priorité sur l'ypérite et le phosgène, ainsi que sur l'adamsite et la lévisite. Une chose est sûre : elle était loin de rivaliser avec celles de l'Allemagne et de l'URSS, bien que les Allemands fussent persuadés du contraire. Il est vrai que les Français s'y étaient pris tard pour produire en grande quantité les armes dont ils avaient besoin. Voici ce que l'on pouvait encore lire en 1936 dans le chapeau de présentation d'un article du commandant Gibrin au titre explicite : « Contre la guerre chimique, la parade ne suffit pas : la riposte s'impose[1] » :

« Fidèle à ses engagements internationaux, la France a renoncé jusqu'ici à envisager l'offensive par les gaz, bornant ses efforts à organiser la protection contre cette forme d'attaque. Il est toutefois indispensable

---

1. In *La Science et la Vie*, n° 232, octobre 1936.

que notre armée soit en état, comme celles des autres grandes nations d'Europe, de riposter immédiatement, dès la première attaque chimique; tout retard en cette matière — il fallut plusieurs mois lors de la dernière guerre pour répondre aux attaques de gaz allemands — pourrait, cette fois, nous être fatal. [...] Pour mieux préparer notre armée à se protéger efficacement contre les gaz de combat et à en faire éventuellement usage contre un agresseur faisant fi de ses engagements, une organisation nouvelle s'impose. [...] L'expérience a trop bien démontré la valeur que certains pays accordent aux conventions internationales librement consenties pour que nous ne prenions pas, en France, des mesures rationnelles, comme l'ont déjà fait certaines nations conscientes de l'importance de la guerre chimique dans la guerre future. »

Si la France avait tant attendu pour faire l'acquisition d'une force chimique offensive, c'est parce que, en tant que dépositaire du protocole de Genève, elle ne voulait pas discréditer cette convention en se livrant trop ouvertement à des préparatifs allant à l'encontre des dispositions contenues dans ce texte. Mais en 1936, un « certain pays » avait démontré que le protocole ne constituait pas à lui seul une garantie suffisante pour faire l'économie d'une force de représailles. Et comme la France n'avait jamais dissimulé l'importance qu'elle accordait à cet aspect des choses, plus rien ne semblait s'opposer à ce qu'elle se dotât de cette « capacité de riposte » souhaitée par le commandant Gibrin. Plus rien, sauf le temps...

Par « certain pays », il faut entendre, bien sûr, l'Italie mussolinienne.

Dès 1923, l'armée italienne avait créé en son sein un *Servizio chimico militare* dépendant d'un *Centro chimico militare* placé sous la responsabilité du ministère de la Guerre. Un centre d'essais pour les armes chimiques existait en Italie du Nord et la marine disposait de son propre service de recherches dont les laboratoires se trouvaient à La Spezia.

L'armée de l'air s'intéressait de très près, elle aussi, à l'arme aérochimique et, lorsque le général Badoglio prit l'initiative de la guerre des gaz en Éthiopie, il semble que ce fût à la fois pour des raisons tactiques et expérimentales. Peut-on souhaiter meilleur terrain d'essais qu'un vrai champ de bataille ? L'aviation militaire mussolinienne, en tout cas, apprit beaucoup au cours de cette guerre et les chefs d'armée italiens furent désormais convaincus de l'intérêt de l'arme chimique. Pourtant, leur pays passe pour avoir considérablement manqué de préparation au début de la Seconde Guerre mondiale. On ne possède aucun chiffre précis mais l'on pense généralement que les stocks italiens de gaz de combat n'étaient pas très importants en 1939. Comme partout, ils consistaient principalement en ypérite et en phosgène.

L'Italie avait ratifié sans réserve le protocole de Genève en 1928, aussi son comportement en Éthiopie avait-il de quoi laisser perplexes bon nombre de gouvernements quant à la portée effective de cette convention.

Et pourtant... et pourtant l'arme chimique, en laquelle certains stratèges de cette ère pré-atomique voyaient l'arme absolue, ne fut pas employée au cours de la Seconde Guerre mondiale. Ou presque pas. Tout le monde l'attendait. Tout le monde la redoutait. Mais elle ne daigna pas se manifester. Les villes ne furent pas inondées d'ypérite. Les combattants n'eurent pas à subir les effets du phosgène. Les gaz restèrent dans les usines et les arsenaux, prêts à répondre à un appel qui ne vint jamais.

Pourquoi ?

Pourquoi cette guerre où tous les coups semblèrent très vite permis ne fut-elle pas chimique, voire biologique ? Pourquoi Hitler n'usa-t-il pas des neurotoxiques contre les Alliés ? Et pourquoi l'Armée Rouge ne tira-t-elle pas parti de son avance en matière d'armement toxique ?

Toutes ces questions appellent plusieurs réponses qui se complètent, s'interpellent et même, parfois, semblent se contredire...

VI. *MOURIR EN MANDCHOURIE*

La probabilité d'emploi de l'arme biologique n'est pas basée sur le fait que cette arme est morale ou immorale, permise ou interdite, mais sur le seul aspect de sa rentabilité.

Lieutenant-colonel Ganas, cité par Y. Le Hénaff,
in *Les armes de destruction massive et leur développement en France*, 1978

En cette fin des années 30, l'image trouble et terrifiante des gaz de combat et de leurs effets « stratégiques » sur les populations était indissociable, dans l'esprit du public, de la façon dont on imaginait la guerre future. Or le premier facteur qui empêcha cette image de devenir réalité, lorsque la guerre éclata, ce fut, paradoxalement, cette image elle-même.

La grande peur des gaz de la fin des années 20 et du début des années 30 n'avait pas eu pour seul effet d'engager les nations dans une politique de réarmement chimique à la fois défensif et offensif; elle avait aussi jeté partout le trouble et la confusion quant aux forces des autres pays. En d'autres termes, chacun se croyait en retard sur son voisin car, partout, le symbole avait fini par l'emporter sur la chose et le mythe sur la réalité. Si bien que, lorsque débuta la Seconde Guerre mondiale, personne ne souhaitait réellement prendre l'initiative d'une guerre toxique parce que c'eût été — du moins le croyait-on — courir au suicide.

La crainte des représailles

Cette erreur d'appréciation est vraisemblablement le plus important des facteurs ayant écarté l'arme chimique de la plupart des théâtres d'opérations de la Seconde Guerre mondiale. Soit dit en passant, il est assez ironique de constater que la peur, dont les partisans de la guerre des gaz s'étaient abondamment servis depuis 1926 pour convaincre leurs gouvernements respectifs d'entreprendre une politique d'armement chimique offensif, avait fini par devenir le principal frein à l'emploi de cette arme lorsque la guerre éclata.

Mais cela ne suffit pas à expliquer le non-emploi des gaz au cours de ce conflit, du moins tant qu'on ne précise pas que cette attitude méfiante se traduisit surtout par la crainte de s'attirer des représailles. C'est d'ailleurs pour cette raison que les Allemands déclarèrent, au début de la guerre, qu'ils se conformeraient au Protocole qu'ils avaient signé. Ils n'avaient de toute façon aucun intérêt à se créer des problèmes de cette sorte quand ils étaient en position de force et, lorsqu'ils se retrouvèrent en position de faiblesse, une riposte « de même nature » n'aurait pu que précipiter leur fin. En ce sens, on peut dire que le protocole de Genève ne fut pas totalement étranger à cette situation de non-emploi, car de nombreuses nations qui l'avaient ratifié avaient accompli ce geste en se réservant le droit de répliquer.

Les belligérants ne se privèrent pas de rappeler, tout au long de cette guerre, la menace de représailles qu'ils faisaient peser sur leurs adversaires. De fait, moins les gouvernements songeaient à employer *réellement* les gaz de combat, plus ils insistaient sur leur *capacité de riposte* chimique. En mai 1942, Churchill fit une déclaration demeurée célèbre où il mit en garde les Puissances de l'Axe en ces termes :

« Le gouvernement soviétique nous a fait part de son point de vue selon lequel les Allemands, acculés et jouant le tout pour le tout, pourraient fort bien faire usage de gaz empoisonnés contre les troupes et les peuples de Russie. Nous sommes, quant à nous, fermement résolus à ne pas recourir à cette arme odieuse à moins que les Allemands ne l'emploient les premiers. Connaissant notre Hun [*sic*], cependant, nous n'avons pas omis de nous livrer à des préparatifs sur une formidable échelle.

« Je souhaite à présent faire clairement comprendre que nous traiterons l'usage gratuit des gaz empoisonnés contre nos alliés russes exactement comme si nous en étions nous-mêmes les victimes et que si nous sommes assurés que ce nouvel outrage a été commis par Hitler, nous emploierons notre grande et toujours croissante suprématie aérienne pour porter la guerre chimique à l'Est en prenant pour cibles des objectifs militaires en Allemagne aussi loin qu'il nous sera possible de nous rendre.

« C'est donc à Hitler de choisir s'il souhaite ou non ajouter cette nouvelle atrocité à la guerre aérienne[1]. »

Les Allemands répliquèrent aussitôt en prétendant que les propos du Premier ministre n'avaient d'autre but que de légitimer par avance une offensive chimique anglaise sur leurs villes. Mais la déclaration de Churchill avait fait mouche. Les nazis n'employèrent pas d'armes toxiques en URSS, d'autant qu'ils étaient les premiers à redouter une initiative de cet ordre de la part des Soviétiques comme le prouvent ces lignes écrites par le général Ochsner[2] en 1948 :

---

1. *Times* du 11 mai 1942.
2. Chef allemand de la défense chimique pendant la guerre.

« Les Russes n'utilisèrent même pas les gaz... pour défendre leurs fortifications excellemment préparées à l'arrière de leurs lignes de défense, celles, par exemple, qui se trouvaient devant Leningrad ou dans le secteur situé au milieu de ce qu'ils appelaient la Ligne Staline ; ils ne s'en servirent même pas au cours de l'été 42, lorsqu'ils contrèrent notre grande offensive dans les secteurs du centre et du sud, où ils avaient eu assez de temps pour se préparer. A l'automne 1941 et à l'été 1942, nous pensions qu'il était possible que les Russes puissent avoir recours aux gaz, parce que ces maîtres dans l'art d'établir des positions et d'y combattre (*masters in the construction of positions and in position fighting*) en avaient pleinement réalisé l'intérêt. Nous le savions pour avoir lu des manuels d'instruction que nous avions capturés peu de temps après le début de la guerre. »

En juin 1942, Roosevelt emboîta le pas de Churchill en portant la polémique sur un autre front, celui du Pacifique.

« Des rapports de sources autorisées parviennent à ce gouvernement l'informant de l'usage que font les forces armées japonaises dans diverses localités de Chine de gaz nocifs ou empoisonnés, écrivait le président américain. Je désire faire comprendre sans la moindre ambiguïté que, si les Japonais persistent dans cette forme inhumaine de combat contre la Chine ou contre toute autre Nation Alliée, de telles actions seront considérées par ce gouvernement comme si elles avaient été menées contre les États-Unis et que l'on déclenchera des représailles complètes et de même nature. Nous serons prêts à appliquer totalement le châtiment. La responsabilité en incombera au Japon. »

La guerre des communiqués ne s'arrêta pas en si bon chemin. Un an plus tard, le gouvernement britannique répétait la déclaration de Churchill et le 8 juin 1943 Roosevelt prononçait un discours extrêmement important dans lequel il fondait juridiquement ses menaces de représailles en s'adressant aux puissances de l'Axe :

« Depuis le début de cette guerre, il a été fait état à plusieurs reprises qu'une ou plusieurs des puissances de l'Axe envisageait sérieusement d'utiliser des gaz toxiques ou délétères et autres procédés de guerre inhumains.

« Je répugne à croire qu'une quelconque nation, même parmi nos ennemis actuels, puisse ou veuille répandre sur l'humanité des armes si cruelles et si terribles. Cependant, des sources diverses et de plus en plus nombreuses confirment que les puissances de l'Axe accomplissent d'importants préparatifs en ce sens.

« L'emploi de telles armes a été proscrit par l'opinion générale des pays civilisés. Notre pays ne les a jamais employées et j'espère que nous ne serons pas contraints de le faire. Je déclare catégoriquement qu'en aucun cas nous ne recourrons à l'emploi de telles armes à moins que nos ennemis ne les utilisent en premier.

« En tant que Président des États-Unis et Commandant en Chef des forces armées américaines, je tiens à préciser très clairement pour ceux de nos ennemis qui envisagent de recourir à des méthodes aussi désespérées et barbares, que des actes semblables perpétrés contre tout allié seront considérés comme ayant été commis contre les États-Unis eux-mêmes et traités en conséquence. Nous promettons aux auteurs de tels crimes de rapides et massives représailles à l'aide des mêmes moyens, et je me dois de prévenir les armées et les peuples de l'Axe, en Europe et en Asie, que les terribles conséquences de l'emploi de ces méthodes inhumaines retomberont aussi sûrement et promptement sur leur propre tête. Tout emploi de gaz par une puissance de l'Axe sera donc immédiatement suivi de représailles les plus complètes contre les dépôts de munitions, les ports et autres objectifs militaires, sur toute l'étendue du territoire de ce pays de l'Axe. »

Stratégie, psychologie, sournoiserie, courtoisie...

Représailles... Tout le monde n'avait que ce mot à la bouche. La capacité de riposte de chacun était souvent loin de correspondre à l'image que s'efforçaient d'en donner les belligérants, mais elle n'en existait pas moins car elle constituait le principal rempart dont on disposait, de part et d'autre, contre une agression chimique. Il n'empêche qu'une attaque toxique aurait probablement changé le cours des choses car les pays ne disposaient pas d'équipements défensifs suffisants pour affronter sereinement une telle offensive. Mais cette faiblesse constituait aussi un point fort, dans une certaine mesure, puisqu'elle empêcha quiconque de prendre l'initiative de la guerre des gaz au cours de ce conflit. Toutefois, la crainte des représailles et les erreurs d'appréciation quant aux moyens offensifs dont disposait l'ennemi ne furent pas les seuls facteurs qui écartèrent l'arme chimique des champs de bataille de la Seconde Guerre mondiale.

Au cours d'un entretien, Jean Paucot, l'actuel directeur de l'Institut français de Polémologie, me faisait remarquer que « chaque guerre présente des caractéristiques dominantes ».

« La caractéristique dominante de la Seconde Guerre mondiale a été les graves bombardements aériens et la tentative d'obtenir la capitulation de l'adversaire par la destruction de ses potentiels matériels et industriels et de ses villes. Cela n'a pas réussi. Pourtant, Hitler a déployé des efforts considérables avec les V1, les V2 et les missiles, dans l'espoir de détruire Londres et de contraindre les Anglais à capituler. Ç'a été un échec pour les Allemands mais la dominante de cette guerre n'en demeure pas moins la destruction des potentiels industriels de l'ennemi alors que, dans l'esprit des participants de la Première Guerre mondiale, la dominante était la destruction des combattants, ce qui explique le recours aux gaz dans les tranchées. »

Peur des représailles, erreurs d'appréciation, motifs stratégiques...

A toutes ces raisons qui expliquent en partie le non-recours à l'arme chimique on pourrait en ajouter une autre, plus subtile, plus délicate, et aussi... plus discutable : la *dimension psychologique*.

Il y aurait beaucoup à dire sur ce que le Dr Viola W. Bernard appelle, dans le rapport de l'OMS, les « *conséquences psychosociales possibles d'une menace de guerre chimique (ou biologique)*[1] » et l'on se prend à souhaiter qu'un Gérard Mendel et une Colette Guedeney consacrent à ce sujet un travail du même genre que celui qu'ils ont accompli sur l'angoisse atomique[2]. Pour l'heure, nous ne disposons que de bribes d'informations et de réflexions éparses[3], mais elles suffisent amplement à montrer que nous n'avons décidément pas affaire à des armes comme les autres. Dans quelle mesure cela a-t-il contribué à retenir les belligérants d'employer les gaz, c'est une question à laquelle il est bien difficile de répondre. Néanmoins, il est certain que l'aspect « irrationnel » de l'arme chimique a dû compter auprès des gouvernants et des chefs militaires.

« Plusieurs facteurs ont poussé les États à élaborer le protocole de Genève, explique Ricardo Frailé[4], et parmi ces facteurs, ceux de nature psychologique ne sont pas les moins importants. Je dis bien facteurs *psychologiques* et non pas facteurs *moraux*, parce qu'une arme, cela n'a rien de moral, de toute façon. Et par facteurs psychologiques, il faut entendre tout ce qu'il y a d'irrationnel dans une arme. C'est-à-dire que, avant d'employer l'arme chimique, il ne s'agit pas de dire : "Ah non ! c'est interdit, elle tombe sous le coup d'une interdiction que nous ne pouvons pas nous permettre de violer", ni de s'exclamer : "Cela n'est pas moral; il est impensable d'employer une arme qui cause de telles souffrances !" Cet aspect moral n'est pas le plus important. Ce qui est déterminant, en revanche, c'est la dimension irrationnelle, cette perspective effrayante de mettre la main sur une arme... j'allais dire *étrange*. Peut-être n'est-ce pas le mot qui convient, mais c'est, en tout cas, une arme qui réveille certaines choses profondément enfouies dans l'inconscient, dans cette partie de nous-même que nous ne maîtrisons pas. Et je pense que ces facteurs psychologiques ont eu beaucoup d'influence sur les Allemands au cours de la Seconde Guerre mondiale. Alors, bien sûr, on peut se demander si Hitler a été lui-même sensible à cet aspect des choses. Peut-être pas. Mais Hitler n'était pas seul. Derrière lui, il y avait les troupes allemandes. Et

---

1. Dr Viola W. Bernard, Director, Division of Community and Social Psychiatry, Columbia University, New York : *Conséquences psychosociales*, annexe 6 du rapport *Santé publique et armes chimiques et biologiques*, OMS, Genève, 1970.

2. G. Mendel, C. Guedeney : *L'angoisse atomique et les centrales nucléaires*, Payot, Paris, 1973.

3. Voir aussi l'excellent article « Guerre NBC et panique collective », par M. le médecin en chef de 2e classe L. Crocq in *Revue des corps de santé des armées*, t. XI, n° 4, août 1970 et *Social and psychological aspects of chemical warfare*, par John Cohen, SIPRI, Stockholm, 1968.

4. Entretien privé.

lorsque ses généraux ont refusé d'arroser les côtes normandes avec des gaz toxiques, je pense que c'était en partie pour ne pas recourir à une arme de guerre qui non seulement choquait leur sens moral mais qui, dans leur esprit, se heurtait aussi à certains... "tabous". »

Ces conclusions peuvent évidemment prêter à discussion. La dimension psychologique (ou psychosociale, comme on voudra) particulière liée aux armes chimiques et biologiques est une chose. L'influence qu'elle a pu revêtir sur le comportement des belligérants au cours de la dernière guerre en est une autre que chacun est libre d'apprécier. D'autant que, si ces armes n'ont *presque* pas été employées, ça n'est pas faute d'y avoir songé...

Avant tout, la nuance apportée dans la phrase qui précède a son importance. Il est bien entendu qu'on ne comptera pas parmi les opérations de guerre chimique le génocide commis par les nazis dans les chambres à gaz des camps de concentration. Un tel usage des agents toxiques — en l'occurrence de l'acide cyanhydrique provenant du *Zyklon B* — s'écarte de l'objet de ce livre et il ne m'appartient pas d'en parler. Cependant, il existe, pour la période qui nous intéresse, des allégations d'emploi correspondant parfaitement à des opérations de type militaire et le fait qu'elles soient peu nombreuses ne saurait signifier qu'elles sont dépourvues de fondement.

Dans son édition du 14 mai 1942, le *Times* rapporte que les Allemands auraient utilisé des gaz « par erreur » en Pologne puis en Crimée. Quelques années plus tôt, un correspondant de ce même journal avait signalé l'emploi de bombes à l'ypérite dans la banlieue de Varsovie en septembre 1939 et le gouvernement polonais en exil avait confirmé ces faits en novembre de la même année. Ces accusations déclenchèrent une polémique et les Allemands accusèrent les troupes polonaises de s'être servies de mines à l'ypérite que leur auraient procurées les Anglais en Galicie. Il semble que ce dernier incident se soit réellement produit puisque le général Ochsner le mentionne dans ses Mémoires, mais il précise qu'il fut vraisemblablement provoqué par des combattants isolés agissant de leur propre initiative et n'eut pratiquement aucune conséquence.

Beaucoup plus importante est l'opération qui se déroula dans la péninsule de Kerch en mai 1942 où, selon des sources soviétiques[1], les Allemands asphyxièrent les membres d'une unité de l'Armée Rouge ayant trouvé refuge, avec quelques civils, dans les galeries d'une carrière de pierre. Plus de 3 000 personnes auraient ainsi trouvé la mort en cet endroit. D'autres incidents du même ordre se seraient produits à la même époque en divers points de Crimée mais on ne dispose à ce sujet que de maigres renseignements.

---

1. G. Alexandrov : *Les leçons du passé ne doivent pas être oubliées*, Affaires internationales, Moscou, 1969, cité in SIPRI : *The rise of CB weapons*.

Quoi qu'il en soit, et malgré l'horreur qui s'attache à de tels épisodes, il s'agit de cas isolés auxquels les Alliés ne prêtèrent guère attention. Aucun d'eux, en tout cas, ne provoqua de représailles.

Début 43, lorsque les Alliés parvinrent à Anzio, en Italie, il se produisit un incident dont les Allemands furent victimes sans qu'on puisse pourtant réellement parler d'opération de guerre chimique.

Les Alliés disposaient à proximité de la plage d'un dépôt de munitions toxiques qui fut touché par un obus ennemi; cela provoqua une explosion suivie d'un nuage que le vent porta vers les lignes allemandes. Lord Ritchie-Calder, qui rapporte cet épisode[1], affirme que le commandant allié avertit son homologue allemand en lui assurant que cette intervention des gaz n'était pas intentionnelle...

Exception faite d'événements qui se déroulèrent en Chine et dont il sera question plus loin, ce sont là à peu près toutes les occasions où l'arme chimique est censée avoir été utilisée au cours de cette guerre. Toutefois, si les agents chimiques et biologiques furent quasiment absents des théâtres d'opérations, on ne se priva pas de recourir à leurs services dans des actions relevant de la guerre secrète. Soviétiques et Polonais furent parmi les premiers à les employer contre les Allemands et, en 1942, des hommes de la Gestapo découvrirent dans un pavillon de Varsovie un véritable laboratoire clandestin où étaient produits des agents biologiques — dont le bacille du typhus — ainsi que diverses substances toxiques. Peu de temps après, les Allemands trouvèrent un manuel décrivant aux Soviétiques comment s'y prendre pour empoisonner les troupes ennemies avec de l'arsenic. Il semble que poisons et microbes jouèrent, par la suite, un rôle important dans la guerre secrète des partisans polonais. Mais l'exemple le plus célèbre d'opération réalisée à l'aide d'un agent chimique au cours de la Seconde Guerre mondiale demeure l'assassinat de Reinhardt Heydrich en Tchécoslovaquie, en 1942.

Heydrich passait pour le successeur en titre de Hitler. En septembre 1941, il avait été nommé « protecteur » de Bohême-Moravie. Cette nomination ne fut pas accueillie avec beaucoup d'enthousiasme par les Britanniques qui, en octobre, décidèrent d'assassiner le nouveau « protecteur ». L'opération, baptisée « Anthropoïde », fut montée par les services secrets anglais qui se firent aider par Paul Fildes, le chef du programme de guerre biologique de Grande-Bretagne, et un groupe d'exilés tchèques. Elle eut lieu le 27 mai 1942 à 10 h 30 du matin dans la banlieue de Prague. Heydrich fut attaqué alors qu'il roulait sans escorte. Légèrement blessé par une grenade, il fut immédiatement conduit à l'hôpital Bulovka où son état n'inspira pas beaucoup d'inquiétude. Le lendemain, après une opération qui s'était bien déroulée, il se sentit gagné par la paralysie. Les médecins ne comprirent pas ce qui se passait. Ils

---

1. In *CBW : chemical and biological warfare*, S. Rose, Londres, 1968.

essayèrent différents traitements qui, tous, échouèrent, et le « protecteur » de Bohême-Moravie finit par succomber au terme d'une longue agonie. Les Allemands l'ignoraient, mais la grenade qui l'avait blessé contenait de la toxine botulique.

Arme C contre bombe A

Au début des hostilités, on envisageait de part et d'autre plusieurs cas où l'on pourrait avoir recours aux gaz. Deux documents, l'un datant de 1944, l'autre de 1949[1], nous apprennent que l'on pensait à eux pour les types d'opérations suivants :

— réduire les défenses de l'ennemi avant la prise d'assaut d'une position;

— immobiliser l'ennemi par l'utilisation de gaz persistants en un endroit ne devant pas être attaqué;

— protéger les flancs d'une avance avec des barrières d'agents persistants;

— immobiliser les réserves de l'ennemi situées à l'arrière par l'utilisation d'agents persistants ou réduire leur avance en direction du front;

— compromettre les mouvements de retraite de l'ennemi par l'utilisation d'agents persistants.

D'un point de vue plus défensif, on songeait également aux gaz toxiques pour :

— provoquer des concentrations de troupes chez l'ennemi avant un assaut;

— neutraliser l'artillerie de l'ennemi;

— contaminer les terrains évacués.

Chacune de ces utilisations possibles de l'arme chimique était directement issue de l'expérience des gaz de combat de la Première Guerre mondiale. Aussi s'agissait-il d'emplois tactiques et non stratégiques.

Malgré les réticences éprouvées à des degrés divers par les nations en guerre[2], de tels emplois tactiques auraient pu se produire si leur succès n'avait dépendu d'un trop grand nombre de facteurs — à commencer par les conditions météorologiques — rarement tous réunis sur le terrain.

---

1. US War Department, Military Intelligence Division : *Enemy tactics in chemical warfare*, Washington, septembre 1944 et H. Ochsner : *History of german chemical warfare in World War II*, Historical Office of the Chief of the US Chemical Corps, 1949, tous deux cités in SIPRI : *The rise of CB weapons*.

2. L'arme chimique n'était pas perçue de la même façon par tous les belligérants. Ainsi les spécialistes américains la tenaient-ils pour une arme décisive, à condition de l'employer « au bon endroit et au bon moment », alors que leurs collègues anglais pensaient qu'il ne pourrait s'agir, dans le meilleur des cas, que d'une arme d'appoint.

Lorsque des occasions se présentèrent qui semblaient rassembler tous les critères requis pour un usage des gaz couronné de succès, on eut affaire à d'autres contraintes telles que celles dont nous avons parlé précédemment, à savoir erreur d'appréciation et crainte de représailles. Ainsi peut-être, les Allemands auraient-ils pu obliger les Anglais à capituler en se servant de l'ypérite ou, mieux, des neurotoxiques. L'Angleterre était mal protégée contre une offensive de ce genre et elle aurait sans doute éprouvé quelques difficultés à répliquer efficacement à une agression chimique, surtout pendant les premières années du conflit. Mais les Allemands l'ignoraient, si bien que, pour la seconde fois dans leur histoire, ils laissèrent passer l'occasion de gagner une guerre pour n'avoir pas su discerner le parti qu'ils pouvaient tirer d'une offensive toxique. Peut-être les « aspects psychologiques » évoqués par Ricardo Frailé n'étaient-ils d'ailleurs pas étrangers à ce manque de discernement.

Mais s'ils avaient utilisé les gaz, la victoire ne leur aurait quand même pas été acquise. Car ils auraient bel et bien dû affronter des représailles, ne fût-ce que sur leurs troupes, et cela eût risqué de compromettre les chances de succès d'un débarquement sur les côtes anglaises. On comprend donc que, dans le doute, ils aient préféré s'abstenir...

Lors des débarquements alliés en Italie et en France, l'arme chimique fut plus près que jamais d'être employée et c'est certainement là que les Allemands en auraient tiré le meilleur parti. Du reste, les Alliés s'y attendaient comme en témoigne ce passage tiré des Mémoires du général Omar Bradley[1] :

« Quand bien même une attaque par les gaz sur les plages de Normandie aurait-elle entraîné de graves représailles contre les cités allemandes, je pensais qu'Hitler, déterminé comme il l'était à résister jusqu'à la fin, pourrait bien courir le risque de recourir aux gaz dans une sorte de quitte ou double pour survivre. Il est certain qu'on ne pouvait pas attendre d'un ennemi capable de détruire sans pitié plus d'un million de personnes dans ses camps de concentration qu'il rejette l'arme chimique sous prétexte qu'elle est inhumaine. Quand le jour J s'acheva sans une bouffée de moutarde, je me sentis grandement soulagé. »

L'emploi des gaz sur les côtes normandes aurait été une catastrophe pour les Alliés d'autant que, si les Allemands avaient opté pour cette solution, ça n'est pas du gaz moutarde qu'ils auraient utilisé mais des neurotoxiques. Déjà passablement démunies face à une attaque chimique de type classique, on imagine ce qu'il serait advenu des troupes du débarquement si elles avaient dû affronter ces composés ultra-toxiques.

Cependant, si les Allemands s'étaient servis des neurotoxiques en cette occasion, comme Hitler le souhaitait, les Anglais auraient répliqué dans les quarante-huit heures par deux opérations de représailles chimiques de

---

1. O. M. Bradley : *A soldier's story*, New York, 1951.

grande envergure sur les villes ennemies. En outre, l'Allemagne connaissait de graves problèmes de transport qui eussent rendu difficile l'acheminement des munitions chimiques vers les côtes normandes, sans compter qu'une grosse part de ces munitions n'était pas opérationnelle, beaucoup d'agents attendant encore d'aller remplir les armes auxquelles on les destinait dans les arsenaux du Reich.

Les Allemands ne furent pas les seuls à songer à recourir à l'arme chimique. Alors même que le président Roosevelt dénonçait les « méthodes barbares » des puissances de l'Axe qui s'apprêtaient, selon lui, à déclencher une offensive toxique en 1943, on pouvait lire dans la presse américaine des titres éloquents offrant de la guerre des gaz un tout autre visage. *Nous devrions gazer le Japon*, clamait, par exemple, en toutes lettres le *New York Daily News* du 20 novembre 1943 alors que le *Washington Times* du 20 décembre regrettait : *Nous aurions dû utiliser les gaz à Tarawa.* L'ouvrage du SIPRI reproduit d'autres titres parus ultérieurement : *Vous les auriez bien mieux avec les gaz* (*Washington Times Herald* du 1er février 1944) ou bien encore : *Devrions-nous gazer les Japs ?* (*Popular Science Monthly*, août 1945).

Pareille situation[1] devait être passablement embarrassante pour le président américain, surtout en 1943, lorsque les Japonais niaient farouchement toutes les accusations les concernant et ne cessaient de déclarer qu'ils n'emploieraient jamais les premiers les gaz dans un conflit[2]. Mais les choses vont vite, en temps de guerre, et ce qui s'était dit en 1943 était presque oublié deux ans plus tard.

En février 1945, la petite île d'Iwô-Jima devint l'objet d'âpres combats et fut défendue jusqu'au dernier homme par les Japonais qu'assiégeaient les Américains. Les pertes furent énormes, des deux côtés, et l'on s'aperçut que l'on aurait pu faire l'économie d'une telle boucherie si le président américain n'avait pas rejeté un plan pourtant accepté par tous ses chefs d'état-major. Ce plan prévoyait que la marine bombarderait l'île avec des obus à gaz avant que les troupes n'y débarquent.

Cet épisode sanglant milita fortement en faveur des partisans de l'arme chimique qui ressortirent pour l'occasion le bon vieil argument de la « guerre humaine ». Les stocks de gaz de combat des États-Unis avaient considérablement augmenté depuis le début des hostilités, aussi le Chemical Warfare Service, qui brûlait d'envie de les employer, profita-t-il de ce contexte favorable pour démontrer de manière très convaincante

---

1. L'exaspération produite par un climat de tension internationale ou de conflit conduit souvent l'opinion à se prononcer avec la meilleure conscience du monde pour des solutions extrêmes. Il est difficile de ne pas songer, en lisant les titres de la presse américaine reproduits ci-dessus, au *Nuke Khomeiny* (« Envoyez une bombe nucléaire à Khomeiny ») que l'on voyait sur un grand nombre de badges aux États-Unis, en 1980, au moment de l'affaire des otages... Ce qui tend à prouver, d'ailleurs, qu'avant Hiroshima l'arme chimique passait bien, dans l'esprit du public, pour l'arme absolue.

2. Ils ne devaient pourtant ratifier le protocole de Genève qu'en 1970.

que l'utilisation massive d'agents toxiques dans des opérations de bombardement menées par des B-29 pourrait causer entre 5 et 10 millions de victimes au Japon. Les chefs militaires et politiques américains se laissèrent convaincre et commencèrent à envisager très sérieusement un emploi stratégique de l'arme chimique qui, selon eux, aurait un effet décisif sur l'issue de la guerre. Mais la bombe atomique fit alors son entrée et changea le cours des événements. Avec les conséquences que l'on sait...

Condamnation sans effets

Côté japonais, on n'était pas aussi innocent qu'on voulait le faire croire.

D'abord, il faut savoir que le Japon jouissait d'une position un peu particulière en matière d'armes toxiques. Contrairement à la plupart des autres belligérants, ses troupes n'avaient jamais eu d'expérience directe de la guerre chimique. Au cours des années 20, il n'existait apparemment aucune raison objective pour que le Japon risquât d'être victime d'une offensive toxique; il avait donc traversé sereinement ces années de hantise où l'Occident vivait dans la grande peur des gaz. La politique japonaise en matière d'armes chimiques reposait exclusivement sur des considérations pratiques concernant l'intérêt de telles armes sur le champ de bataille. Quant à la protection des populations civiles, c'est à peine si l'on s'en préoccupait.

Intéressés, sinon séduits, par l'emploi tactique des gaz en Europe au cours de la Première Guerre mondiale, les chefs militaires japonais avaient jugé bon d'étudier cette arme dès 1919, et l'armée s'était alors dotée d'un établissement de recherches. En 1923, la marine, qui faisait cavalier seul, avait commencé à s'équiper, et en 1925, l'année même de l'adoption du protocole de Genève, l'armée avait officiellement adopté les gaz comme arme pour ses troupes.

Au début des années 30, la production d'agents toxiques commença. Elle se déroulait dans deux arsenaux, l'un, dépendant de la marine, à Samukawa, *l'arsenal Sagami*, l'autre, travaillant pour l'armée de terre et l'armée de l'air, près d'Hiroshima, *l'arsenal Tadanoumi*. Les masques et les équipements de protection étaient fabriqués, quant à eux, par l'industrie civile.

Depuis 1919, les Japonais disposaient de plusieurs laboratoires de recherche dont le plus important avait pris le nom de *Sixième laboratoire militaire*, en 1925. Situé à Itabashi, il employait une centaine de militaires et plus de 600 civils en 1945. Cet établissement avait une antenne en Mandchourie où travaillaient environ 300 personnes et il existait au Japon, à Formose et en Mandchourie de nombreux centres d'essais qui prirent beaucoup d'importance à partir de 1933, année où débuta réellement l'entraînement des troupes aux techniques de la guerre chimique.

Mais, comme dans la plupart des pays du monde, malgré tous ces efforts, les gaz de combat n'intéressaient pas beaucoup les chefs militaires du Japon. L'arme chimique restait une arme tactique dont la décision d'emploi ne dépendait pas d'un très haut niveau hiérarchique et l'on négligeait totalement la protection des civils, ce dont les Américains n'allaient pas manquer de se souvenir en 1945.

C'est donc sur un plan tactique que les troupes japonaises eurent recours aux gaz toxiques contre les Chinois entre 1937 et 1945. Car les allégations mentionnées par Roosevelt étaient bel et bien fondées.

Le 26 juillet 1937, le Japon ouvrait les hostilités contre la Chine sans déclaration de guerre en prétextant un incident survenu entre des soldats des deux pays. Dès le début des combats, le secrétariat de la SDN était saisi de plaintes concernant l'emploi de l'arme chimique par les Japonais. Les accusés reconnurent avoir recours à des irritants mais nièrent utiliser des agents létaux. On assista dès lors à un scénario assez proche de celui du conflit italo-éthiopien. Les rapports se multiplièrent d'août 1937 à novembre 1943 et ne laissèrent planer pratiquement aucun doute quant à la nature des agents utilisés par les troupes japonaises.

L'ouvrage du SIPRI *The Rise of CB Weapons* rapporte plusieurs incidents qui se produisirent pendant cette guerre. Certains firent l'objet d'enquêtes approfondies de la part des Américains. Sur le front du Yang-tsé, à Ichang, en octobre 1941, des obus chargés d'un mélange d'ypérite et de lévisite provoquèrent 1 600 victimes dans les rangs chinois dont 600 morts. Des photos des victimes furent publiées dans la presse chinoise et américaine.

Les civils n'étaient pas épargnés. Il arrivait que les Japonais se servent d'agents toxiques pour faire sortir de leur cachette des paysans ayant trouvé refuge dans des grottes et des tunnels et les abattent ensuite selon une technique que les Américains devaient reprendre à leur compte au Vietnam. Lors d'une opération semblable, qui eut lieu dans des cavernes situées à proximité du village de Peihuan, dans la province de Ting Hsien, le 28 mai 1942, 300 soldats japonais asphyxièrent 800 paysans chinois à l'aide de phosgène.

Les Chinois étaient dépourvus de toute protection contre de telles méthodes mais il leur arriva d'employer contre leurs agresseurs des armes qu'ils leur avaient subtilisées. En septembre 1938, à Ch'ing Hua Chen, ils bombardèrent plusieurs divisions ennemies avec du phosgène et du diphosgène provenant des arsenaux adverses. Mais de tels cas ne se produisirent pas souvent. Au total, 10 % des pertes chinoises furent causées par des agents toxiques. 25 % des projectiles utilisés par l'artillerie nippone dans cette guerre et 30 % des bombes déversées par l'aviation furent des armes chimiques[1].

Les Japonais se servirent de la Chine comme d'un gigantesque champ

_____

1. Chiffres cités par A. A. Stepanov et J. H. Popov, *op. cit.*

d'expériences ainsi que les Italiens l'avaient fait en Éthiopie quelques années auparavant. La leçon fut profitable, surtout en ce qui concerne le rôle de l'aviation et l'emploi des agents irritants par les forces terrestres pour accroître leur mobilité. Ces armes ne furent cependant pas utilisées contre les Américains dans le Pacifique bien que les Japonais fussent sur le point d'y recourir dans les îles Mariannes lorsque les combats qui s'y déroulaient prirent un aspect décisif aux yeux de leur état-major. L'autorisation d'employer l'arme chimique fut refusée par le général Tojo et les choses en restèrent là.

Quant aux événements de Chine, ils provoquèrent un début de réaction chez les États membres de la SDN, qui envisagèrent une enquête menée « par la voie diplomatique ». Cela ne dépassa pas le niveau des intentions, et à partir de 1939, ces incidents eurent surtout pour effet de consacrer l'abandon par la Société des Nations de « ses derniers moyens pour faire respecter l'interdiction d'une méthode de guerre unanimement condamnée » (Ricardo Frailé).

La guerre infamante

L'emploi des gaz toxiques contre les Chinois est un fait acquis. Il n'est pas question de l'approuver, ni même d'en atténuer la portée en arguant de bien peu probantes circonstances atténuantes. Mais, pendant que ces incidents se déroulaient et provoquaient l'indignation de ceux qui, en ces temps troublés, étaient encore en mesure de s'indigner, d'autres événements infiniment plus atroces se produisaient en Chine et en Mandchourie. Des hommes mouraient, victimes d'expériences inconcevables et de méthodes de guerre infamantes, et le monde n'en savait rien. Ou presque rien... jusqu'en 1945. Le Japon, en secret, se préparait à la guerre biologique et, aujourd'hui encore, l'histoire de ces préparatifs et de leurs conséquences est loin d'être close, d'autant qu'elle eut des prolongements bien après la fin des hostilités.

On en sait toutefois davantage maintenant sur ce sujet qu'il y a quelques années, car une émission de télévision japonaise a révélé, en 1976, des faits jusque-là demeurés secrets[1] et les Américains ont récemment « déclassifié » plusieurs documents[2], éclairant d'un jour nouveau ces sombres épisodes de l'histoire du Japon.

Pendant longtemps, les deux principales sources d'informations concernant ces événements étaient des comptes rendus américains d'interrogatoires de prisonniers précédemment impliqués dans ces travaux, et un rapport soviétique intitulé : *Documents relatifs au procès des anciens*

1. *A bruise-terror of the 731 corps*, documentaire de Yoshinaga Haruko produit par la chaîne de télévision japonaise Tokyo Broadcasting System et diffusé le 2 novembre 1976.
2. Voir la remarquable synthèse qu'en fait John W. Powell dans son article « A hidden chapter in history » in *The Bulletin of the Atomic Scientists*, vol. 37, n° 8, octobre 1981.

militaires de l'armée japonaise, accusés d'avoir préparé et employé l'arme biologique (Moscou, 1950).

Bien qu'incomplets et laissant de nombreuses questions sans réponse, ces deux séries de documents étaient particulièrement éloquentes. Le « procès » auquel se réfère le rapport soviétique eut lieu à Khabarovsk en décembre 1949. Douze hommes y furent jugés pour crimes de guerre et condamnés à mort en raison de leur participation au programme de guerre biologique en Chine et en Mandchourie. Mais les principaux responsables ne figuraient pas au banc des accusés. Nous verrons tout à l'heure pourquoi...

A en croire les rapports américain et soviétique, il semble que ces travaux aient commencé peu après 1931, lorsque le Japon occupait les provinces du nord-est de la Chine à la suite de ce qu'il est convenu d'appeler l'« incident de Mandchourie[1] ». Un chirurgien militaire du nom d'Ishii Shiro choisit ce moment pour convaincre ses supérieurs des nombreux avantages de l'arme biologique. Selon lui, il s'agissait d'une arme capable de causer un très grand nombre de victimes pour un coût peu élevé.

Ishii Shiro, qui travaillait à l'hôpital militaire de Harbin, en Mandchourie, fut écouté. On le promut lieutenant général et il put commencer ses recherches dans les laboratoires de l'hôpital. Deux facteurs avaient joué en sa faveur : d'abord, son propre enthousiasme, provoqué, dit-on, par un voyage en Europe au cours duquel il avait entendu parler de l'arme biologique à la Société des Nations; ensuite, la capture de saboteurs soviétiques transportant des fioles remplies de bactéries du charbon et du choléra.

En 1937, le ministère de la Guerre, qui jugeait très encourageants les travaux accomplis jusque-là par Ishii, l'autorisa à entreprendre la construction d'un gigantesque centre d'essais et de recherches à Pingfan, près de Harbin. Lors de son entrée en fonction, ce centre comprenait des installations très sophistiquées pour la culture des bactéries et l'élevage d'insectes, une prison où étaient enfermés les hommes destinés à servir de sujets d'expériences, des terrains d'essais, un arsenal pour la fabrication de bombes biologiques, un terrain d'aviation, des avions spéciaux et un « crematorium » pour les victimes. En 1939-1940, au plus fort de son activité, il employait 3 000 personnes, dont la plupart étaient des militaires, car les responsables de ces expériences ne désiraient pas y mêler un trop grand nombre de civils.

L'originalité du programme d'Ishii Shiro consistait donc à se servir

---

1. Pour résoudre les problèmes provoqués par la crise économique de 1929, le Japon adopta une politique expansionniste et envahit la Mandchourie en 1931. Il y eut ensuite une courte période de paix obtenue par la trêve de Tam Kou puis le gouvernement japonais réaffirma sa volonté expansionniste en Chine et ouvrit à nouveau les hostilités en 1937 comme cela a été relaté précédemment.

d'êtres humains comme cobayes. Il y en eut plus de 3 000 qui périrent ainsi dans des conditions atroces pour que s'accomplissent les rêves fous de l'ex-chirurgien et de ses supérieurs. Parmi ces hommes et ces femmes qui devaient mourir en Mandchourie se trouvaient des prisonniers chinois, des Mongols, des Russes, mais aussi — on le sait depuis très peu de temps — des Américains. Un témoin mentionna la présence de prisonniers américains à Pingfan lors du procès de Khabarovsk; les Japonais s'en servaient pour étudier « l'immunité des Anglo-Saxons aux maladies infectieuses ». Mais cette information passa pratiquement inaperçue; aux États-Unis, on la mit fortement en doute et l'on s'efforça, sinon de l'étouffer, du moins de lui faire aussi peu de publicité que possible. Il y avait à cela de bonnes raisons.

L'« Unité 731 », nom de code du centre de Pingfan, n'était pas le seul établissement spécialisé japonais. On en connaît au moins deux autres : l'« Unité 100 » près de Changchun, et le « Département Tama » à Nanjing. On y poursuivait les mêmes recherches qu'à Pingfan, si bien que le chiffre de 3 000 avancé par les Américains et les Soviétiques est très en dessous du nombre réel — mais inconnu — des victimes de ces expériences. Il ne concerne que l'« Unité 731 », et encore ne s'agit-il que d'une estimation.

Tous les centres de guerre biologique étaient camouflés en unités de la Croix-Rouge[1].

Les travaux proprement dits concernaient la mise au point de bombes et de systèmes d'armes destinés à la dissémination d'agents pathogènes à grande échelle, ainsi que l'étude de différentes sortes de micro-organismes infectieux et de vecteurs animaux (puces, rats, etc.). On se livrait également à des recherches de nature défensive et l'on formait des spécialistes de la guerre biologique.

Les Japonais fabriquèrent huit catégories de bombes spécialement conçues pour la dissémination des agents infectieux. Trois d'entre elles furent poussées assez loin et produites en grande quantité.

La bombe *Uji* devait permettre la création de nuages bactériens. Elle était faite en porcelaine afin de réduire la charge explosive et, par conséquent, les effets thermiques et mécaniques qui eussent risqué de nuire à l'agent pathogène. On en fabriqua de différentes tailles, les plus petites pouvant contenir 10 litres d'agent et les plus grosses 100 litres. Ce fut la version 10 litres qui eut le plus de succès avec un poids total de 35 kg. Les principaux agents utilisés pour ces bombes étaient les bacilles de la peste et du charbon.

La bombe *Ha* était une bombe à fragmentation en acier d'un poids total de 41 kg contenant le bacille du charbon. Les blessures provoquées par la

---

1. C'étaient aussi des voitures camouflées en véhicules de la Croix-Rouge qui apportaient le *Zyklon B* dans les camps de concentration allemands avant les exécutions en chambre à gaz.

fragmentation devaient contribuer à la pénétration de l'agent dans le corps des victimes.

La bombe *Ro*, enfin, était également en acier. Elle pesait 22 kg et contenait 2 litres d'agent pathogène.

Outre les bombes, les chercheurs de Pingfan mirent au point plusieurs systèmes de dissémination tels que des réservoirs d'épandage pouvant créer des nuages infectieux sur de vastes zones à partir d'avions.

Quant aux micro-organismes étudiés, ce furent les agents de la fièvre typhoïde, de la dysenterie, du choléra, de la peste, du charbon et de la morve.

Les experts japonais ne se contentaient pas d'utiliser des cobayes humains, dans leurs expériences; ils faisaient aussi en sorte que leurs victimes ne survivent pas à ces traitements. Au fur et à mesure qu'une épidémie se développait chez un groupe de sujets, ils choisissaient certains individus et les tuaient afin de les autopsier pour suivre les progrès de la maladie à différents stades de son évolution.

Parmi les documents recueillis par les Américains après la guerre figurent plusieurs témoignages de savants et militaires qui participèrent à ces expériences. En voici un provenant du général Kitano Masaji et du Dr Kasahara Yukiv[1] qui décrit le « sacrifice » d'un cobaye humain se remettant d'une attaque d'encéphalite à tique :

« Une suspension de cervelle de souris... lui fut injectée... et provoqua des symptômes au bout de la période d'incubation de 7 jours. La température la plus élevée (enregistrée) fut 39,8 °C. Le sujet fut sacrifié quand la fièvre se mit à baisser, aux environs du 12e jour. »

Mais ça n'est pas tout. Lors du procès de Khabarovsk, des accusés devaient révéler que le lieutenant général Ishii et ses hommes travaillaient aussi sur des projets n'étant pas directement liés à la guerre biologique. Devant les ravages provoqués chez les soldats japonais par les maladies vénériennes, on s'était mis à étudier ce problème en inoculant la syphilis à des prisonnières chinoises pour mettre au point une méthode de prévention.

Une autre expérience pratiquée dans l'« Unité 731 » avait pour nom « Projet Glacial » (*Freezing Project*). Voici la description qu'en donne le compte rendu du procès :

Lorsqu'il faisait extrêmement froid, on faisait sortir des prisonniers. « Leurs bras étaient nus et on les refroidissait encore davantage à l'aide d'un courant d'air artificiel. On procédait ainsi jusqu'à ce que leurs bras gelés, lorsqu'on les frappait avec un court bâton, émissent un son ressemblant à celui que fait une planche sur laquelle on tape. »

Un film a été réalisé sur ces expériences; on y voit des hommes et des femmes aux membres pourris par le froid et aux os apparents.

On étudia aussi la gangrène, que l'on provoquait en blessant des

---

1. Cité par John W. Powell, article cité.

prisonniers aux fesses par des bombes à fragmentation et en les renvoyant ensuite sans les soigner dans leurs cellules.

· Mais nous n'en finirions pas d'énumérer toutes ces expériences atroces. Des travaux sont en cours, actuellement, au Japon et aux États-Unis, qui devraient permettre de savoir jusqu'où sont allés les médecins fous de Mandchourie. Une chose est sûre : Dante n'avait rien vu !

Les experts japonais prêtèrent aussi beaucoup d'attention aux vecteurs animaux, c'est-à-dire aux puces, aux rats et aux campagnols, dont ils pratiquèrent l'élevage intensif. En ce qui concerne les puces, on les « nourrissait » avec des rats infectés, puis on les enveloppait dans du coton, lui-même entouré de papier où l'on mettait du grain pour attirer les rats une fois sur le terrain. On comptait sur les puces pour infecter ces rats et déclencher ainsi une épidémie « naturelle »...

Et comme aucun centre d'essai ne peut remplacer un terrain en grandeur réelle, les Japonais décidèrent d'aller tester leurs armes biologiques en URSS et en Mongolie, puis en Chine.

En octobre 1940, la ville de Ningbo, près de Changhaï, fut victime de la peste, alors que cette maladie y était, jusque-là, inconnue.

Au cours des années qui suivirent, la Chine dénonça plusieurs offensives de ce genre et certaines d'entre elles donnèrent lieu à des enquêtes approfondies. Les premiers rapports concernant ces incidents furent publiés en avril 1942. On les doit au Dr Robert K.S. Lim, de la Croix-Rouge chinoise, et au Dr R. Pollitzer, un épidémiologiste travaillant pour la SDN qui se trouvait alors dans la province de Junan. Les Dr P. Z. King, directeur général de l'Administration nationale de la Santé chinoise, et Chen Wen-kwei, ancien expert de la peste en Inde pour la SDN, se livrèrent à peu près à la même époque à des investigations similaires. Très vite, il apparut que ces allégations n'étaient pas dénuées de fondement quoique la presse étrangère, et notamment la presse américaine, émît de sérieuses réserves les concernant. Cela paraissait trop gros, trop incroyable, et l'on imaginait difficilement les Japonais capables d'une chose pareille. Pourtant, voici la liste de quelques-uns des incidents les plus connus :

— octobre 1940 : Chuhsien, province de Chekiang;
— octobre 1940 : Ningpo, province de Chekiang;
— novembre 1940 : Kinhwea, province de Chekiang;
— novembre 1941 : Changteh, province de Hunan;
— août 1942 : Nanyang, province de Hunan...

Ce que les Japonais essayaient de répandre en Chine, c'était la peste. Pour ce faire, ils utilisèrent plusieurs méthodes dont la plus courante consistait à lâcher des grains de riz et de blé infectés au-dessus des villes. A Changteh, l'un des cas les mieux connus en raison des pages que le Dr Pollitzer lui consacra dans un livre qu'il écrivit en 1954[1], un seul avion

---

1. R. Pollitzer : *La peste*, OMS, Genève, 1954.

volant à très basse altitude largua non seulement du blé et du riz, mais aussi des bouts de papier, du coton et d'autres objets de petites tailles. Sept jours plus tard, le premier cas de peste bubonique éclatait dans cette région.

En Occident, ces allégations provoquèrent des réactions mitigées. Il est vrai qu'en 1942 chacun avait suffisamment de problèmes pour ne pas se préoccuper outre mesure de ce qui se passait en Chine. Il fallut attendre le procès de Khabarovsk pour que l'on s'aperçût que les Japonais s'étaient effectivement livrés à des opérations de guerre biologique en Chine, ainsi qu'en URSS et en Mongolie où des saboteurs avaient été chargés de déclencher plusieurs épidémies en 1939 et 1940. Malgré cela, il se trouva encore pendant de longues années des journalistes, des militaires et des politiciens pour douter — ou prétendre douter — des informations recueillies à Khabarovsk[1]. Les résultats de ces opérations ne furent pourtant pas à la mesure des espoirs que les Japonais avaient placés en elles. Les archives officielles de la République populaire de Chine contiennent la liste de onze villes frappées par ces attaques biologiques, mais le nombre des victimes de la peste artificielle se situe aux alentours de 700 pour une période comprise entre 1940 et 1944[2].

Après la guerre, les Américains essayèrent d'analyser les raisons de cet échec : a) sélection limitée ou inappropriée des agents biologiques; b) refus (et même interdiction) d'un effort de coopération entre les différents éléments de l'armée; c) exclusion des savants civils, ce qui priva le projet du talent des meilleurs techniciens de l'empire; d) une politique de retranchement à un moment crucial du projet.

Et de conclure : « Si l'on avait suivi en 1939 une politique qui eût permis à un budget raisonnablement généreux d'être appuyé par une organisation ayant quelque pouvoir à l'intérieur du système militaire japonais, et qui eût renforcé l'intégration des services concernés et la coopération entre les employés, le projet de guerre biologique eût très bien pu produire une arme satisfaisante. »

Mais les efforts déployés pendant tant d'années par Ishii Shiro et ses hommes ne devaient pas être perdus pour tout le monde...

---

1. Cf. Camille Rougeron dans *Le Monde* du 14 janvier 1950 (article intitulé « L'arme biologique pourra frapper l'homme, l'animal et la plante ») : « Que dispersèrent les avions japonais accusés de ce méfait par les communiqués chinois de l'époque ? Est-ce des puces de rats pesteux, comme il résulterait des "aveux" faits par les dirigeants de l'Unité 731 ? C'est vraisemblable, car c'est la première méthode qui peut venir à l'esprit pour la transmission de la maladie. La remise en liberté de prisonniers auxquels on aurait inoculé le typhus ou la typhoïde est également une idée acceptable. Mais un doute subsiste, surtout quand on voit la *Pravda* orchestrer ces informations par une attaque contre les États-Unis accusés de préparer l'arme biologique pour un prochain conflit. »

2. Cf. *Rapport de la commission scientifique internationale pour l'investigation des faits concernant la guerre bactérienne en Corée et en Chine*, Pékin, 1952.

La honte

Le 8 août 1945 à minuit, les tanks soviétiques franchissaient la frontière séparant la Sibérie de la Mandchourie. Le Japon était à une semaine de la capitulation. Au cours des quelques jours qui suivirent, les responsables du programme biologique détruisirent toutes leurs installations, massacrèrent leurs cobayes humains encore en vie[1], brûlèrent une partie de leurs documents — mais non la totalité, comme on a bien voulu le faire croire pendant longtemps — et allèrent, pour la plupart, se réfugier en Corée avec tous les dossiers et le matériel qu'ils avaient pu sauver. De là, ils passèrent au Japon sans la moindre difficulté.

Russes et Américains firent prisonniers quantité de personnes impliquées dans ce programme, mais lorsque le procès de Khabarovsk s'ouvrit, le 25 décembre 1949, douze hommes seulement se trouvaient dans le box des accusés, douze officiers, dont le plus important était l'ancien commandant en chef de l'armée de Kwantung où existait un « Détachement Ishii » spécialisé dans les opérations biologiques. Quant à Ishii Shiro, que l'on n'appelait plus, désormais, que l'« idéologue de la guerre biologique », nul ne savait où il se cachait.

En 1955, un hebdomadaire de Tokyo intitulé *Bungeishunju* publia un article écrit par un certain Hiroshi Akiyama qui prétendait avoir appartenu à l'« Unité 731 ». Tout en faisant certaines révélations quant aux expériences de Pingfan, l'auteur rappelait que l'URSS avait transmis aux Alliés, le 2 février 1950, un mémorandum réclamant le procès de l'empereur Hiro-Hito et de plusieurs officiers supérieurs japonais, dont le lieutenant général Ishii Shiro, pour guerre biologique contre l'Union soviétique. Mais le général MacArthur avait rejeté ce mémorandum et, à en croire M. Akiyama, Ishii Shiro et sa famille avaient reçu l'ordre de se cacher et d'éviter tout contact avec la presse. La réalité était plus complexe et, à sa manière, plus édifiante...

Une parenthèse s'impose, avant de voir quel fut le sort d'Ishii Shiro et de ses principaux collaborateurs. On a émis beaucoup d'hypothèses quant au partage des responsabilités dans le programme de guerre biologique japonais. Les Soviétiques, on vient de le voir, voulaient traduire en justice jusqu'à l'empereur lui-même. Il semble pourtant à peu près certain aujourd'hui que ce dernier n'a jamais eu connaissance des expériences réalisées en Mandchourie. Dans un article récent intitulé « A judge's view[2] », Bert V. A. Röling, membre de l'Institut de Polémologie de l'université de Groningen, en Hollande, souligne que certaines confessions recueillies lors du procès de Khabarovsk sont citées comme si leurs auteurs avaient agi sur ordre secret de l'empereur. Or « l'empereur ne donne pas d'ordre pour faire accomplir des actes spécifiquement

---

1. Lors de l'émission de la télévision japonaise de 1976, un témoin devait déclarer qu'il avait fallu trente heures pour réduire en cendre tous les prisonniers.
2. In *The Bulletin of the Atomic Scientists*, vol. 37, n° 8, octobre 1981.

militaires. Tout ce qui est ordonné par le gouvernement et ses représentants officiels l'est "au nom de l'empereur". Mais son rôle a ceci de remarquable qu'il ne peut prendre de décisions; il doit se contenter de confirmer les décisions du gouvernement. La "volonté impériale" est décisive, mais elle dérive entièrement du gouvernement et du petit cercle de personnes qui gravitent autour du trône ».

Ceci ne saurait évidemment prouver qu'Hiro-Hito ignorait tout des travaux d'Ishii Shiro mais, si l'on en juge d'après les témoignages de plusieurs personnes impliquées dans ce programme — et notamment de M. Hiroshi Akiyama —, il semble pourtant qu'il n'en ait rien su. Ishii n'agissait pas seul, c'est évident. On suppose même, aujourd'hui, qu'en dépit de ce que pourrait laisser penser son rôle dans cette affaire il n'a été qu'un instrument[1]. L'officier d'état-major de la division des opérations dont dépendait Ishii Shiro était le lieutenant-colonel Miyata qui, dans le civil, n'était autre que le prince Takeda. De là à penser qu'à la cour tout le monde n'était pas étranger au programme mandchourien... D'autant qu'Ishii comptait un ami parmi les proches de l'empereur, le général Nagata Tetsuzan, qui avait longtemps été le militaire le plus puissant du Japon. Jusqu'à quel échelon de la hiérarchie avait-on connaissance des expériences de Mandchourie ? C'est ce que révéleront, peut-être, certains travaux en cours.

Pour les Alliés, cependant, « l'idéologue de la guerre biologique » était bien Ishii Shiro. On comprend que les Soviétiques aient voulu le juger. Mais cette satisfaction leur fut refusée car Ishii avait négocié en secret sa liberté avec les Américains en échange d'informations relatives aux résultats de ses expériences. Il ne fut d'ailleurs pas le seul à agir ainsi. La plupart des experts et des responsables de l'« Unité 731 » en firent autant et certains d'entre eux, tel le général Kitano, vivent encore aujourd'hui une retraite heureuse quelque part dans le monde, à l'abri des indiscrets.

Voilà ce que les États-Unis cachèrent pendant si longtemps à l'opinion internationale et que la déclassification récente de documents ultra-secrets vient seulement de révéler, ce marché ignoble où des criminels de guerre n'ayant rien à envier à ceux que l'on jugea à Nuremberg échangèrent des renseignements et des résultats d'expériences inqualifiables contre leur vie et leur liberté. Et c'est pourquoi les responsables américains s'efforcèrent de passer sous silence la présence de soldats anglo-saxons parmi les cobayes de l'« Unité 731 » car, si cela s'était su, l'indignation qui aurait suivi eût risqué de compromettre le marché conclu avec les médecins japonais.

Le texte suivant est celui d'un câble « top secret » envoyé de Tokyo à Washington le 6 mai 1947 :

« Des déclarations effectuées avec réticence par Ishii indiquent qu'il avait des supérieurs (peut-être l'état-major) qui... ont autorisé ce

---

1. Voir John W. Powell, article cité.

programme. Ishii affirme que si on lui garantit par écrit l'immunité contre toute poursuite pour "crime de guerre" pour lui-même, ses supérieurs et ses subordonnés, il peut décrire le programme en détail. Ishii prétend avoir des connaissances théoriques extensives de haut niveau comprenant des informations sur les aspects stratégiques et tactiques de la guerre biologique d'un point de vue défensif et offensif, appuyées par des recherches sur les meilleurs agents à employer dans les aires géographiques d'Extrême-Orient et l'utilisation de l'arme biologique en climat froid. »

Les chefs militaires américains furent très intéressés par ces propositions alléchantes et offrirent à Ishii et ses amis toute l'immunité qu'ils réclamaient en échange de leurs renseignements. Le Dr Edwin V. Hill, qui travaillait à Camp Detrick, dans le Maryland, le plus important des centres de recherches américains sur l'arme biologique, devait expliquer, non sans quelque terrifiante candeur :

« ... De telles informations ne peuvent pas être obtenues dans nos propres laboratoires en raison des scrupules qui s'attachent à l'expérimentation humaine. » Et encore : « Il est souhaitable que des individus ayant volontairement contribué à cette information se voient épargner les ennuis qui pourraient en résulter et que l'on fasse tous les efforts possibles pour éviter que de tels renseignements tombent en d'autres mains. »

Un compte rendu ultra-secret du Dr Edward Wetter et de M. H.I. Stubblefield daté du 1er juillet 1947 nous apprend qu'Ishii travailla d'arrache-pied et prépara de volumineux dossiers après avoir accep'é de fournir à ses bienfaiteurs un choix représentatif de photos choisies parmi 8 000 diapositives de tissus humains et animaux soumis à diverses expériences biologiques.

Plus tard, Cecil F. Hubbert, membre du comité de coordination de l'État, de la Guerre et de la Marine, et E. F. Lyons Jr, membre de la section des programmes et de la police de la branche des crimes de guerre, écrivaient, dans un mémorandum :

« Le groupe japonais de guerre biologique est la seule source que nous connaissons d'informations concernant des expériences réalisées sous contrôle scientifique montrant les effets directs des agents de guerre biologique sur des êtres humains. D'autres informations d'un intérêt considérable peuvent être obtenues de ce groupe en ce qui concerne des expériences de guerre biologique sur les animaux et les récoltes... »

Ce mémorandum suggérait, par conséquent, que les Japonais fussent informés que tous ces renseignements ne seraient pas diffusés hors des cercles très restreints qu'ils concernaient.

Ils ne le furent pas et le secret fut bien gardé. Mais cela n'empêcha pas les Américains de craindre pendant de longues années de voir les Soviétiques découvrir leur petit marché. Ce qu'ils redoutaient, aussi, c'était que les Russes s'aperçoivent qu'il y avait des prisonniers américains parmi les cobayes de Mandchourie et qu'ils s'en servent comme d'un moyen de pression pour qu'on leur livre les criminels qu'ils voulaient juger.

Mais rien de tout cela n'arriva. Le général Ishii et la plupart des responsables de l'« Unité 731 » vécurent des jours heureux et nul ne les inquiéta désormais pour avoir massacré quelques milliers d'innocents dans des expériences que n'auraient pas désavouées les nazis.

VII. *LE GRAND BLUFF*

> *« "Ceci n'est pas mon œuvre", disait Titus contemplant au siège de Jérusalem les cadavres des habitants qu'expulsaient leurs compatriotes, et qu'il se refusait à laisser franchir les lignes d'investissement. Si Moscou lançait les peuples asiatiques à l'assaut des derniers espaces libres, il suffirait au président Truman de confier à la mousson, au large des côtes d'Extrême-Orient, quelques-unes des productions de Dupont de Nemours ou de Monsanto Chemical pour transformer l'Extrême-Orient en un charnier, bien avant que la marée jaune ait atteint Sydney, et sans avoir eu à verser plus de sang que l'empereur romain. »*
>
> Camille Rougeron
> « Scènes de la guerre future »
> *Le Monde* du 15 janvier 1950

Dans les années 40, l'arme biologique était dans l'air, si l'on peut dire, et pas seulement au Japon. Avant la bombe atomique, c'était, virtuellement, l'arme la plus puissante que l'on connût. Elle terrifiait, certes, et plus encore que l'arme chimique mais, pour peu que l'on parvînt à en maîtriser les effets, elle promettait aussi des résultats spectaculaires à qui l'emploierait le premier.

Le programme américain

Si les Américains s'étaient intéressés d'aussi près aux expériences d'Ishii Shiro, à la fin de la guerre, c'est parce qu'eux-mêmes avaient entrepris des recherches dans ce sens quelques années auparavant.

En 1941, l'Académie nationale des sciences avait formé un comité chargé d'étudier la guerre biologique sous tous ses aspects pour voir si les États-Unis devaient se lancer dans un tel programme. Le comité rendit son rapport en février 1942 et ses conclusions étaient plus qu'encourageantes. Non seulement l'arme biologique était tout à fait réalisable mais le pays se devait de l'acquérir car ses qualités pourraient en faire une arme décisive.

En outre, les Américains se croyaient très vulnérables à une attaque microbienne. Le président Roosevelt approuva donc en août 1942 la création du War Research Service (WRS) dont la première tâche consista à étudier des mesures préventives et défensives pour réduire la vulnérabilité des États-Unis à une offensive biologique. George W. Merck, de la firme pharmaceutique du même nom, en fut nommé directeur.

Le WRS était une agence de coordination rattachée à la Federal Security Agency utilisant les ressources d'institutions privées et du gouvernement pour la mise au point du programme de guerre biologique. Il procédait, en outre, à des échanges d'informations avec le Royaume-Uni et le Canada.

En novembre 1942, le WRS fit appel au Chemical Warfare Service de l'armée (qui devait devenir le Chemical Corps en 1946) pour préparer un programme de recherches sur une vaste échelle. Jusqu'ici, l'armée n'avait pas joué un rôle très important dans les activités du WRS qui était un organisme civil. Désormais, elle allait prendre une part active dans ces travaux. Elle choisit Fort Detrick, à Frederick dans le Maryland, un camp d'entraînement pour la garde nationale, comme site pour les futures recherches sur la guerre biologique. On décida la construction de nouvelles installations qui commença en avril 1943.

En décembre, le programme connut une brusque accélération lorsque le Bureau des services stratégiques informa l'état-major que les Allemands pourraient très bien être sur le point d'employer l'arme microbienne contre les Américains. Et en juin 1944, sur ordre du Président, le programme passa entièrement sous la responsabilité du secrétariat à la Guerre. Le Chemical Warfare Service fut chargé des travaux concernant les agents biologiques, les renseignements et la défense. Les recherches furent poursuivies avec l'aide de la marine et d'autres organismes fédéraux. George W. Merck devint « consultant spécial ». En octobre, enfin, on créa le USBW Committee (Comité de la guerre biologique des États-Unis) dont Merck fut nommé président.

A la fin de la guerre, la division des projets spéciaux du Chemical Warfare Service, qui était le principal élément du programme, employait 3 900 personnes dont 2 800 appartenant à l'armée de terre, 1 000 à la marine et 100 civils. Ce programme rivalisait d'importance avec le « Projet Manhattan » qui devait donner naissance à la bombe atomique. Ils étaient d'ailleurs tous deux en concurrence puisque, parmi les solutions envisagées pour contraindre le Japon à capituler, on songea à recourir à des agents biologiques antiplantes afin de priver ses habitants de nourriture, et l'on a vu que les spécialistes estiment que cela aurait fait beaucoup plus de morts que la bombe.

164

Tous les travaux concernant la guerre biologique étaient réalisés à quatre endroits. Il y avait d'abord Fort Detrick, centre de recherches pilote. Mais d'autres établissements avaient suivi et s'étaient spécialisés soit dans l'étude des agents pathogènes et de leurs effets (Horn Islands dans le Mississippi, construit en 1943, et Dugway dans l'Utah construit en 1944), soit dans leur production (usine Vigo à Terre Haute dans l'Indiana).

Après la guerre, l'usine Vigo ne produisit plus qu'un micro-organisme inoffensif, *bacillus globigii*, et le programme de guerre biologique américain connut un certain ralentissement. La priorité alla aux mesures défensives et à la recherche.

En 1947, le Bureau de recherche et de fonctionnement du secrétariat à la Défense demanda à un comité chargé des questions relatives à la guerre BC d'examiner les applications possibles d'armes biologiques à des opérations de sabotage. Ce comité remit son rapport en octobre 1948. Il en ressortait que les États-Unis étaient très vulnérables à ce genre d'offensive et qu'un effort tout particulier devait être fait pour éviter que se produisent de tels incidents. Le comité recommandait, par conséquent, de réaliser des tests sur les systèmes d'alimentation en eau, le métro, etc. Nous verrons plus loin jusqu'où cette consigne fut suivie...

En 1950, craignant que l'URSS ne fût sur le point de déclencher une offensive biologique contre eux, les Américains décidèrent de reprendre leur production d'agents pathogènes pour se doter d'une force de représailles biologique. L'armée fut autorisée à entreprendre la construction d'une usine de production au Pine Bluff Arsenal, dans l'Arkansas. La première arme qui sortit de cette usine était une bombe antiplante qui fut réalisée en 1951.

Recherches occidentales

Comparativement à ces travaux, ceux accomplis par les autres nations occidentales à la même époque font piètre figure.

Les Canadiens mirent en œuvre un programme de recherches biologiques en 1942. Ils construisirent une station expérimentale à Grosse Ile, près de la ville de Québec, sur le Saint-Laurent, et un centre d'essais administré conjointement avec les Britanniques, près de Ralston, Alberta. Des recherches sur les agents antipersonnels furent également accomplies au laboratoire Kingston de la Queen's University et l'on s'y occupa tout particulièrement de la mise au point d'une méthode de production à grande échelle de toxines botuliques.

Français et Anglais, quant à eux, font figure de pionniers. Les premiers commencèrent leurs recherches vers 1920 et les seconds vers 1930.

Malgré le peu d'informations dont on dispose, il semble que la France ne se soit jamais réellement enthousiasmée pour l'arme biologique. Dans le chapeau de présentation d'un article de Jean Labadié sur les

« possibilités techniques » de la « guerre bactérienne » paru en 1934[1], on peut lire : « ... la propagation des microbes pathogènes est loin d'être aussi aisément réalisable que l'émission massive de gaz nocifs. Pour que la propagation de "nuages bactériens" puisse aboutir aux résultats recherchés, il faut, en effet, que se trouvent réunies des conditions particulières de température, d'hygrométrie, et que les colonies microbiennes ainsi diffusées rencontrent un milieu favorable à leur nutrition et à leur survie. Au surplus, la guerre bactérienne, à supposer qu'elle réussisse, est une arme à double tranchant, car les épidémies, une fois déclenchées, ne connaissent plus de frontières et peuvent atteindre rapidement leurs propres initiateurs. Tout compte fait, il semble donc que les possibilités techniques d'une guerre microbienne soient assez strictement limitées. »

Cela ne représente pas le point de vue officiel, bien entendu, mais Jean Labadié se réfère aux travaux de M. A. Trillat, « qui étudie à l'Institut Pasteur, depuis de longues années, la transmission des maladies infectieuses par voie aérienne ». On peut donc voir dans ces propos le reflet d'une attitude plus générale. On sait, cependant, que la direction des recherches et moyens d'essais et la direction technique des armements terrestres comptaient des spécialistes en matière de chimie et de biologie et que le Service de Santé des armées ainsi que le service biologique et vétérinaire des armées se livraient aussi à des recherches dans ce domaine. Aujourd'hui, d'ailleurs, les choses n'ont guère changé quant aux responsabilités bien que, depuis 1972, la France ait abandonné tous travaux de nature offensive dans ce domaine.

Pour ce qui est des Anglais, leurs premières recherches furent très théoriques puisqu'ils se contentèrent d'étudier les différentes applications possibles de ces armes. Les experts se montrèrent assez sceptiques quant à leur intérêt militaire mais y virent une méthode de sabotage pouvant, le cas échéant, se révéler efficace.

En 1940, le centre de Porton Down, spécialisé dans la guerre chimique, se dota d'une petite unité de recherches consacrée à la guerre biologique. C'est dans le cadre des travaux accomplis par cette unité que se déroula l'expérience de l'île de Guinard, en 1942.

La même année, les Britanniques passèrent un accord avec les Canadiens pour effectuer des recherches en commun et il semble qu'ils s'orientèrent alors vers une politique à dominante défensive. L'aspect offensif ne fut toutefois pas oublié puisque, en mars 1954, la presse rapportait que la Grande-Bretagne s'apprêtait à entreprendre des expériences de guerre biologique dans le voisinage des îles Bahamas et qu'à cette occasion le ministre des Fournitures, M. Duncan Sandys, avait confirmé que des essais analogues avaient eu lieu « depuis plusieurs années » au large des côtes occidentales de l'Écosse.

---

1 In *La Science et la Vie* n° 207, septembre 1934

Le cas de l'Allemagne est plus problématique.

En 1934, un journaliste anglais du nom de Wickham Steed publia dans la revue *Nineteenth Century and after* des informations censées provenir d'une série de rapports d'agents secrets allemands sur des expériences de guerre biologique qui auraient été effectuées en 1932. Selon ce journaliste, des équipes clandestines auraient simulé des tentatives de contamination des métros de Londres et de Paris à l'aide de bactéries inoffensives. Ces révélations provoquèrent une grande anxiété en Europe mais elles laissèrent la plupart des spécialistes assez sceptiques. On manque d'informations, aujourd'hui, pour savoir quelle part de vérité elles recelaient mais il semble que les Allemands se soient pratiquement désintéressés de l'arme biologique par la suite. Hitler aurait même donné l'ordre d'interrompre tous travaux dans ce domaine jusqu'en 1943, année où fut créé un centre de recherches à Posen sous la responsabilité de la SS. A cette époque, les troupes allemandes venaient de subir de sérieux revers en URSS. Les nazis pensèrent sans doute pouvoir retourner la situation en leur faveur en recourant à la guerre biologique et il est possible que des essais de dispersion aient alors été effectués en différents endroits, dont certains sur des îles de la côte bretonne. Cependant, lorsque la station de Posen fut abandonnée en mars 1945, devant l'avance de l'Armée Rouge, aucun résultat probant n'avait réellement été obtenu.

En 1950, c'est-à-dire au tout début de la guerre froide, les États-Unis étaient donc bien la nation la mieux équipée et la mieux préparée au monde pour la « guerre microbienne ». Fort Detrick et le centre expérimental de Dugway fonctionnaient à plein rendement et il était beaucoup question de ces recherches dans la presse américaine. Beaucoup trop, peut-être...

La peste en Asie

En 1949, le gouvernement de Washington était prêt à reconnaître le régime de Mao Tsé-toung qui venait de triompher en Chine continentale. Le 12 janvier 1950, le secrétaire d'État Dean Acheson déclarait que la Corée du Sud et Formose se trouvaient en dehors du « périmètre de défense américain dans le Pacifique ». La tentation fut grande alors pour Staline de profiter de cette situation pour s'emparer de la Corée du Sud par Nord-Coréens interposés.

Il n'entre pas dans le propos de cet ouvrage d'étudier les raisons qui incitèrent Staline à agir ainsi[1]; toujours est-il que, le 25 juin 1950, les troupes de la Corée du Nord franchissaient le 38e parallèle marquant la frontière des deux Corées. L'ONU désigna aussitôt les Nord-Coréens

---

1. Sur ce sujet, on consultera avec profit Michel Heller et Alexandr Nekrich : *L'utopie au pouvoir* (chap. 9), Calmann-Lévy, Paris, 1982, et Roy Medvedev, *Le stalinisme* (chap. 12) Le Seuil Paris, 1972.

comme les agresseurs et mit sur pied une force militaire pour venir en aide aux Sud-Coréens. Le 29 juin, les troupes américaines débarquaient en Corée du Sud. En fait, c'était bien la force des Nations unies qui était engagée en Corée et elle ne comptait pas que des Américains, mais c'est au gouvernement des États-Unis qu'avait été confié le soin de nommer le commandant de cette force. L'objectif était le rétablissement de la situation antérieure entre les deux Corées.

D'abord, les troupes américaines se gardèrent bien de franchir la frontière. Mais cela ne dura pas. Sur ordre du général MacArthur, le 7 octobre 1950, elles franchirent le 38e parallèle et le général déclencha « l'offensive pour finir la guerre » qui devait conduire ses hommes sur les bords du fleuve Yalon, frontière entre la Corée du Nord et la Chine communiste. Les Chinois intervinrent et des milliers de « volontaires » déferlèrent sur la Corée du Nord, contraignant les troupes de l'ONU à une retraite précipitée pendant l'hiver 1950-1951.

Le 8 mai 1951, un télégramme parvenait au président du conseil de sécurité de l'ONU accusant l'état-major de Corée du Sud d'avoir établi deux plans de contamination contre la population du Nord. Ce télégramme émanait du ministre des Affaires étrangères de la République populaire démocratique de Corée. C'était le début d'une campagne d'une violence telle que le monde n'en avait jamais connue et n'en connaîtrait plus avant celle dont l'URSS et ses alliés sont actuellement l'objet en Afghanistan et en Asie du Sud-Est.

Bientôt, la Corée du Nord, l'URSS et la Chine populaire multiplièrent leurs dénonciations à l'encontre des États-Unis censés déployer l'arme biologique dans cette guerre. L'affaire fit grand bruit, tant et si bien que l'on assista à un fait unique dans l'histoire : ce furent les accusés eux-mêmes qui demandèrent la constitution d'une commission d'enquête.

Mais des commissions, il y en avait déjà eu, et leurs rapports constituaient d'ailleurs les pièces principales du dossier de l'accusation.

Ce dossier épais, touffu, complexe et contradictoire consistait d'abord en un certain nombre de déclarations faites à l'ONU par le délégué soviétique et par des personnalités chinoises et nord-coréennes extérieures à l'organisation puisque leur pays n'y était pas représenté. S'y ajoutaient plusieurs documents dont un *Rapport de la commission des microbiologistes, des entomologistes, des parasitologistes et des épidémiologistes auprès du Conseil de la Paix* et le *Rapport de la commission d'enquête chinoise* daté du 25 avril 1952. Un autre groupe de caractère international, l'Association internationale des juristes démocrates, affirma, à la même époque, posséder des « preuves irréfutables de l'emploi de l'arme bactériologique par les troupes des États-Unis », à la suite d'une enquête effectuée sur le terrain.

Cela faisait beaucoup de comptes rendus, tous plus accablants les uns que les autres pour les Américains et, par voie de conséquence, pour l'ONU. L'opinion mondiale se divisa en deux camps : ceux qui croyaient à la réalité de la guerre biologique et ceux qui n'y croyaient pas. Les communistes se donnèrent beaucoup de mal pour convaincre les sceptiques de la réalité des faits allégués. Et les différents rapports d'investigation qui parvenaient à la presse pour dénoncer les agissements des troupes américaines en Asie avaient effectivement de quoi impressionner. Par leur quantité, du moins, sinon par leur qualité. Car, à y regarder de près, toutes ces « preuves » se révélaient d'une singulière fragilité.

Prenons, à titre d'exemple, l'une des charges contenues dans le *Rapport de la commission des microbiologistes*, etc.

Après avoir évoqué comme garants des savants chinois, ce rapport affirmait qu'il découlait « d'une façon absolument convaincante [...] que l'arme bactériologique [avait] été employée ». Et de préciser que, le 19 février 1952, un avion avait décrit à plusieurs reprises des cercles à basse altitude au-dessus du village de Bal-Nam-Ri (Anju-Goon, région de Dai-Ri-Myon, province de Pyengan-Sud) sans lancer de bombes explosives et incendiaires et sans tirer à la mitrailleuse.

« Quelques jours plus tard, poursuivait le rapport, une épidémie explosive de peste s'est déclenchée dans ce village avec une mortalité de 72 %. Avant cette épidémie explosive, il n'y avait jamais eu un seul cas de peste dans cette région. Après avoir étudié les détails sur l'origine de cette épidémie, l'idée s'impose qu'on aurait directement dispersé de l'avion une culture virulente de peste, et qu'on aurait en même temps employé des insectes comme une manœuvre de camouflage. »

En commentant ce passage dans un article du *Monde*[1], Robert Guillain écrivait : « On ne nous parle pas de découverte de bombes à bactéries, ni d'insectes trouvés sur les lieux, ni de virus décelé sous la "dispersion". Non : un avion passe, et quelques jours après il y a la peste. C'est assez : l'idée s'impose qu'on aurait directement dispersé, etc.

« Conclusion déroutante par sa témérité et aussi sa cocasserie (l'hypothèse du camouflage). Ne devons-nous pas craindre qu'une partie des faits soi-disant accusateurs soit le produit de déductions aussi hâtives ? Cela n'a d'ailleurs pas empêché le cas de Bal-Nam-Ri de figurer en manchette, décrit par ce même texte, dans les journaux communistes. »

Si l'on en juge d'après le témoignage de M. Jacquier, avocat à la cour d'appel et membre français de la commission d'enquête de l'Association internationale des juristes démocrates, le rapport de cette commission paraît encore moins convaincant. Selon maître Jacquier, la conviction de l'Association reposait sur les faits suivants[2] :

1) en de nombreux points en Chine et en Corée, des insectes de diverses espèces ont été découverts dans des circonstances anormales en raison, notamment, de la saison et des conditions de température ;

---

1. *Le Monde* du 14 mai 1952.
2. Cf. compte rendu dans *Le Monde* du 11 avril 1952.

2) la découverte de ces insectes était consécutive au passage d'avions américains;

3) les analyses faites sur les insectes ont révélé que ceux-ci étaient porteurs de bactéries ou virus de diverses maladies contagieuses, telles que choléra, peste, typhoïde, dysenterie, etc.

4) dans les régions où ces insectes ont été trouvés, les épidémies se sont déclarées.

Quant au *Rapport de la commission d'enquête chinoise*, il se voulait plus précis et plus détaillé mais masquait, sous une avalanche de faits, une absence totale d'investigation scientifique. Des dépositions non vérifiées venaient grossir le dossier là où l'on aurait plutôt été en droit d'attendre des comptes rendus d'enquête.

Au total, ce dossier impressionnant par sa taille manquait de précision et de cohérence. Les anomalies y étaient nombreuses et certaines revêtaient même parfois un aspect grotesque, comme on peut s'en rendre compte en lisant la série d'articles que Robert Guillain consacra à la « guerre bactériologique » en Chine et en Corée dans *Le Monde* des 14, 15, 16, 17 et 18-19 mai 1952. Dans sa livraison du 15 mai, intitulée « Preuves insuffisantes et questions sans réponses », il écrivait :

« … le rapport de la commission des microbiologistes, etc. (j'abrège son nom), innocente purement et simplement dix espèces d'insectes examinés, ce qui peut représenter des millions de bestioles : car sur les quatorze espèces d'insectes identifiées sur photographie, il relève seulement quatre sortes de mouches qui sont, dit-il, des "transporteurs possibles de microbes". Soulignons en passant le mot possible.

« Si bien que nos microbiologistes, etc., avouent leur embarras en reconnaissant que "la raison de leur emploi n'est pas claire". Et d'ajouter cette conclusion imprévue : "On peut estimer qu'on voulait créer un moment de surprise !"

« Autrement dit, non seulement les Américains ne cachaient rien, mais ils en rajoutaient, ils lançaient en quelque sorte des *mouches d'accompagnement non armées*, pour faire masse. D'où l'accusation portée à Budapest par le président de la Cour suprême chinoise, qui, dans une conférence, le 23 avril, stigmatisait les Américains pour avoir jeté des insectes non contaminés "afin de masquer leur méthode infâme" !

« C'est à des cas comme celui-là qu'on reconnaît l'origine chinoise de toute l'accusation. Ces accusateurs ont parfois oublié de déchinoiser, si l'on peut ainsi dire, la présentation des faits. C'est seulement dans les plus récents documents, comme le *Rapport de la commission d'enquête chinoise*, qui est du 25 avril, qu'on présente les faits avec plus de soin. En l'occurrence le rapport s'en tire à bon compte : tout rédigé qu'il est par des savants chinois, il ne souffle mot, tout simplement, de ces insectes non contaminés dont nous parlaient les rapports antérieurs. Sans doute les trouvait-il trop gênants. »

Autre question qui reçut une réponse très approximative; celle des températures et des conditions climatiques aux lieux et dates où les insectes avaient été recueillis. Suivant les documents, les températures étaient comprises entre − 20° et 0° ou − 15° et 0° ou encore − 21° à 5°. Les dates des relevés n'étaient souvent pas précisées et l'on omettait fréquemment de mentionner les lieux où ils avaient été opérés, comme si la Chine et la Corée ne connaissaient qu'un seul climat sur toute l'étendue de leurs territoires. En revanche, le *Journal du Peuple* du 25 février 1952 publia un article dépeignant l'hiver 1951-1952 comme l'un des plus doux que la Chine ait connu depuis longtemps.

« Faut-il exclure qu'à la faveur d'un hiver particulièrement doux, dans un pays où la guerre a multiplié les ruines et décuplé la saleté et le manque d'hygiène, il y ait eu un pullulement d'insectes ? » remarque Robert Guillain[1].

La chose, en effet, n'avait rien de surprenant. Mais les accusateurs cherchaient à montrer que la présence d'insectes en hiver prouvait qu'ils n'étaient pas apparus de manière naturelle. L'argument se retournait contre eux car, outre la douceur exceptionnelle dont nous venons de parler, une telle présence n'avait rien d'insolite. Des insectes sur la neige, cela se voit souvent et plus d'un alpiniste peut en témoigner. Et n'eût-il pas été complètement absurde de la part de l'agresseur de lancer une offensive biologique en hiver ? Car de deux choses l'une : ou bien il ne faisait pas très froid et cela suffisait à expliquer la présence d'insectes, ou bien il s'agissait d'un hiver rigoureux et le comportement des Américains relevait de la plus complète incohérence.

Inutile de pousser plus avant l'examen des anomalies et invraisemblances caractérisant le dossier de l'accusation. Elles ne prouvent pas qu'il n'y a pas eu guerre biologique mais elles compromettent singulièrement la crédibilité des allégations du camp socialiste.

Le fait est, cependant, qu'il y a bien eu des épidémies en Chine et en Corée à cette époque. Ce n'était cependant pas la première fois que cela se produisait et, sans faire de la Chine la « terre d'élection des maladies infectieuses » qu'y voyait Robert Guillain[2], force est de reconnaître que les conditions d'hygiène qui y régnaient alors étaient pour le moins précaires. Pour ce qui est de la Corée, le *Rapport de la commission d'enquête chinoise* fit remarquer que la peste y était jusqu'alors inconnue et que le choléra, dont de nombreux cas se déclarèrent début 1952, y avait disparu depuis 1947. Mais ce que ce rapport omettait de préciser, c'est que, depuis 1950, un énorme mouvement d'hommes et de matériel s'était produit de Chine — où ces maladies existaient bel et bien — en Corée du Nord. Comment ne pas imaginer, alors, que les Chinois aient pu tout simplement contaminer les Coréens ? Citons encore Robert Guillain :

---

1. *Le Monde* du 15 mai 1952.
2. In « Les maladies épidémiques imputées à l'action des Américains existaient depuis toujours », *Le Monde* du 16 mai 1952.

« L'un et l'autre pays présentent depuis deux ans les conditions les plus favorables à la propagation des épidémies : brassages de population, concentrations de troupes, chute de la santé publique par suite des privations et des destructions causées par la guerre, etc. »

Mais ce qui est le plus difficilement admissible dans le dossier de l'accusation, ce sont les prétendus « aveux » d'officiers aviateurs américains prisonniers dont Radio Pékin diffusa deux échantillons le 5 mai. Nous y reviendrons mais, comme le souligne Ricardo Frailé[1], « on peut [...] douter de l'authenticité des témoignages recueillis, à moins que les prisonniers eussent réalisé, en peu de temps, une reconversion idéologique et linguistique ». Ces « aveux », en effet, employaient une terminologie pour le moins surprenante de la part de soldats américains en dénonçant la « guerre impérialiste » qu'on leur avait fait mener au service des « capitalistes de Wall Street ». Peut-être un tel langage ne choquait-il pas les oreilles chinoises mais il eût en tout cas mérité d'être « déchinoisé » pour demeurer crédible en Occident.

Non à l'OMS et au CICR...

Pour imprécis, maladroit et contradictoire qu'il fût, le dossier de l'accusation n'en porta pas moins quelques fruits. De nombreux pays connurent d'importantes manifestations contre « Ridgway la Peste », c'est-à-dire le général Matthew Ridgway choisi par Truman en 1951 pour remplacer MacArthur à la tête des troupes des Nations unies. Et les Américains furent placés dans une position d'autant plus difficile qu'ils ne cherchaient pas à dissimuler qu'ils se préparaient depuis une dizaine d'années à la guerre biologique. La presse était pleine des conclusions optimistes des spécialistes quant aux capacités offensives de ces armes. En août 1952, au moment où la polémique à propos de la Chine et de la Corée était au plus fort, le général Bullane déclarait devant le Congrès que, selon lui, « le moment était venu d'entreprendre la fabrication massive des produits [biologiques] agréés comme arme ».

Et Robert Guillain d'écrire[2] : « ... il est reconnu que les États-Unis pour leur part ont accompli dans le développement de cette forme d'armement des progrès qu'aucune autre puissance ne paraît égaler. »

Washington payait le prix de son manque de discrétion. Quand, en 1946, deux membres du Congrès se vantaient devant des journalistes du *New York Times*[3] de ce que plusieurs sortes de pulvérisations mortelles eussent été « développées jusqu'au point où elles pourraient être utilisées quand cela serait nécessaire », en ajoutant que les États-Unis étaient les

---

1. *Op. cit.*

2. In « Le développement de l'arme biologique aux États-Unis », *Le Monde* des 18-19 mai 1952.

3. Le *New York Times* du 25 mai 1946.

seuls à détenir les secrets de ces procédés, se doutaient-ils des conséquences que pourraient avoir de tels propos ? Et puis il y avait le rapport de G. Merck, conseiller spécial et chef de la commission de la guerre bactériologique, présenté la même année. Dans ce document, G. Merck s'était surtout attaché à démontrer la possibilité d'utiliser ces procédés de combat dans un proche avenir. Cela pouvait paraître d'autant plus inquiétant que les États-Unis n'étaient pas liés par le protocole de Genève.

La propagande antiaméricaine avait donc beau jeu sur ce terrain et elle mettait Washington dans une position difficile. C'est pourquoi les Américains choisirent l'offensive et réclamèrent eux-mêmes la constitution d'une commission d'enquête internationale en Chine et en Corée.

Les commissions s'étant déjà livrées à des investigations ne brillaient pas par leur neutralité. Sans parler de la commission d'enquête chinoise, dont l'origine dit bien la partialité, celle de l'Association internationale des juristes démocrates émanait d'un groupe sans compétence en matière médicale ou scientifique et particulièrement connu pour ses sympathies communistes. Quant à la commission des microbiologiques etc., elle fondait la plupart de ses conclusions sur des examens faits par « les institutions scientifiques coréennes » (sans autre précision) et un groupe de savants chinois dont certains n'avaient d'autre diplôme scientifique qu'un doctorat en philosophie. En outre, son rapport, si souvent cité par la presse communiste, était un document non daté et non signé.

Le besoin se faisait donc sentir d'une enquête impartiale. Deux offres furent faites aux communistes.

Le 4 mars 1952, M. Ackeson fit appel à la Croix-Rouge internationale pour l'envoi d'une commission d'enquête sous ses auspices et, le 20 mars, l'Organisation mondiale de la Santé offrit son aide à la Corée du Nord et à la Chine pour les aider à combattre les épidémies. Ces deux propositions furent repoussées.

Pour ce qui est de l'OMS, deux raisons furent invoquées. « Cette institution spécialisée se voyait dénier l'autorité nécessaire sur le plan international, écrit Ricardo Frailé[1]. De nombreux États n'y participaient pas soit parce qu'ils n'en firent jamais partie, soit, en ce qui concerne l'URSS, la RSS de Biélorussie, la Roumanie, la Pologne, la Tchécoslovaquie, et quelques autres, parce qu'ils la quittèrent en arguant de son inaction prolongée à l'égard des mesures indispensables à la lutte contre la maladie, ou à la suite de ses pratiques jugées discriminatoires. » Seconde raison, plus pernicieuse mais, vraisemblablement, plus significative : l'OMS était soupçonnée de vouloir servir d'« agent d'espionnage » au service des États-Unis. Sous prétexte d'enquête, sa mission aurait tout bonnement consisté à obtenir des informations détaillées sur l'« étendue

---

1. Op. cit.

des ravages » causés par « l'emploi de l'arme bactérienne ». En réalité, ce qui motivait cette attitude, c'était le fait que l'OMS fût aux yeux des communistes un instrument des Nations Unies, elles-mêmes « responsables de la guerre de Corée ».

Quant au Comité international de la Croix-Rouge, le représentant soviétique à l'ONU rappela que, pendant la guerre, cet organisme avait négligé de protester contre les camps d'extermination nazis.

La commission d'enquête impartiale souhaitée par les accusés ne put donc être créée en raison même du refus des accusateurs.

De toute façon, l'Union soviétique avait décidé d'opposer son veto à toute demande américaine de création d'une telle commission tant que les représentants de la Chine populaire et de la Corée du Nord ne participeraient pas aux discussions. Mais ces deux pays n'étaient pas représentés à l'ONU. Théoriquement, il eût été possible de les inviter lors du débat concernant les accusations de guerre biologique. Des questions complexes de procédure ne permirent pas d'agir ainsi. Il semblait donc que les faits allégués fussent condamnés à le rester sans jamais être confirmés ou infirmés... Et tel fut d'ailleurs le cas, malgré la création d'une commission scientifique internationale qui reçut tout de même l'aval du camp socialiste.

Cette commission fut créée en avril 1952, après le Congrès d'Oslo du Conseil mondial de la Paix. Elle comportait six membres jouissant d'une solide réputation de sérieux et de compétence dans leurs pays respectifs : un Suédois, un Français, un Italien, un Brésilien, un Russe et un Anglais. Lors de la publication de son rapport en septembre 1952, Radio Pékin annonça que l'on détenait enfin la preuve de l'emploi d'armes biologiques par les forces américaines. Le contenu dudit rapport était cependant loin d'être aussi catégorique.

La méthode d'investigation adoptée par la commission paraît avoir offert toutes les garanties attendues de la rigueur scientifique. Mais son principal résultat fut la confirmation de l'existence d'une épidémie de peste dans les régions visitées et censées avoir subi des attaques biologiques. Les enquêteurs découvrirent également des animaux différents de ceux que l'on trouve habituellement dans ces régions et s'aperçurent que beaucoup d'insectes portaient le bacille du charbon. Des cadavres de campagnols, enfin, furent trouvés porteurs de *Pasteurella pestis*. Mais cela prouve-t-il qu'il y ait eu offensives biologiques ? Non, puisque ces maladies étaient endémiques en Chine. D'ailleurs, dans ses conclusions, le rapport se montre d'une extrême prudence. Cela est d'autant plus étonnant que la plupart des membres de la commission étaient connus pour leurs sympathies envers les régimes de l'Est...

Ce qui compromet le plus la crédibilité de ce document, ce sont les témoignages des aviateurs américains prisonniers qu'il reproduit en annexe. L'un d'eux explique comment il a été « contraint de prendre part à l'inhumaine guerre bactériologique déclenchée par les gens de Wall

Street (USA) ». Et de préciser que les faits démontrent « d'une façon tout à fait claire que les fauteurs de guerre capitalistes de Wall Street », poussés « par leur implacable cupidité », perpétrèrent « l'horrible crime du déclenchement de la guerre bactériologique » dans « l'espoir d'étendre cette guerre ». Et encore : « Les impérialistes ne s'arrêteront devant rien pour mettre plus d'argent en poche. » Ce ne sont pas là, assurément, des mots que l'on s'attend à trouver spontanément dans la bouche d'un officier américain...

Lorsqu'ils furent rapatriés, ces pilotes devaient d'ailleurs expliquer comment on leur avait arraché leurs « aveux ». En octobre 1953, un médecin américain, le Dr Charles Mayo, expliqua, devant la commission politique de l'ONU :

« Nous ne connaissons pas encore tout de cette histoire. Les communistes ont accusé au moins cent sept de nos aviateurs faits prisonniers d'avoir employé des armes bactériennes. Nous savons que quarante d'entre eux ont refusé de signer des aveux. Sur les trente-six qui ont signé, tous sous pression, une vingtaine ont été soumis à ce qu'on peut appeler une torture intense et prolongée, physique et mentale. Trente et un de ces aviateurs ne sont pas rentrés de captivité, et quatorze d'entre eux sont signalés comme étant décédés[1]. »

S'agissant des méthodes employées, le Dr Mayo précisa : « L'être humain est ramené plus bas que l'animal; les maladies sont poussées au seuil de la mort. Les prisonniers restent sans se raser ou se laver pendant des périodes allant jusqu'à un an. Des hommes en haillons, exposés aux éléments, nourris d'un minimum soigneusement dosé et de qualité inférieure, servi dans des ustensiles rouillés, buvant de l'eau non potable, isolés face à des équipes d'interrogateurs entraînés, constamment brimés, privés de sommeil et soumis à des tortures mentales. »

En fait, parmi les prisonniers américains rapatriés de Corée en septembre 1953 figuraient 70 « marines » et aviateurs qui, au cours de leur détention, avaient signé des déclarations établissant que l'armée américaine avait préparé et déclenché une guerre biologique et qu'ils avaient participé personnellement à des opérations de ce genre. Rentrés aux États-Unis, ils rétractèrent tous ces aveux et déclarèrent qu'ils les avaient faits sous la torture. Mais quand la question de la guerre biologique revint devant l'ONU, en octobre, le délégué soviétique, M. Jacob Malik, objecta que les rétractations des prisonniers n'avaient pas été recueillies publiquement et que rien n'indiquait qu'ils les avaient fournies de leur plein gré. Pour mettre fin à ce débat qui n'en finissait pas, le Pentagone décida de faire passer en conseil de guerre le colonel Frank H. Schwable, le plus haut officier du corps des « marines » capturé par les Sino-Coréens qui eût « avoué » avoir participé à la guerre

---

1. Cf. *Le Monde* du 28 octobre 1953.

biologique, afin de déterminer « si le degré des souffrances physiques, mentales et morales supportées par le colonel Schwable était tel qu'il puisse raisonnablement constituer une excuse pour des actes du genre de ceux commis par lui ».

C'était la première fois qu'une chose pareille se produisait dans l'histoire militaire américaine et l'on attacha une grande importance à ce procès au terme duquel le colonel fut acquitté.

A défaut d'autre chose...

Tel fut le dernier acte de cette longue et pénible tragi-comédie dont les États-Unis crurent sortir blanchis. Bien des questions demeurent, cependant, qui n'ont pas reçu de réponse et n'en recevront probablement jamais.

Nombreux sont ceux, aujourd'hui, qui tiennent cet épisode pour « l'une des grandes falsifications collectives de ce temps[1] ». Le fait est que bien des éléments donnent à penser que le dossier de l'accusation a été monté de toutes pièces par les communistes. Au surplus, pourquoi les forces des Nations unies auraient-elles employé l'arme biologique au moment précis où les troupes chinoises et coréennes subissaient des difficultés, puisque tel était le cas durant l'hiver 1951-1952 ? Et si ces allégations étaient fondées, pourquoi ne pas les avoir évoquées lors des pourparlers de trêve de Panmunjon ? L'attitude des pays socialistes paraît décidément très ambiguë et tout cela ressemble à une ruse de guerre. Si tel est effectivement le cas, l'épisode coréen se révèle alors intéressant à plus d'un titre car il démontre que la portée des armes biologiques ne se limite pas à leur seul emploi sur le champ de bataille et que, à défaut d'y recourir matériellement, on peut en faire un instrument très efficace de guerre psychologique.

Dans un article intitulé « Guerre NBC et panique collective » paru dans la *Revue des corps de santé des armées* en 1970[2], le médecin en chef de 2e classe L. Crocq, médecin spécialiste de psychologie et d'hygiène mentale du Service de Santé des armées, écrit : « Les allégations et accusations d'emploi de l'arme bactériologique en Corée par l'armée américaine, formulées par la Chine populaire, constituent un phénomène [...] intéressant, non par la matérialité des faits évoqués qui demeure très douteuse, mais par les mouvements d'opinion et les campagnes de presse auxquelles elles ont donné lieu. La puissance de l'effet psychologique de

---

1. L'expression est de M. Charles Zorgbibe, doyen de la faculté de droit de Paris-Sud, vice-président de l'université de Paris-Sud, qui l'emploie dans « Les bacilles de Damoclès » in *Le Monde diplomatique* de mars 1981. Dans ce même article, il reproche à Ricardo Frailé, dont il commente la thèse, d'user « de la patiente application d'un notaire ou d'un greffier pour se livrer à l'exégèse des différentes pièces d'un dossier qui n'existe pas ».

2. *Revue des corps de santé des armées*, t. XI, n° 4, août 1970, p. 483 à 497.

l'arme B — reposant sur un sentiment de terreur et un jugement de réprobation morale — se dessine redoutable et difficilement contrôlable. »

Il semble que les communistes l'aient bien compris. En se préparant à la guerre biologique, les Américains réagissaient à leur manière à la menace d'une attaque ennemie mais cela contribua en même temps à « provoquer et même intensifier dans les masses une peur et une angoisse » donnant lieu à « certaines réactions psychologiques de défense faisant intervenir [des] mécanismes de projection, de négation et de déshumanisation[1] ». L'habileté des Soviétiques, des Chinois et des Coréens consista, par conséquent, à tirer parti de ces réactions et de ces mécanismes pour faire de leurs adversaires les premières victimes de leur préparation à la guerre microbienne. Un peu moins de maladresse dans l'élaboration de leur dossier leur eût certainement permis de mettre les États-Unis plus en difficulté qu'ils ne l'ont réellement été. La tactique communiste apparaît d'autant plus pernicieuse que, au travers des Américains, c'était l'ONU qui était visée, l'organisation même qui, lorsqu'elle n'était que la Société des Nations, avait interdit l'emploi des armes incriminées...

On ne peut s'empêcher aujourd'hui de rapprocher cet épisode de la situation qui règne en Afghanistan et en Asie du Sud-Est. Nous verrons que les similitudes sont nombreuses, même si accusateurs et accusés ont changé de camp. Le dossier américain paraît cependant plus fourni que ne l'était celui des communistes pendant la guerre de Corée, mais il existe, là aussi, un « au-delà » de la « matérialité des faits ».

Quant à l'épisode sino-coréen, trente ans après, un doute subsiste qu'il serait peu équitable de passer sous silence.

Dans leurs conclusions, les membres de la commission scientifique internationale affirment que les méthodes de propagation décrites par les témoignages qu'ils ont analysés correspondent à celles utilisées par les Japonais durant la Seconde Guerre mondiale. Pour se défendre, les Américains prétendirent qu'il n'existait aucune preuve que les Japonais se fussent effectivement livrés à des opérations de guerre biologique. Le mensonge et la mauvaise foi ne connaissent pas de frontières...

Le rapprochement opéré par les membres de la commission d'enquête paraît troublant aujourd'hui car l'on sait à quelles tractations les Américains se livrèrent avec Ishii Shiro et ses complices. Or, parmi les renseignements que le général japonais confia aux États-Unis en échange de sa liberté figuraient des informations « sur les meilleurs agents à employer dans les aires géographiques d'Extrême-Orient et l'utilisation de l'arme biologique en climat froid[2] ». Par ailleurs, on sait qu'à la fin de la guerre, les Américains s'étonnèrent que les Japonais ne se fussent pas

---

1. Dr Viola W. Bernard in *Rapport de l'OMS*, article cité.
2. Câble de Tokyo à Washington du 6 mai 1947.

préoccupés des virus et des rickettsies et n'aient fait des expériences que sur les bactéries. Or toutes les maladies qui se déclarèrent en Chine et en Corée étaient des maladies bactériennes. Qui plus est, elles étaient transmises par des vecteurs animaux dont on se rappelle à quel point ils avaient retenu l'attention du général Ishii.

Cela ne prouve rien. Le lien de cause à effet entre la présence d'avions américains dans le ciel sino-coréen et le déclenchement des épidémies n'a jamais été établi. Washington a toujours nié les faits qui lui étaient reprochés et il est certain qu'il aurait été absurde de la part des Américains de recourir à l'arme biologique pour obtenir un avantage militaire durant l'hiver 1951-1952. Mais cette dimension stratégique de la guerre bactérienne n'est pas la seule concevable. On peut très bien imaginer — et cela s'est vu à plusieurs reprises — que l'on se serve d'une arme, non pas pour en tirer parti dans le cadre d'opérations en cours, mais à titre d'expérience, le champ de bataille se substituant alors au laboratoire pour en tester les effets. Ricardo Frailé est de ceux qui partagent cette opinion :

« L'emploi de l'arme bactériologique en Corée pour obtenir un avantage militaire est à exclure. Telle est, du moins, ma conviction personnelle. N'oublions pas que les États-Unis étaient engagés dans cette guerre avec les Nations unies. Or cela pose un problème dans la mesure où les autres membres de l'ONU étaient liés par le protocole de Genève et, déjà, à l'époque, l'interdiction d'emploi des armes biologiques avait une force coutumière. Il n'est, en revanche, pas du tout exclu que les Américains aient pu expérimenter des moyens de guerre bactériologique en Corée... sans même que ces expériences aient dû revêtir un caractère officiel. On sait qu'aux États-Unis, Des organes tels que la CIA ont pu mettre en œuvre dans le passé des programmes clandestins dont certains n'étaient même pas connus du Président. Il n'est donc pas impensable que l'on ait recouru à ces armes pour voir quels pourraient être leurs effets dans l'éventualité d'un emploi organisé. Dans ce cas, il s'est certainement agi d'une utilisation restreinte limitée aux besoins de l'expérience. Mais ce ne sont que des suppositions car les accusations proférées par les communistes revêtaient une dimension politique tellement avantageuse, tellement intéressante qu'il est difficile de faire la part entre ces différents éléments[1]. »

L'épisode sino-coréen n'est donc pas tout à fait résolu mais, en dépit de la pénombre qui en nimbe encore certains aspects, il se révèle riche d'enseignements quant au rôle psycho-social de l'arme biologique, instrument privilégié de la guerre psychologique, à défaut d'autre chose...

---

1. Entretien privé.

L'énergie soviétique

« L'évolution de la guerre biologique depuis 1918 est restée plus mystérieuse que celle de la guerre chimique », écrit Pierre Ricaud[1]. C'est vrai et seuls les États-Unis n'ont jamais fait grand mystère de leurs recherches dans ce domaine, même s'ils ont toujours pris soin de ne laisser filtrer que le strict minimum d'informations nécessaires au maintien de leur image de marque d'une nation n'ayant rien à cacher. Pour le reste, nous sommes assez mal renseignés et il existe peu de documents de première main sur la politique suivie par les autres pays, sauf pour ce qui concerne ses aspects purement défensifs. C'est pourquoi la plupart des informations accessibles proviennent du camp adverse et doivent, par conséquent, être utilisées avec beaucoup de précautions.

Les allégations d'emploi ne manquent pas depuis 1945. Ce sont des points d'interrogation que l'historien aurait, certes, grand tort de négliger mais qui, tels quels, ne nous apprennent pas grand-chose. Ils confirment, à leur manière, le rôle psychologique de la menace biologique mais ne nous disent rien quant à l'intérêt réel des états-majors pour ces armes.

Pourtant, il semble que cet intérêt ait été sincère en maints endroits, avant 1972, et, lorsqu'ils accusaient les Américains de recourir à cette forme de guerre en Corée et en Chine, il est à peu près certain que les Soviétiques s'y préparaient eux-mêmes activement en secret. C'est du moins ce qui ressort de la littérature occidentale qui leur est consacrée.

En février 1956, lors du XXᵉ Congrès du Parti communiste d'URSS, le maréchal Joukov fit une déclaration restée célèbre que l'on trouve fréquemment reproduite dans les publications militaires de l'OTAN.

« La future guerre, si elle a lieu, se caractérisera par le recours massif aux forces aériennes, à différentes sortes de missiles et à différents moyens de destruction massive tels que les armes atomiques, thermonucléaires, chimiques et bactériologiques. »

Beaucoup d'experts occidentaux voulurent voir dans ce propos la preuve que l'Union soviétique était prête à mener une guerre chimique et biologique au cas où éclaterait un troisième conflit planétaire. Et de spéculer sans relâche sur le degré exact de cette préparation.

Pour ce qui concerne la guerre biologique, l'ouvrage du SIPRI *CB weapons today*[2] reproduit un passage très significatif d'un article de 1952 attribué à l'amiral E. M. Zacharias, ancien délégué en chef du bureau de renseignement de la marine des États-Unis.

« Dans huit stations militaires bactériennes dont l'une est un vaisseau clandestin voguant sur l'océan Arctique, l'Union soviétique se livre à la production massive d'énormes quantités d'"agents pathogènes" pour en

---

1. In *Encyclopaedia Universalis*, art. cit.
2. *The problem of chemical and biological warfare* : vol. 2, *CB weapons today*, Stockholm International Peace Research Institute, 1973.

faire un usage agressif contre les soldats et les civils du monde libre. En particulier, l'Armée Rouge est en train de se constituer un stock de deux "armes biologiques" spécifiques avec lesquelles elle espère déclencher une offensive stratégique et remporter une victoire décisive dans n'importe quelle guerre à venir avant même que celle-ci ait officiellement commencé. »

Voilà pour la spéculation (et la propagande) occidentale. Pour ce qui est des Soviétiques, la politique du secret qui les caractérise semble avoir prévalu ici plus que partout ailleurs. Mais leur littérature spécialisée comprend néanmoins de nombreux articles scientifiques laissant supposer qu'ils n'ont jamais rien eu à envier aux Américains. Ces articles traitent à peu près tous des aspects défensifs de la question; ils témoignent cependant d'une connaissance de ses aspects offensifs qui ne peut être attribuée à la seule lecture des publications spécialisées du camp adverse. C'est pourquoi le chef de l'US Army Chemical Corps déclarait devant le Congrès en 1958 :

« Je crois pouvoir dire que les informations que j'ai reçues confirment que l'effort des communistes en matière de guerre biologique est plus important que le nôtre, même s'il est difficile de juger quelle part de cet effort concerne des aspects liés à la santé publique. Nous avons cependant entendu parler d'un important programme d'expériences sur le terrain et de l'existence de centres d'essais qui ne peuvent concerner le seul emploi offensif de tels agents. »

Dans un article paru en 1968 dans la *Revue des forces aériennes françaises*, P. J. Ganas se fit plus précis en remarquant que plusieurs centres militaires d'URSS abritaient « très certainement » des installations consacrées à la guerre biologique comme, par exemple, l'académie médicale militaire Kirov à Leningrad et les centres de Minsk, Omsk et Kazan.

Mais, en l'absence de toute information de première main, le programme de guerre biologique des Soviétiques demeure un mystère dont, avouons-le, les spéculations occidentales ne sont jamais parvenues à pénétrer les arcanes.

VIII. LA CATASTROPHE VIETNAMIENNE

> *Bien sûr, il y a gaz et gaz. Celui que les Américains emploient au Vietnam n'est ni l'ypérite ni le phosgène. Notre aimable civilisation a humanisé même cette arme naguère tant redoutée.*
>
> *Émétiques et hallucinogènes, les gaz américains mettent l'ennemi hors de combat sans l'abîmer, proprement en quelque sorte.*
>
> *On peut se demander pourtant quelles sont les limites de leur efficacité. L'hallucination n'est pas incompatible avec le combat, bien au contraire, et si l'on veut que le soldat se laisse prendre à la Grande Illusion, il est bon que les vessies lui paraissent des lanternes.*
>
> *Quant au vomissement, croit-on qu'un gaz soit nécessaire pour que monte la nausée et que d'elle naisse la grande colère des libérations sanglantes ?*
>
> Robert Escarpit, « La nausée »,
> Bulletin « Au jour le jour » *Le Monde* du 25 mars 1965

Dans les années qui suivirent la fin de la Seconde Guerre mondiale, l'opinion internationale se modifia profondément envers les armes chimiques et biologiques. La peur de la bombe vint se substituer dans l'esprit des gens à la hantise des gaz d'avant-guerre. Des films comme *Cinq survivants* (*Five* de Arch Oboler, 1959) et des romans comme *Le dernier rivage* (*On the beach* de Nevil Shute, 1951) traduisent bien ce changement d'attitude et ce transfert d'une arme sur une autre des fantasmes de mort liés à une angoisse irréductible. Pourtant, « objectivement », jamais on n'aurait eu autant de « bonnes » raisons de redouter la menace chimique.

Ces armes avaient changé. En 1945, les Soviétiques s'étaient emparés des usines allemandes de fabrication du tabun et du sarin ainsi que de la formule du soman et les Américains avaient, eux aussi, commencé à s'intéresser de très près aux neurotoxiques dont ils devaient entreprendre la production à grande échelle en 1954.

L'arrivée des gaz supertoxiques modifia considérablement les données de la guerre chimique. Les états-majors ne pouvaient désormais plus faire la fine bouche devant une arme aussi puissante. Ses effets lui permettaient, au contraire, de s'intégrer parfaitement aux nouvelles doctrines stratégiques nées de l'apparition de la bombe atomique. Si bien que l'on assista à un complet revirement d'attitude qui toucha à la fois la communauté scientifique et la communauté politico-militaire.

Robin Clarke a bien saisi ce phénomène[1]. « Au XIXᵉ siècle, écrit-il, c'étaient les scientifiques qui [...] conseillaient [la guerre chimique] et les généraux qui la rejetaient sous prétexte d'inefficacité. [...] Et après la guerre, ce furent [...] les politiciens qui manigancèrent la Convention de Genève de 1925, tandis que les scientifiques n'y jouèrent qu'un rôle effacé. [...] Or, dans le courant des années 1950, les rôles furent inversés. La communauté scientifique, peut-être parce qu'elle souffrait d'un sentiment de culpabilité collective d'avoir été le promoteur de l'ère atomique, commença à protester pour de bon. »

A tout prendre, le contraire eût été préférable et le monde se serait sans doute très bien passé du soudain enthousiasme des militaires et des politiciens pour la guerre chimique (et biologique) mais on entrait dans une ère nouvelle : les mentalités avaient changé et les données stratégiques aussi.

La « réponse flexible »

En 1955, une circulaire provenant de l'administration militaire des États-Unis indiqua aux officiers américains qu'ils devaient « perdre l'habitude » de dénommer « armes de destruction massive », au même titre que les armes nucléaires, les « engins chimiques, bactériologiques et radiologiques ». Désormais, ces engins seraient classés dans la catégorie des armes à usage spécial. Et d'expliquer : « Bien que les armes CBR puissent attaquer les masses humaines directement ou par l'intermédiaire de leurs aliments, elles n'affectent pas le matériel et les bâtiments de la même façon que les engins nucléaires. »

La distinction, tout en reposant sur une évidence, était subtile, mais elle inquiéta les experts qui y virent une façon de légitimer par avance un recours à ces armes dans un conflit à venir. Pareille crainte était d'autant plus fondée qu'en 1947 l'administration Truman avait repoussé une nouvelle fois la ratification du protocole de Genève sous prétexte qu'il s'agissait d'un texte « dépassé » (« *obsolete* »).

A la fin de la guerre de Corée, Eisenhower avait témoigné d'une relative modération en matière de défense. Sa politique se caractérisait par une réduction des dépenses militaires et une diminution des effectifs des forces armées. Cette attitude trouvait sa justification dans la doctrine

---

1. In *La guerre biologique est-elle pour demain ?*, Fayard, Paris, 1972

stratégique de la « riposte massive » qui régnait alors à Washington. Interprétation « jusqu'au-boutiste » de la philosophie de la dissuasion, cette doctrine reposait sur la menace d'une réplique nucléaire immédiate et sans merci à tout agresseur éventuel des États-Unis ou d'un de leurs principaux alliés.

C'est dans ce contexte que fut prise la décision de produire des neurotoxiques en grande quantité. On peut y voir une contradiction dans la mesure où la « riposte massive » paraissait écarter jusqu'à l'éventualité d'un recours à l'arme chimique. Le fait est que la période Eisenhower n'est pas très claire quant au rôle dévolu aux gaz de combat dans l'armée américaine et cette remarque vaut tout aussi bien pour l'arme biologique. Cependant, les neurotoxiques constituaient un moyen économique et efficace de compenser la relative infériorité numérique des troupes américaines résultant en grande partie de la politique de modération adoptée par le Président. Car les Américains avaient été très impressionnés, durant la guerre de Corée, par les assauts des troupes chinoises déferlant sur eux tels de véritables raz de marée. Les neurotoxiques permettraient de briser la lame pour ne plus avoir à combattre qu'une houle humaine insignifiante.

Quand l'ère Eisenhower toucha à sa fin, la doctrine de la « riposte massive » se vit très fortement contestée. L'ancien chef d'état-major de l'armée, le général Maxwell D. Taylor, alla jusqu'à écrire, en 1959 :

« La riposte massive est un concept stratégique qui a fait son temps. Il a peut-être empêché la "grande guerre" — une Troisième Guerre mondiale — mais il n'a pas permis de préserver la "petite paix" — la paix qui évite des troubles de peu d'importance par rapport aux désastres d'une guerre généralisée[1]. »

Ce qui se dessinait alors, c'était une nouvelle doctrine, mieux adaptée aux réalités des années 60, qui allait prendre le nom de « réponse flexible ».

L'abandon du concept de « riposte massive » provenait du fait qu'il correspondait à la seule éventualité d'une attaque généralisée contre les États-Unis et leurs alliés de l'OTAN. Or une telle perspective se révélait de plus en plus improbable, d'autant qu'à cette époque on assistait à une vague de soulèvements révolutionnaires sans précédent dans le tiers monde. Là résidait, en fait, la seule véritable menace car, comme le remarque Michael T. Klare dans son article, « ... même si la perte de l'un des régimes amis ne menaçait pas les intérêts fondamentaux du pays, la disparition cumulée de plusieurs d'entre eux y concourait assurément, d'autant que les intérêts commerciaux et les investissements américains étaient en expansion rapide dans les différentes régions du tiers monde ».

---

1. Cité par Michael T. Klare in « Une stratégie de défense globale pour l'"Amérique forte" », *Le Monde diplomatique*, n° 330, septembre 1981.

La doctrine de la « réponse flexible » consistait à prévoir, au plan militaire, toute une série de ripostes possibles, adaptées à tous les types de menaces pouvant se produire, « de la guerre atomique générale à des infiltrations et à des agressions telles que celles qui menacent le Laos et Berlin[1] ».

Cette fois, il n'y avait plus de contradiction, même apparente, entre la nouvelle doctrine stratégique des États-Unis et le rôle dévolu à l'arme chimique (ainsi qu'à l'arme biologique) au sein des moyens mis à la disposition des troupes américaines. Au contraire, on ne pouvait rêver d'une arme mieux adaptée à la « réponse flexible » — et aux conflits localisés — guerres civiles, luttes de libération nationale — qui commençaient à éclater vers la fin des années 50. Cela n'échappa d'ailleurs pas à Robert Kastenmeier, un membre du congrès que les armes toxiques n'enthousiasmaient pas beaucoup.

Mû par la crainte très légitime de voir l'emploi de ces armes se généraliser, il soumit à la Chambre des représentants en septembre 1959 une résolution visant à réaffirmer la politique définie en 1943 par Roosevelt en vertu de laquelle les États-Unis s'engageaient à ne pas recourir les premiers aux armes chimiques et biologiques. Il ne s'agissait, au fond, que de confirmer un choix effectué seize ans auparavant... mais dans un tout autre contexte.

Cette résolution fut rejetée. Les choses avaient changé et, bien que cela n'eût jamais été annoncé explicitement, les États-Unis étaient passés d'une politique placée sous le signe des « représailles de même nature » à une attitude plus offensive n'excluant pas l'initiative d'un recours aux armes chimiques et biologiques. La proposition de Robert Kastenmeier ne fut cependant pas tout à fait inutile. Elle eut au moins le mérite en effet de mettre les choses au clair puisque, en la repoussant, le Département de la Défense crut bon de préciser :

« Des déclarations similaires pourraient s'appliquer avec autant de pertinence à l'éventail complet des armes dont nous disposons, et l'on ne voit pas pour quelle raison les armes chimiques et biologiques devraient constituer une exception au travers d'une telle déclaration... En outre, au fur et à mesure que les recherches se développent, il devient de plus en plus évident que certaines formes de ces armes, qui diffèrent des formes antérieures, pourraient effectivement être utilisées dans des buts défensifs avec un minimum de conséquences collatérales[2]. »

Quant au Département d'État, qui repoussa la résolution de Robert Kastenmeier avec autant de conviction que le Département de la Défense, il invoqua la responsabilité des États-Unis envers leur propre sécurité et

---

1. Maxwell D. Taylor : *The uncertain trumpett*, Harper and Row, New York, 1960, cité par Michael T. Klare dans son article.

2. Cité in *CB weapon today*, SIPRI, 1973.

celle du monde libre en déclarant que cela impliquait le maintien d'une force de défense « adéquate » n'excluant aucune arme quelle qu'elle fût, afin de pouvoir répondre à n'importe quel type de situation.

Ce qu'il y a de frappant, aujourd'hui, c'est de voir à quel point l'arme chimique était adaptée à la doctrine de la « réponse flexible ». Et l'on s'aperçoit, rétrospectivement, que, dans de telles conditions, l'écocide vietnamien était quasiment inévitable.

Robert Kastenmeier avait eu raison de s'inquiéter car, à partir de 1959, les recherches américaines en matière d'armes chimiques et biologiques connurent un essor considérable. En 1961, 57 millions de dollars furent consacrés à ce programme. En 1964, le montant des crédits passa à 158 millions de dollars et plusieurs universités, dont celle de Pennsylvanie, se partagèrent une partie des contrats. En 1967, c'est-à-dire en pleine guerre du Vietnam, le Département de la Défense américain alloua 449 millions de dollars sous forme de contrats de recherches sur ces armes à une quarantaine d'universités[1]. Pour impressionnants que paraissent ces chiffres, il ne faut jamais perdre de vue que seuls les Américains ont accepté de publier certaines informations au sujet de leurs travaux sur les armes chimiques et biologiques. Cela en fait des cibles faciles pour les adversaires de ces méthodes de combat, mais la justice n'y trouve peut-être pas toujours nécessairement son compte...

Indifférence et raison d'État

Avant le Vietnam, plusieurs guerres civiles ou luttes de libération nationale éclatèrent en différents points du globe sans que les Grandes Puissances y fussent toujours directement impliquées. Le recours à l'arme chimique fut fréquemment dénoncé mais ces allégations ne provoquèrent pas beaucoup de réactions. En mai 1957, des Cubains demandèrent aux Nations Unies d'enquêter sur l'emploi présumé d'agents toxiques par les troupes gouvernementales contre les guérilleros. Cette requête ne connut apparemment pas de suite. La même année, en juillet, ce fut au tour des Français d'être accusés de recourir à l'arme chimique en Algérie. Là aussi, l'affaire ne fit pas beaucoup de bruit et l'on s'empressa de l'oublier. En février 1958, un communiqué de l'Armée de Libération du Sahara Marocain dénonça l'usage de « bombes chimiques » par les forces coloniales françaises et espagnoles sur la colonie espagnole de Rio de Oro. Pas d'enquête. Le 4 novembre 1958, Radio Pékin accusait les nationalistes chinois de bombarder les troupes de Chine populaire à l'aide d'obus chimiques. Les nationalistes nièrent. L'affaire s'arrêta là.

Dans les années 60, un conflit où la règle édictée par le Protocole fut manifestement violée faillit tirer le monde de sa torpeur, mais le

---

1. Chiffres cités dans *Le Monde* du 7 février 1968.

comportement des Américains au Vietnam empêcha qu'il en fût ainsi. En fin de compte, la guerre civile du Yémen, puisque c'est d'elle qu'il s'agit, se solda par un « non-lieu » où la justice ne trouva certainement pas son compte.

Voici les faits :

En septembre 1962, une révolution éclata au Yémen. Son objectif était de renverser la dynastie qui régnait depuis douze siècles sur le pays. Les forces insurrectionnelles proclamèrent la république mais deux puissances étrangères apportèrent leur soutien à chacun des camps en présence : l'Égypte, ou, comme elle se dénommait à l'époque, la République arabe unie[1] (RAU), aux républicains et l'Arabie Saoudite aux royalistes. En juin 1963, le gouvernement saoudien accusa les Égyptiens de faire usage de gaz toxiques contre les troupes royalistes. C'était le début de la première de trois séries d'allégations se répartissant comme suit :
— juin et juillet 1963;
— janvier à juillet 1965;
— automne 1966 à juillet 1967.

De toutes ces accusations, celles proférées au cours de la troisième période sont les plus importantes et celles qui provoquèrent le plus grand nombre de réactions.

Égyptiens et Yéménites républicains auraient commencé par utiliser des gaz lacrymogènes en 1963, puis des vésicants et du phosgène à partir de 1965 et enfin du phosgène et de l'ypérite en 1967. L'Arabie Saoudite les accusa également de s'être servis de neurotoxiques en avril 1968 mais l'usage de tels gaz, qui aurait constitué une grande première dans l'histoire, n'a jamais été démontré.

On soupçonna fortement l'URSS de fournir des armes et des agents chimiques aux Égyptiens et l'on alla jusqu'à prétendre que ces armes étaient lancées d'avions soviétiques pilotés par des Égyptiens. Mais, là aussi, les preuves manquent pour porter des accusations sérieuses.

Jusqu'en 1967, l'opinion internationale témoigna d'une relative indifférence envers les événements du Yémen. Seule la Grande-Bretagne s'en soucia en raison de la présence de protectorats britanniques dans la région, notamment à Aden, la future capitale du Sud-Yémen. En outre, des journalistes anglais avaient ramassé des débris de bombes dans un village attaqué et les avaient expédiés à leur ministre de la Défense. On trouva des traces de gaz sur ces débris et la presse s'empara de l'affaire. L'ambassadeur britannique au Caire fut alors contraint de mettre en garde le gouvernement égyptien contre les conséquences qu'aurait l'usage de gaz toxiques s'il ·était avéré.

---

1. La RAU était, à l'origine, un État formé en 1958 par l'union de l'Égypte, de la Syrie et du royaume du Yémen. En 1961, cette union fut rompue à la suite d'un coup d'État militaire en Syrie mais l'Égypte conserva la dénomination de République arabe unie jusqu'en 1971.

Mais toutes ces allégations demandaient à être vérifiées. En février 1967, la « République arabe unie » invita une commission d'enquête des Nations Unies à venir vérifier sur place la « fausseté » des allégations dont elle était l'objet. Dans une déclaration faite à la radio du Caire, M. Mohammed El Fayek, ministre de l'Information, accusa M. Harold Wilson, premier ministre britannique, d'avoir, par ses paroles, donné une nouvelle dimension à l'affaire. Cela concernait un discours fait devant les Communes au cours duquel M. Wilson avait déclaré être en possession d'indications suggérant que des gaz toxiques *pouvaient* avoir été utilisés au Yémen. Sans doute faisait-il allusion aux débris de bombes envoyés par les journalistes. En conséquence, poursuivait M. Mohammed El Fayek, « j'ai été chargé, au nom de la République arabe unie, de démentir une fois de plus et de manière catégorique les allégations saoudites. La RAU n'a jamais utilisé des gaz toxiques au Yémen, même lorsque la bataille y faisait rage. Il m'a été demandé de déclarer officiellement que la RAU est prête à accepter une mission d'enquête des Nations Unies et de faciliter son départ immédiat pour le Yémen. La République du Yémen a également accepté d'accorder à une telle mission toutes les facilités nécessaires sur son territoire, afin de prouver la fausseté de la propagande anti-égyptienne ».

En réponse à cette invitation, l'émir Abdel Rahman Ben Yahia, vice-premier ministre royaliste yéménite, déclara que son gouvernement accueillerait favorablement toute enquête de n'importe quelle organisation internationale sur l'emploi de l'arme chimique. Et il ajouta : « Quiconque visitera le village de Ketaf, à une cinquantaine de kilomètres au sud de Najrane, dans le nord du Yémen, y trouvera encore les preuves évidentes des bombardements égyptiens par les gaz. Le gouvernement du Caire, en proclamant son acceptation d'une enquête internationale, s'imagine peut-être qu'un temps suffisant s'est écoulé depuis le raid du 5 janvier sur Ketaf. Nous sommes persuadés du contraire. »

Tout le monde semblait donc accepter la présence d'une commission d'enquête internationale au Yémen. Mais cette commission ne vit jamais le jour...

D'abord, la volonté commune des deux parties de voir se constituer une telle commission resta au niveau des intentions. Ni les royalistes et les Saoudiens ni les républicains et les Égyptiens ne prirent de mesures précises et concrètes pour que l'ONU intervînt.

Ensuite, exception faite de la Grande-Bretagne, les membres de la communauté internationale ne parurent guère se soucier de ce qui se passait au Yémen. Le seul organisme international à réagir contre ces événements fut le CICR, et il le fit en se prononçant sur les allégations d'emploi des gaz toxiques d'une manière qui ne lui était pas coutumière. Mais ses pouvoirs n'étaient pas ceux de l'ONU.

En février 1967, quand les parties en présence réclamaient la création d'une commission d'enquête, le Comité international de la Croix-Rouge remit à la presse le communiqué suivant :

« Le CICR adresse un pressant appel à toutes les autorités impliquées dans ces conflits afin que soient respectées, en toute circonstance, les règles d'humanité universellement reconnues par la morale internationale et le droit des gens.

« Le CICR se permet de compter sur la compréhension et l'appui de toutes les autorités intéressées, afin que ses médecins et délégués au Yémen puissent poursuivre, dans les meilleures conditions, leur œuvre d'assistance impartiale aux victimes du conflit.

« Le CICR saisit cette occasion pour rappeler que, dans l'intérêt même des personnes à secourir, il s'est fixé pour règle générale de ne pas donner de publicité aux constatations que ses délégués peuvent faire dans l'exercice de leur mission. Mais ces constatations lui servent à étayer les démarches appropriées qu'il ne manque pas d'entreprendre chaque fois qu'elles s'imposent. »

Quelques mois plus tard, en juin, le Comité international publia un nouveau communiqué au ton moins réservé pour manifester son inquiétude quant à l'emploi au Yémen d'une « méthode de combat absolument proscrite par le droit international, écrit et coutumier ».

Entre-temps, cet organisme avait reçu de ses délégués dans la région plusieurs rapports faisant état de bombardements au moyen de gaz toxiques. Le communiqué précisait que l'équipe médicale conduite par le chef de la mission de la Croix-Rouge dans la région s'était rendue les 15 et 16 mai dans un village du nord du pays pour tenter de secourir les victimes d'un bombardement ayant eu lieu quelques jours plus tôt et à la suite duquel, selon les témoignages des survivants, de nombreuses victimes avaient péri asphyxiées. L'équipe médicale avait recueilli plusieurs indices prouvant l'emploi de bombes à gaz par l'armée égyptienne.

Après avoir étudié ces rapports, le CICR s'adressa aux « autorités intéressées » et leur demanda de prendre l'« engagement solennel » de renoncer à l'usage des gaz. C'est peu, semble-t-il, mais, de la part d'un organisme aussi « réservé » que le Comité International de la Croix-Rouge, c'est tout ce qu'il était possible de faire. Ce communiqué, sous l'apparente neutralité de sa formulation, constitue bien la condamnation la moins équivoque des méthodes de guerre égyptiennes au cours de ce conflit.

Pour ce qui est de l'ONU, le 27 juillet 1967, en Grande-Bretagne, deux cents membres de la Chambre des communes appartenant aux partis travailliste, conservateur et libéral signèrent une motion déplorant « l'usage des gaz toxiques par les forces égyptiennes au Yémen » et invitant le gouvernement britannique à soulever le problème aux Nations Unies. Mais M. George Brown, secrétaire au ministère des Affaires étrangères, répondit que le gouvernement britannique entendait ne pas se mêler des affaires du Yémen.

Les choses en restèrent là. L'affaire ne fut jamais portée devant l'ONU et aucune condamnation officielle ne fut prononcée contre le gouvernement égyptien. Pourtant, plus personne ne doutait, à l'époque, du fondement des allégations en provenance des royalistes et de l'Arabie Saoudite. Mais la raison d'État l'avait emporté sur toute autre considération en Grande-Bretagne. Ce pays désirait renouer des relations diplomatiques avec l'Égypte. Ça n'était donc pas le moment d'accuser Le Caire de violer une règle du droit international. Et surtout, en 1967, les États-Unis étaient engagés au Vietnam où ils se livraient à un emploi massif d'agents chimiques. Cet état de choses avait sans doute été déterminant, car comment porter l'affaire yéménite devant l'ONU sans faire, du même coup, le procès de l'allié américain ? Cruel dilemme que le gouvernement britannique choisit de résoudre en se retranchant derrière une prudente réserve.

Mourir pour une imprécision

Pour les États-Unis, la guerre du Vietnam commença officiellement en 1964 bien que, depuis 1961, le nombre de « conseillers » militaires américains à Saigon n'eût cessé de croître et qu'ils fussent plus ou moins impliqués dans la plupart des affrontements se produisant dans cette région. Lorsque les premiers bombardements eurent lieu contre le Nord, en août 1964, le concept stratégique de la « réponse flexible » du général Taylor avait évolué pour donner naissance à la doctrine dite des « deux guerres et demie ». Ce projet — qui ne fut jamais complètement réalisé — consistait à doter les États-Unis de forces suffisantes pour mener deux grandes guerres à la fois, l'une en Europe, l'autre en Asie orientale, et un conflit limité quelque part ailleurs. Cette « demi-guerre » s'incarna dans le conflit vietnamien aux yeux des stratèges américains qui y virent un excellent moyen de tester les nouvelles armes et les nouvelles tactiques contre-insurrectionnelles qu'ils venaient d'élaborer.

On n'avait pas oublié les arguments présentés en 1926 par le secrétaire de l'American Chemical Society dans son opposition à la ratification du Protocole : avec des gaz inoffensifs, un conflit pourrait se dérouler sans morts ni souffrances. C'était donc le moment de s'essayer à la « guerre humaine » et, dès l'ouverture du conflit, le Département d'État reprit ce concept pour ne plus l'abandonner. Les Américains étaient d'autant plus à l'aise pour recourir aux gaz « inoffensifs » — essentiellement des lacrymogènes — qu'ils s'abritaient derrière une interprétation très restrictive du Protocole (toujours pas ratifié par eux).

« En souscrivant aux obligations du Protocole, explique Ricardo Frailé[1], les plénipotentiaires reconnaissaient l'interdiction de l'"emploi à

1. *Op. cit.*

la guerre de gaz asphyxiants, toxiques ou similaires, ainsi que de tous liquides, matières ou procédés analogues". La phrase anglaise correspondante stipule "the use in war of asphyxiating, poisonous or other gases, and of all analogous liquids, materials or devices"; les deux versions, britannique et française, faisant également foi. Du point de vue sémantique, il existe une évidente absence de concordance entre les mots "similaires" et "other", le second ayant bien sûr une signification embrassant une gamme d'éléments beaucoup plus vaste. Sur la base de cette divergence, les États-Unis ont opté pour le premier sens, exprimé en français, mais qui apparaît nettement plus restrictif que le second.

« Afin de tirer les effets voulus du choix effectué, le gouvernement fédéral a estimé opportun de préciser qu'il considérait comme exclus de la portée du protocole tous les produits non similaires aux gaz asphyxiants ou toxiques. Se trouvaient directement visés et par suite légalisés à la guerre, les agents servant à la répression des émeutes (gaz lacrymogènes) ainsi que les herbicides. »

D'autres pays, dont la Grande-Bretagne, devaient rejoindre les États-Unis dans leur interprétation du Protocole, ce qui ne manque pas d'un certain humour puisque c'est la version anglaise du texte que ces États firent mine d'ignorer au profit de la version française, moins contraignante... On ne pourra cependant que rester songeur devant le nombre de morts et de souffrances causés à l'abri d'une simple imprécision sémantique...

Jusqu'en mars 1965, l'opinion ne s'émut pas beaucoup de l'emploi de l'arme chimique au Vietnam. En juin 1964, la Fédération des savants américains réunie à Cambridge, dans le Massachusetts, demanda au président Johnson de mettre fin à la mise au point et à la production d'armes chimiques et biologiques. Dans son appel, la Fédération déclara :

« Il existe des preuves abondantes que le gouvernement des États-Unis est engagé dans une vaste entreprise pour mettre au point et produire des armes de mort biologiques et chimiques. Il semble vraisemblable que les principaux objectifs seraient les populations civiles plutôt que le personnel militaire. Nous estimons que cela est moralement répugnant. Nous nous inquiétons des rapports parlant d'utilisation sur le terrain d'armes chimiques au Vietnam... Les rapports sur l'emploi de produits de défoliation pour détruire le couvert protecteur ont été confirmés par des représentants du Département de la Défense. Ces allégations donnent naissance à l'idée que les États-Unis utilisent les champs de bataille vietnamiens comme terrain d'expérience pour la guerre chimique et biologique. »

Mais cette dénonciation arrivait trop tôt. Elle ne provoqua aucune réaction. Les partisans de la « guerre humaine » parlaient plus fort que leurs adversaires et ils avaient souvent plus d'autorité.

Cependant, en mars 1965, la situation connut une brusque évolution. Outre les lacrymogènes, des gaz vomitifs et aveuglants furent lancés sur les hommes du FNL à partir d'hélicoptères et d'avions. On plaçait de grands réservoirs sous les appareils et, dans certains cas, on avait recours à des grenades pour former des nappes gazeuses. Ces armes n'en étaient encore qu'au stade expérimental et un officier fit la déclaration suivante :

« Même si c'est une réussite, le véritable problème sera d'accoutumer le public à cette idée. Bien que le produit utilisé ne soit pas mortel et n'ait pas d'effet durable, cette idée remet en mémoire les souvenirs de la Première Guerre mondiale et du gaz moutarde[1]. »

Cet officier voyait juste. L'emploi massif de nouveaux gaz de combat contre le Vietcong à partir de mars 1965 détériora singulièrement la position internationale des États-Unis et marqua, du même coup, une nouvelle étape dans l'« escalade » conduisant de la « demi-guerre » souhaitée par les stratèges US à la guerre tout court. Ce qui choquait le plus, ça n'était pas tant le viol manifeste du Protocole que de voir Washington se servir de ce conflit pour expérimenter des armes nouvelles. Et le fait que ces armes fussent en grande partie de nature chimique réveillait de vieux fantasmes. La grande peur des gaz, oubliée depuis 1945, revint à la surface sous une forme nouvelle. L'arme chimique provoquait toujours un même sentiment de répulsion mais elle avait acquis une dimension d'autant plus terrifiante qu'elle était désormais perçue comme une étape conduisant à l'emploi des armes nucléaires. Après tout, les gaz avaient longtemps passé pour l'arme absolue avant la découverte de la bombe atomique. Hiroshima les avait relégués à la seconde place dans l'esprit du public, sinon dans celui des militaires où ils occupaient un rang beaucoup moins honorable. Il semblait donc qu'en les utilisant les Américains se rapprochaient de l'irréparable.

Du reste, les allusions à la guerre nucléaire ne se firent pas attendre lorsque l'emploi de l'arme chimique au Vietnam fut officialisé. Le 25 mars 1965, à Sydney où il faisait escale, M. Messmer, ministre français des Armées qui se rendait en Polynésie pour inspecter les travaux du polygone nucléaire français, déclara :

« La solution au Vietnam du Sud réside dans des négociations sans préalable. Des initiatives américaines ont récemment rendu la situation plus difficile, mais nous croyons toujours que des négociations doivent s'ouvrir immédiatement. Autrement, il existerait un danger véritable de guerre nucléaire mondiale. »

Conscient du sentiment de réprobation générale dont son pays était l'objet, le président Johnson adopta une curieuse et déconcertante tactique consistant à se désolidariser d'une partie de ses troupes en déclarant que les gaz avaient été employés sans son consentement. Mais cela ne fit qu'envenimer la situation.

A Moscou, l'agence *Tass* déclara que l'utilisation de l'arme chimique au

---

1. Cf. *Le Monde* du 23 mars 1965.

Vietnam montrait qu'il n'y avait aucune garantie que les Américains n'emploieraient pas un jour des armes atomiques. Rappelant les déclarations du président américain, le correspondant de l'agence soviétique à New York écrivit :

« La facilité avec laquelle les officiers et généraux américains désobéissent aux ordres de leur commandant suprême, si de tels ordres existent, suggère naturellement une question : la même chose ne pourra-t-elle pas se produire aussi dans les secteurs où les troupes américaines sont équipées d'armes nucléaires ? L'utilisation de gaz toxiques au Vietnam du Sud montre une fois de plus qu'il n'y a aucune garantie à ce sujet. »

Et malgré les propos du Président l'opinion étrangère continua à chercher des coupables au « sommet ».

L'escalade

C'est bien au « sommet » que se trouvaient les responsables et l'on sait aujourd'hui que l'école et centre chimique de l'armée de Fort McClellan, dans l'Alabama, possédait un village vietnamien simulé pour l'entraînement des troupes à la guerre des gaz. Les militaires y suivaient un programme d'instruction spéciale à l'aide de laboratoires et de télévision en circuit fermé. Mais l'opinion n'avait pas besoin de connaître ce genre de détail pour s'indigner. Le recours à l'arme chimique suscita des protestations dans de nombreux pays. On organisa des manifestations, des meetings de solidarité avec le peuple vietnamien, et le camp socialiste saisit la balle au bond pour durcir sa position.

Pékin et Moscou agitèrent la menace d'une intervention directe au Vietnam. Washington fit mine d'ignorer l'incident et les responsables de la diplomatie américaine redoublèrent d'efforts pour minimiser le mauvais effet produit par la révélation de l'emploi d'armes toxiques. Le secrétaire américain, M. Dean Rusk, organisa en toute hâte une conférence de presse pour expliquer que les États-Unis n'avaient « aucunement l'intention d'introduire la guerre des gaz au Vietnam » et il exprima l'espoir que l'opinion mondiale comprendrait que seuls des gaz de type lacrymogène avaient été utilisés.

Mais l'opinion refusait de comprendre. A Stockholm, le gouvernement suédois affirma qu'en raison des circonstances il devenait « extrêmement important que des négociations visant à une solution pacifique du problème aient lieu immédiatement ». A Ottawa, M. Paul Martin, ministre canadien des Affaires étrangères, déclara : « Nous pensons que, les gaz utilisés au Vietnam n'ayant pas un effet supérieur à celui des armes à feu, il serait sage, compte tenu de l'opinion mondiale, d'en revenir à des mesures qui ne suscitent pas de mouvements passionnels ou qui ne puissent pas être mal interprétées, surtout en Asie. »

Ce concert de protestations alla s'amplifiant au cours des mois suivants, si bien qu'en juillet 1965 M. McNamara déclara officiellement que les troupes américaines n'emploieraient plus de produits chimiques.

Ce répit, destiné à calmer l'opinion, fut de courte durée. Trop d'intérêts étaient en jeu et les agents chimiques étaient trop bien adaptés aux nouvelles tactiques anti-insurrectionnelles pour y renoncer. Un mois à peine après la déclaration de McNamara, le 16 août 1965, le Dr Richard Kenyon, directeur des publications de l'American Chemical Society, regrettait, dans un éditorial de la revue *Chemical and Engineering News*, que des substances bactériologiques et chimiques « non mortelles » ne fussent pas employées dans cette guerre. « Il vaut mieux obliger les rebelles à sortir de leur retraite et les rendre provisoirement inaptes au combat que les massacrer sans discrimination en jetant des grenades dans les grottes où il peut ne pas y avoir seulement que des ennemis, mais aussi des civils, dont des femmes et des enfants. »

Le 22 septembre, les autorités militaires américaines de Saigon demandaient à Washington d'autoriser les officiers en opérations à utiliser les gaz lacrymogènes. Cet emploi serait laissé à l'appréciation des commandants d'unités. Le lendemain — car les choses allaient vite —. Westmoreland, commandant en chef des forces américaines au Vietnam, était habilité à autoriser l'emploi de gaz lacrymogènes contre le Vietcong. Et cette autorisation fut accordée pour la première fois le 8 octobre à des officiers de la 173e brigade de parachutistes lors d'une opération au sud-est de Ben-Cat dans la zone dite du « triangle de fer ». Cette décision mettait fin à l'incertitude qui régnait sur la nature des ordres donnés aux troupes américaines depuis les incidents du mois de mars.

Les choses étant claires, désormais, on vit paraître les premiers chiffres concernant les achats de lacrymogènes par le Pentagone. Le 11 octobre, on apprit que ces achats avaient totalisé 607 112 dollars pour l'année fiscale 1964 et 800 000 dollars pour 1965. Pour l'année fiscale en cours, commencée le 1er juillet, ils avaient déjà atteint 1 021 746 dollars...

La guerre chimique se généralisa à partir d'octobre 1965, bien que ces méthodes fussent réservées, en principe, à certains cas particuliers, notamment lorsque les « rebelles » se mêlaient à la population locale afin d'empêcher l'action des troupes.

Les spécialistes américains se mirent à étudier de nouvelles méthodes d'utilisation des lacrymogènes ainsi que de nouveaux composés.

« La méthode la plus récente consiste à larguer depuis un avion volant à basse altitude des chapelets de grenades pour obtenir une saturation d'une zone grande comme un terrain de football à l'aide d'un gaz irritant constitué de très fines particules et qui a été mis au point par des chimistes britanniques, pouvait-on lire dans *Le Monde* du 6 janvier 1966. Les grenades cylindriques peuvent être lancées à la main ou au fusil. Une charge explosive disperse ensuite la poudre sur une grande superficie et la vaporise. L'inhalation des gaz provoque une violente irritation des muqueuses entraînant une abondante salivation. Les victimes éprouvent une sensation de brûlure aux poumons et aux endroits humides de la peau. Mais surtout, le gaz a *pour principal effet de susciter un insurmontable désir de courir*, a révélé un officier américain. »

Les spécialistes avaient également mis au point une puissante pompe à air baptisée « Mighty Mite » (le « Puissant Gamin ») lançant à près de 300 km/h un jet de gaz pénétrant dans les grottes et les tunnels.

Inutile de préciser qu'avec un tel moyen de mise en œuvre le moins toxique des lacrymogènes acquiert un pouvoir asphyxiant proche de celui du phosgène.

En janvier, un reporter de l'agence *Associated Press* accompagna une compagnie de « marines » qui tomba dans une embuscade. Son témoignage, reproduit dans la presse occidentale[1], donne à la « guerre humaine » sa juste mesure :

« **Trung-Lap, 13 janvier**. — C'est un long et sanglant kilomètre que nous avons parcouru mercredi. Du gaz dérivait entre les arbres et nous brûlait la peau. Des blessés se tordaient au sol, apparaissant monstrueux avec leur masque à gaz grotesque. La mort était dans les arbres où les tireurs vietcongs s'étaient embusqués, et sous terre, où attendaient les mines.

« [...] Le commandant de compagnie donna des ordres de combat. L'un de ses groupes d'éclaireurs était cloué au sol depuis trois heures par des tirs d'armes automatiques du Vietcong, et il allait, avec la compagnie, le dégager.

« [...] Des hélicoptères arrivèrent pour aider la compagnie. On entendit un cri à la radio : "Arrêtez de tirer, vous êtes trop près de nous !" Puis ils virent les hélicoptères lanceurs de gaz, arrosant les positions vietcongs. Comme les fumées venaient vers nous, le commandant cria : "Mettez les masques à gaz !"

« Le masque à gaz de caoutchouc, qui serre étroitement le visage, est une chose terrible à porter par la chaleur vietnamienne. La respiration est rendue difficile et la sueur s'accumule à l'intérieur.

« Alors que la compagnie masquée avançait, une [...] mine explosa, fauchant deux sergents. L'un d'eux, gisant au sol, tenta d'arracher son masque. Il fallut l'en empêcher. Le commandant cria aux infirmiers : "Laissez les blessés couverts, laissez-les habillés, le gaz va les brûler." De toute façon, le gaz, en atteignant les parties nues des bras et du cou, causait déjà aux hommes une douleur analogue à une brûlure... »

L'autre visage de la guerre chimique vietnamienne, c'était l'emploi d'herbicides et de défoliants. A long terme, les agents antiplantes allaient se révéler beaucoup plus dévastateurs que les gaz antipersonnels, mais au début ils provoquèrent peu de protestations. Les premiers chiffres les concernant parurent dans la presse en mars 1966. Ils étaient d'origine vietcong :

---

1. Voir *Le Monde* du 14 janvier 1966.

1963 : 320 000 hectares de récoltes détruits;

1964 : 500 000 hectares;

1965 : 700 000 hectares;

Le Vietnam n'était pas le seul pays touché. En février 1966, des avions américains participèrent à des opérations de défoliation aux alentours de la piste Ho Chi Minh au Laos afin de contrôler les infiltrations vietnamiennes s'effectuant en direction du Vietnam du Sud à travers le territoire laotien. Et à cette occasion les voix de plusieurs savants américains s'élevèrent pour dénoncer les dangers que faisaient courir à l'homme de telles opérations.

Le 20 septembre, vingt-deux de ces savants, dont sept prix Nobel, adressèrent une lettre au président Johnson pour lui demander de « réaffirmer catégoriquement » l'intention des États-Unis de s'abstenir d'utiliser des armes chimiques et biologiques et d'ordonner qu'il soit mis fin à l'emploi de telles armes au Vietnam.

Mais Washington, entraîné dans un processus d'escalade de moins en moins maîtrisable, n'avait pas envie de « réaffirmer » une politique depuis longtemps tombée en désuétude et plus ou moins écartée par le Département d'État et le Département de la Défense en 1959. D'autant que les alibis ne manquaient pas aux responsables américains pour continuer leur guerre chimique au Vietnam sans avoir l'air d'enfreindre le Protocole.

La colère

En 1967, la réprobation contre les méthodes de guerre de Washington se changea en colère. Le 19 février, cinq mille savants américains adressèrent au président Johnson une pétition lui demandant d'interdire l'utilisation des armes chimiques au Vietnam en raison du « dangereux précédent ainsi créé » et des « imprévisibles conséquences à long terme, qui dépassent de beaucoup un quelconque avantage militaire à court terme ».

Cette pétition offrait le mérite de situer les événements vietnamiens dans un contexte plus large puisque ses signataires remarquaient que ces armes « peuvent devenir infiniment moins chères et plus faciles à produire que les armes nucléaires, mettant ainsi un pouvoir de destruction massive à la portée de nations qui n'en disposent pas actuellement ». Et d'ajouter qu'elles « peuvent être utilisées par des dirigeants qui peuvent être réduits au désespoir ou qui sont irresponsables ou sans scrupules ».

En conclusion, les savants rappelaient qu'il n'y avait pas eu de « réaffirmation catégorique de la politique suivie [par les États-Unis] pendant la Seconde Guerre mondiale » et ils insistaient pour que le Congrès ratifiât au plus tôt le Protocole.

Au cours de cette même année, de nouveaux chiffres parurent dans la presse. En mars, le comité médical du Mouvement de la paix édita une brochure concernant l'utilisation au Vietnam d'armes chimiques ou biologiques destinées à la défoliation, à la destruction des cultures ou à la lutte contre la guérila. Les effets des produits utilisés par l'armée américaine y étaient analysés et le comité des médecins du Mouvement de la paix rappelait que les crédits de recherche et de fonctionnement concernant la guerre chimique et biologique avaient considérablement augmenté depuis le début des hostilités et il évaluait à 46 247 le nombre de personnes intoxiquées en 1965 au Vietnam et à plusieurs centaines de milliers d'hectares la surface des cultures dévastées par les herbicides.

En juillet, on apprenait que le Département de la Défense venait de passer une commande de défoliants à huit sociétés américaines pour un montant de 57 690 000 dollars. En 1966, 10 millions de dollars d'herbicides avaient été déversés sur les zones occupées par le Vietcong.

Pour réagir contre l'escalade américaine, le comité national suisse d'aide au Vietnam chargea quatre médecins romands, les Drs Forel, Guinard, Mühlerhaler et Oltramare, de rassembler des documents sur la guerre chimique. Leur rapport se révéla accablant. Certaines des armes ayant pour effet la destruction des plantes et l'empoisonnement des animaux risquaient de provoquer un œdème pulmonaire et des troubles digestifs chez les humains qui y étaient exposés. D'autres gaz provoquaient des brûlures graves des yeux et de la peau. Concentrés, ils pouvaient être mortels. Or le gaz irritant CS était fréquemment utilisé sous forme de grenades contenant chacune de *huit à dix-huit doses mortelles*. Enfin, les effets de tous ces composés étaient plus graves chez les personnes âgées, les enfants et les malades.

Des arguments similaires furent avancés en novembre à Copenhague, lors de la seconde session du « tribunal Russel » dont les premières séances furent principalement consacrées à l'étude de l'emploi au Vietnam d'armes « interdites par les lois de la guerre ». M. Jean-Pierre Vigier, maître de recherches au CNRS, expert en logistique, et le lieutenant cubain Frank, qui s'étaient rendus dans des zones voisines du 17e parallèle, affirmèrent que, selon les informations qu'ils avaient pu recueillir (et qui se trouvaient confirmées par des articles parus dans des revues techniques américaines), l'armée US avait expérimenté au Vietnam au moins *soixante-sept armes nouvelles*.

« En résumé, pouvait-on lire dans *Le Monde*[1], il ressort de ces exposés :

1) que le Vietnam, comme l'Espagne de 1936 à 1939, sert de banc d'essai en vue d'éventuels conflits futurs plus étendus;

2) que les populations civiles apparaissent comme les principales victimes de tout ce déploiement technique contre lequel elles sont à peu près sans recours. »

---

1. *Le Monde* du 24 novembre 1967.

L'ère Johnson touchait à sa fin. La condamnation de la politique des États-Unis était unanime. En février 1968, un appel signé de quatre cent trente-trois savants français et japonais fut lancé aux savants américains leur demandant de cesser toute participation aux travaux sur les armes chimiques et biologiques. Le texte de l'appel soulignait que « les responsabilités professionnelles et morales qui incombent à la communauté scientifique mondiale font que les savants doivent refuser de voir leurs recherches utilisées à des fins destructives ». Condamnant les recherches faites dans certaines universités américaines sur les armes chimiques et biologiques, les signataires affirmaient qu'il s'agissait « d'une violation grave » de l'éthique professionnelle. En avril, les participants au congrès sur la neutralité de la médecine, qui se tint à Rome, se prononcèrent sans équivoque pour la reconnaissance au médecin et au personnel sanitaire du droit de s'abstenir de participer à la mise au point ou à l'emploi d'armes biochimiques. « Tout médecin participant activement à cette mise au point ou à cet emploi doit être privé de la protection légale formulée par les conventions de Genève », précisèrent les congressistes.

Pourtant, le 24 septembre, M. Ellsworth Bunker, ambassadeur des États-Unis au Vietnam chargé d'étudier les résultats des opérations de défoliation, écrivait : « Les opérations de défoliation au Vietnam ont été effectuées sans conséquences sérieuses pour l'écologie du pays, et les bénéfices du point de vue militaire, notamment en ce qui concerne le nombre de vies épargnées, ont largement contrebalancé certaines conséquences économiques néfastes[1]. »

A cette époque 5 % du territoire vietnamien avaient été défoliés, soit environ 9 000 km^2. 15 % de cette superficie étaient des rizières contrôlées par le Vietcong.

Moins de deux mois plus tard, Richard Milhous Nixon était élu président des États-Unis sur un programme promettant « une nouvelle prospérité, sans inflation et sans guerre ».

Changement de cap

Beaucoup de choses allaient changer pour les armes chimiques et biologiques en 1969 puisque l'année devait s'achever avec l'adoption par l'assemblée générale des Nations Unies d'une résolution définissant la prohibition d'emploi de ces armes en se fondant sur les conclusions d'un rapport du secrétaire général et d'un groupe d'experts. Mais cette résolution ne fut pas le seul événement de cette année charnière qui allait voir, aussi, les États-Unis renoncer aux armes biologiques.

Les armes toxiques étaient l'objet d'attaques incessantes et, au travers d'elles, c'était la politique américaine qui était visée. En 1968, l'URSS

1. Dépêche AFP du 24 septembre 1968.

avait présenté un « mémorandum sur le désarmement nucléaire » comprenant neuf propositions dont la sixième concernait l'« interdiction des armes chimiques et bactériologiques ». On pouvait y lire, notamment : « ... le gouvernement soviétique propose que le comité des dix-huit nations[1] examine les moyens et les méthodes permettant d'assurer l'observation par tous les États du protocole de Genève pour l'interdiction de l'utilisation des méthodes militaires chimiques et bactériologiques. » La même année, la Grande-Bretagne avait présenté un projet de convention internationale mettant hors la loi la fabrication et l'utilisation d'armes biologiques. Et en mai 1969 la querelle gagna les parlementaires américains.

Plusieurs d'entre eux, des libéraux, lancèrent une campagne contre la production et l'expérimentation des armes chimiques et biologiques. Une enquête fut menée par le représentant démocrate de l'État de New York, M. Richard McCarthy, qui apprit que le Pentagone dépensait 350 millions de dollars par an pour la mise au point de ces armes. Des recherches complémentaires lui permirent d'ailleurs de s'apercevoir que ce chiffre était très en dessous de la vérité puisqu'un seul des multiples centres consacrés à la réalisation des armes BC devait bénéficier, pour l'année en cours, de 420 millions de dollars de crédits. En fait, finit-on par savoir, le montant total des crédits affectés à ces armes atteignait le milliard de dollars.

De nombreux faits inquiétaient les parlementaires. D'abord, il y avait l'annonce faite par le Pentagone que Washington se proposait d'immerger prochainement 27 000 tonnes d'ypérite, de gaz paralysants et de lacrymogènes datant de la Seconde Guerre mondiale. L'opération devrait se dérouler à 400 kilomètres de la côte atlantique. Ensuite, un rapport du gouvernement évaluait à 3 300 le nombre d'accidents enregistrés entre 1954 et 1962 au centre de recherches de Fort Detrick... Un autre « accident » avait fait beaucoup de bruit l'année précédente et il n'était certainement pas étranger à l'initiative de Richard McCarthy et de ses amis : un avion expérimentant des neurotoxiques sur le terrain d'essais de Dugway, dans l'Utah, avait eu une panne. Au moment où il avait libéré ses gaz mortels, les valves de l'un de ses réservoirs s'étaient bloquées et les gaz avaient continué à se répandre au-dessus de la campagne américaine. Résultat : plus de 6 000 moutons qui paissaient à une trentaine de kilomètres du champ d'expérimentation étaient morts. L'armée avait d'abord affirmé qu'elle n'avait rien à voir avec cette hécatombe mais bientôt, voyant que cela ne servait à rien de nier, elle avoua que la mort des moutons était « peut-être » consécutive aux expériences conduites à Dugway. Il n'empêche qu'elle dut payer plus de 500 000 dollars

---

1. Il s'agit des nations participant à la conférence sur le désarmement qui se tenait à Genève depuis 1962. La France n'en faisait pas partie.

d'indemnité aux propriétaires. Quelque temps plus tard, une fuite accidentelle de gaz toxiques fut constatée dans un bâtiment de stockage du centre et deux cents travailleurs durent subir la procédure de décontamination. C'en était trop ! L'armée de l'air décida de suspendre ses essais à l'air libre d'armes chimiques au centre expérimental de Dugway comme « preuve de bonne foi pour appliquer la loi à la lettre » ainsi que devait le déclarer M. Henry Reuss, représentant du Wisconsin et président de la sous-commission de la Chambre des représentants chargée d'enquêter sur ces incidents.

Pour en revenir à l'enquête de Richard McCarthy, la presse lui fit beaucoup de publicité et cela mit le gouvernement américain dans une position d'autant plus délicate que l'on reprochait à sa politique militaire dans son ensemble de favoriser le gaspillage, d'être inconséquente, obsédée par la politique du secret et, pour tout dire, inefficace. Le prix des effets à long terme de la doctrine des « deux guerres et demie » se révélait décidément plus élevé que prévu.

S'agissant des armes chimiques et biologiques, le Pentagone choisit de se défendre en diffusant plusieurs « rapports secrets » selon lesquels l'effort soviétique dans ce domaine était bien supérieur à l'effort américain. Mais la vague qui déferlait sur Washington était trop forte. Plus rien ne semblait devoir l'arrêter, aussi Nixon choisit-il de rouvrir en juin le dossier des armes chimiques et biologiques afin de déterminer sa « position future à l'égard de ce problème et du protocole de Genève de 1925 ».

L'étude fut menée par des experts du Pentagone, du Département d'État et de l'Agence fédérale pour le contrôle des armements et le désarmement, mais un autre document était alors en cours d'élaboration et son poids devait se révéler déterminant dans la décision prise par le président Nixon en novembre 1969 : il s'agit du rapport de l'ONU, *Les armes chimiques et bactériologiques (biologiques) et les effets de leur utilisation éventuelle.*

Réalisé par un « groupe de consultants » internationaux désigné par U. Thant, secrétaire général de l'ONU, ce document fut publié début juillet 1969. Il avait été sollicité par la Conférence sur le désarmement afin de servir éventuellement de base à une révision du protocole de Genève.

Dans son avant-propos, U. Thant opère une remarquable synthèse des problèmes liés à l'existence de ces armes :

« Tandis que des progrès sont accomplis dans le domaine du désarmement nucléaire[1], il est un autre aspect du problème du désarmement qui, selon moi, n'a pas suffisamment retenu l'attention au cours des dernières années. [Les armes chimiques et biologiques] sont,

---

1. On s'acheminait alors vers la ratification par les États-Unis et l'Union soviétique d'un traité de non-prolifération nucléaire.

elles aussi, des armes de destruction massive qui suscitent un sentiment d'horreur universel. A certains égards, elles sont peut-être plus dangereuses même que les armes nucléaires, car elles n'exigent pas les énormes ressources financières et scientifiques que nécessitent les armes nucléaires. Presque tous les pays, y compris les petits pays et les pays en voie de développement, peuvent avoir accès à ces armes qui peuvent être fabriquées à fort bon marché, rapidement et secrètement, dans de petits laboratoires ou de petites usines. Ce fait en lui-même rend beaucoup plus difficile le problème du contrôle et de l'inspection. (...)

« La course aux armements serait certainement ralentie si la fabrication de ces armes était efficacement et inconditionnellement interdite. Leur emploi, qui pourrait causer d'énormes pertes en vies humaines, a déjà été condamné et interdit par des accords internationaux, en particulier par le protocole de Genève de 1925 et, plus récemment, dans diverses résolutions de l'Assemblée générale des Nations Unies. Les perspectives d'un désarmement général et complet sous un contrôle international efficace, et par conséquent les perspectives de paix dans le monde entier seraient notablement améliorées s'il était mis fin à la mise au point, à la fabrication et au stockage d'agents chimiques et bactériologiques (biologiques) destinés à des fins militaires et si ces agents étaient éliminés de tous les arsenaux militaires. »

Les effets de ce rapport et de l'étude des experts américains ne se firent pas attendre.

En novembre 1969, le président Nixon annonça que les forces armées américaines n'utiliseraient pas les agents biologiques dans un conflit et que les *stocks existants seraient détruits*. Cette interdiction, précisa la Maison-Blanche, s'appliquerait même au cas où un adversaire éventuel recourrait à de telles armes, et désormais seules les recherches « immunitaires » seraient poursuivies aux États-Unis.

En matière d'armes biologiques, les Américains se privaient donc de la possibilité de recourir à des représailles de même nature. Une telle décision, s'accompagnant d'un désarmement réel unilatéral, était sans précédent et revêtait, d'une certaine manière, une portée exemplaire. Le problème des toxines devait être résolu d'une façon aussi radicale en février 1970 lorsque le gouvernement décida de mettre fin à la production de toxines mortelles à usage militaire. Les États-Unis créèrent ainsi un précédent dont l'Assemblée générale des Nations Unies tiendrait compte deux ans plus tard lors de la formulation de la Convention interdisant la fabrication et le stockage des armes biologiques.

Pour ce qui est des armes chimiques, en revanche, le président annonça que la fabrication de gaz toxiques, paralysants et asphyxiants, ne serait pas arrêtée mais que le Pentagone s'engageait à ne pas les utiliser en premier. En fait, la production d'agents chimiques de guerre allait connaître un net ralentissement, sinon un arrêt complet aux États-Unis au cours des années 70, car les Américains devaient surtout se préoccuper de la destruction de leurs stocks de gaz périmés et de la mise au point de l'arme binaire destinée à remplacer les autres armes chimiques existantes.

La nouvelle politique définie par l'administration Nixon ne s'appliquait cependant ni aux produits défoliants ni aux lacrymogènes qui continueraient, par conséquent, à être employés au Vietnam.

En août 1970, le président demanda au Congrès de ratifier le protocole de Genève avec certaines réserves établissant le droit de représailles en matière de gaz mortels et excluant du traité défoliants et lacrymogènes. En septembre, l'American Chemical Society faisait savoir qu'elle soutenait Nixon dans cette initiative, mais il était difficile de concilier l'usage de l'arme chimique au Vietnam et la volonté de nombreux pays de voir inclure dans l'interdiction d'emploi *toutes* les catégories de gaz. Aussi, malgré les réserves souhaitées par le Pentagone, la commission sénatoriale des Affaires étrangères refusa de suivre le Président et la ratification du Protocole fut une nouvelle fois repoussée.

Si les réserves émises par le président Nixon n'étaient pas parvenues à emporter la décision de la commission sénatoriale des Affaires étrangères, c'est surtout parce que, le 10 décembre 1969, la commission politique de l'ONU avait adopté, malgré la vigoureuse opposition des États-Unis, une résolution suédoise déclarant que :

« ... L'utilisation en temps de guerre de *toutes substances chimiques ayant des effets toxiques directs sur l'homme, les animaux ou les plantes* » est contraire au Protocole.

Et, le 16 décembre, cette même commission politique avait adopté une autre résolution étendant la portée du Protocole à *tous les conflits internationaux armés*.

Cela s'explique par l'évolution des affrontements militaires au cours de la seconde moitié du xxe siècle. La « guerre » au sens juridique du terme est une chose bien précise, et ce qui se déroulait alors au Vietnam n'en était pas une, bien que ce conflit en possédât les traits fondamentaux. On comprend donc le souci de l'assemblée générale d'adapter le Protocole à la réalité des affrontements modernes.

Il ne faut cependant pas se faire trop d'illusions sur les effets de ces résolutions. L'assemblée générale n'a, en effet, aucun pouvoir pour interpréter un texte juridique comme le Protocole. Leur principal mérite était donc de compromettre l'interprétation restrictive du Protocole aux yeux de l'opinion sinon à ceux de la loi. Mais c'était déjà beaucoup en cette fin d'année 1969 où les défoliants américains avaient déjà causé des dommages irréparables au Vietnam.

La fin des herbicides

« L'attention devrait être [...] surtout portée sur les conséquences du produit "orange" sur l'homme, et non plus seulement sur les arbres, le riz ou les animaux, pouvait-on lire sous la plume de Jacques Decornoy dans

Le Monde du 2 janvier 1970. Le problème est d'autant plus sérieux qu'il ne concerne pas uniquement le présent, mais l'avenir même des Vietnamiens. »

Cette remarque était d'autant plus légitime que l'Association américaine pour l'avancement de la science venait de demander au Pentagone de cesser d'utiliser les défoliants 2,4,5-T et 2,4-D parce qu'il était désormais prouvé que ces produits pouvaient provoquer des malformations chez les fœtus. Or, le 1er janvier 1970, l'administration américaine avait interdit l'utilisation du 2,4,5-T comme défoliant mais... sur le seul territoire des États-Unis ! Autrement dit, ce produit, dont une étude menée par le « Bionetics Research Laboratory » de Bethesda, dans le Maryland, venait de démontrer la haute toxicité, était déclaré « potentiellement dangereux » et, par conséquent, retiré du commerce des herbicides, mais l'armée continuerait à l'employer au Vietnam.

Or, lorsque le 2, 4, 5-T était utilisé aux États-Unis comme défoliant « domestique », son application aux récoltes alimentaires était réduite à 900 grammes pour quatre mille mètres carrés alors qu'au Vietnam les spécialistes américains de la guerre chimique en recommandaient plus de 10 kg pour la même superficie[1].

La position du Pentagone était de plus en plus délicate. Chaque mois, chaque semaine, voire chaque jour, des voix nouvelles s'élevaient dans le monde pour dénoncer la toxicité de l'« agent orange » et les dangers qu'il faisait courir à la population. Des prêtres, des médecins, des pharmaciens, des universitaires lançaient appel sur appel et publiaient communiqué sur communiqué, pétition sur pétition... Et, finalement, ce qui devait arriver arriva.

Le 17 avril 1970, Washington décidait de « suspendre » l'emploi opérationnel du 2,4,5-T. L'administration américaine déclara néanmoins qu'il n'avait pas été prouvé que cet herbicide avait causé des malformations congénitales parmi la population vietnamienne et que cette décision avait été prise afin de faire subir au 2,4,5-T un « nouvel examen ». Son emploi ne devait toutefois plus jamais être autorisé. Comment aurait-il pu l'être, d'ailleurs, puisque l'on apprit dans le même temps que plus de 13 millions de litres d'« agent orange » avaient été déversés en 1969 pour la défoliation d'une surface de cinq millions d'hectares ?

Le 2,4,5-T « suspendu d'emploi », deux problèmes restaient à résoudre. D'abord faire respecter cette mesure. Ensuite, l'étendre à tous les défoliants utilisés au Vietnam.

Le premier souleva quelques difficultés. En octobre 1970, un communiqué du commandement américain à Saigon révélait que l'« agent orange » avait encore été utilisé « en plusieurs occasions » en mai, juillet et août

---

1. *Cf. CBW, US Policies International Effects*, Hearing, *House of Representatives*, 18 novembre 1969.

par la tristement célèbre « division Americal[1] ». Pourtant, des rumeurs de plus en plus tenaces circulaient à Saigon selon lesquelles des enfants étaient nés difformes dans des villages ayant reçu « par erreur » du défoliant, et l'administration américaine ne se donnait même plus la peine de les démentir.

Quant au second de ces problèmes, il reçut sa solution fin décembre lorsque le président Nixon ordonna la « suppression progressive » avant le printemps 1971 de l'usage au Vietnam des « herbicides et défoliants les plus nocifs », à savoir les agents « blancs » et « bleus ». Les lacrymogènes, de leur côté, ne furent pratiquement plus utilisés après cette date.

L'offensive chimique de la « Seconde Guerre d'Indochine » prit donc fin en 1971. Cette politique avait coûté très cher aux Américains et elle s'était révélée, de surcroît, inefficace. La conception militaire de l'« après-Vietnam » saurait s'en souvenir, d'autant que le bilan de ces opérations s'annonçait lourd, très lourd, et à tous les points de vue.

Selon l'ouvrage du SIPRI *Ecological consequences of the Second Indochina War*[2] (« Conséquences écologiques de la Seconde Guerre d'Indochine »), 72 354 m³ de défoliants ont été déversés entre 1961 et 1971 en Asie du Sud-Est et, à partir de 1964, les Américains ont utilisé 9 052 tonnes de gaz lacrymogènes.

Derrière ces chiffres, un drame : celui d'un peuple au territoire dévasté qui devra attendre un siècle pour ne plus ressentir les effets de l'agression chimique dont il a été victime. En dix ans, l'équivalent de 3 kg de produits chimiques par habitant ont été consommés et plus de 2 200 000 hectares de terrain ont été « désherbés ».

En octobre 1975, le Pr Ton That Tung, un chirurgien nord-vietnamien connu pour ses travaux sur le cancer du foie, s'apercevait que les défoliants avaient des effets cancérigènes sur la population et provoquaient des lésions du cœur en plus des naissances d'enfants anormaux ou difformes qu'on savait déjà leur être imputables. « Et il est possible que l'on ne soit pas au bout de nos surprises », déclarait-il avant de conclure : « Les États-Unis ont étudié les "retombées" d'Hiroshima et de leur bombe atomique. Aujourd'hui, il faut qu'ils étudient les retombées de l'épandage de leurs produits chimiques au Vietnam. »

Cependant, ce bilan tragique aura permis aux Américains, et même à la communauté internationale tout entière de « faire le point » sur les armes chimiques et biologiques. Le Vietnam ne fut d'ailleurs pas seul en cause. Ni l'Amérique.

En mai 1970, soit peu de temps après que Nixon eut décidé de suspendre l'emploi opérationnel du 2,4,5-T, le Mouvement Populaire de Libération de l'Angola (MPLA) dénonçait la « défertilisation de l'espace

---

1. Le 16 mars 1968, au cours d'une opération de ratissage, la « division Americal » avait tué de sang-froid 502 civils. Cet épisode est connu sous le nom de « Massacre de Song My ».
2. SIPRI Almqvist & Wiksell International, Stockholm, 1976.

vital » accomplie par les Portugais dans ce qui était encore une de leurs colonies. Ces opérations de destruction des zones boisées et de stérilisation des sols cultivables devaient réduire à la famine des centaines de milliers d'habitants. En 1971, la guerre chimique menée par le Portugal contre les mouvements de libération dans ses colonies gagna la Guinée Bissau et, en 1972, des mercenaires sud-africains œuvrant pour le compte de l'armée de l'air portugaise au Mozambique utilisèrent du 2,4-D contre les cultures servant au ravitaillement du FRELIMO (Front de Libération du Mozambique). L'assemblée générale des Nations Unies s'affirma « préoccupée » devant ces événements mais elle ne prit aucune sanction. Les États-Unis s'y opposèrent. Le contraire eût été étonnant à une époque où les Américains défendaient encore une interprétation restrictive du Protocole autorisant l'emploi des lacrymogènes et des défoliants. Toutefois, les événements qui se déroulèrent dans les colonies portugaises jouèrent sans doute un rôle dans l'assouplissement de la politique de la Maison-Blanche en matière de guerre chimique, quelques années plus tard.

Adhésion sans restrictions

Les méfaits des herbicides ne s'arrêtèrent pas tout à fait avec leur suppression au Vietnam. Les Américains en avaient produit d'énormes quantités et ne savaient qu'en faire. Au lieu de les détruire tout de suite, ce qui eût constitué la solution la plus raisonnable mais aussi la plus coûteuse, ils envisagèrent d'en vendre une partie à des pays du tiers monde. Tout ne fut pas exporté, mais les défoliants ainsi transférés causèrent quand même plusieurs victimes, notamment en Égypte, après que ce pays eut fait l'acquisition de plusieurs tonnes d'agent orange. Mais en 1977 les Américains se résolurent à incinérer leurs derniers stocks d'herbicides. Enfin.

Les stocks d'agents et de munitions biologiques subirent le même sort de mai 1971 à février 1973, conformément à la décision prise par le président Nixon en 1969. Les installations consacrées à la guerre biologique de Pine Bluff furent mises à la disposition du Département de l'hygiène, de l'éducation et de la santé pour servir de centre de recherche toxicologique, et les laboratoires de Fort Detrick passèrent sous la responsabilité de l'Institut national du cancer.

Beaucoup de pays suivirent cet exemple. Le 10 avril 1972, les représentants de plusieurs dizaines de nations signèrent à Londres, Moscou et Washington une convention adoptée par l'ONU le 16 décembre 1971 sur l'interdiction de fabriquer et de stocker les armes biologiques et à toxines.

Proposée par la Grande-Bretagne en 1968, cette convention avait eu beaucoup de mal à voir le jour. L'URSS, en effet, refusait de traiter séparément les armes chimiques et biologiques. Selon son représentant à l'ONU, la seule solution envisageable consistait à interdire la fabrication et le stockage de ces deux catégories d'armes sans distinction. Mais les difficultés liées au bannissement des armes chimiques devinrent de plus en plus évidentes au fur et à mesure que progressait la discussion et, à la fin du mois de mars 1971, l'URSS fit soudain volte-face en déclarant par la voix de son représentant que la conclusion d'un accord sur les seules armes biologiques « ne retarderait aucunement le règlement du problème de l'interdiction des armes chimiques mais constituerait, au contraire, un net progrès dans cette direction ». Il est vrai qu'entre-temps les États-Unis avaient renoncé à employer défoliants et lacrymogènes au Vietnam...

Après le revirement spectaculaire de l'Union soviétique, un dernier problème restait à résoudre : celui des toxines. Agents chimiques produits biologiquement, elles n'auraient pas dû être concernées par cette convention. Le représentant de la Suède, M. Edelstam, s'en émut et fit valoir qu'il s'agissait de substances dont l'utilisation ne pouvait être que militaire[1]. Sa démonstration emporta la conviction des autres délégués qui acceptèrent — non sans discussions — de faire subir à ces produits chimiques au statut si particulier le même sort qu'aux agents biologiques.

Mais la convention de 1972 ne fit pas l'unanimité puisque la France, la Chine et l'Inde refusèrent de la signer.

La France, tout comme la Chine, ne participait pas à la Conférence du désarmement de Genève. Elle aurait pu toutefois adhérer à cette convention si le gouvernement français n'avait estimé qu'elle ne prévoyait pas de mesures de contrôle international suffisamment efficaces. Comme gage de sa bonne foi, le gouvernement français décida d'agir unilatéralement et de se doter d'une loi allant dans le même sens que la convention puis d'instaurer un contrôle national de cette interdiction. Cette loi interdisant « la mise au point, la fabrication, la détention, le stockage, l'acquisition et la cession d'armes biologiques ou à base de toxines » fut votée le 9 juin 1972.

Le Protocole avait peut-être des « lacunes », mais tout le monde finit par se ranger à son interprétation extensive, y compris les Américains qui le ratifièrent en 1975.

Au traumatisme vietnamien vint s'ajouter celui du Watergate. Nixon partit et fut remplacé par Gerald Ford. Le 10 décembre 1974, le Président renvoya une nouvelle fois le Protocole devant le Sénat pour « avis et approbation ». Mais cette fois, il n'était plus question d'interprétation restrictive. Comme le disait une lettre de l'American Chemical Society envoyée le 30 septembre au président Ford, « une interdiction internatio-

---

1. M. Edelstam aurait aussi aimé étendre l'interdiction à l'ypérite, autre « substance chimique » à usage exclusivement militaire, mais les représentants des autres pays refusèrent de le suivre aussi loin car l'on pénétrait alors de plain-pied dans le domaine des armes authentiquement et exclusivement chimiques.

nale sur les armes chimiques, pour être efficace, doit être simple et claire. Elle doit inclure toutes les armes chimiques ».

En conséquence, lorsqu'elle soumit le texte de cette convention au Sénat, l'administration Ford précisa que les Américains renonceraient « par décision unilatérale » à utiliser les premiers les défoliants et les gaz lacrymogènes.

Plus rien ne s'opposait désormais à la ratification et, le 22 janvier 1975, soit une cinquantaine d'années après sa mise au point, les États-Unis adhéraient au Protocole avec la réserve suivante :

« Ledit Protocole cessera d'être obligatoire pour le gouvernement des États-Unis en ce qui concerne l'usage à la guerre de gaz asphyxiants, toxiques et autres gaz et de tous liquides, matériaux ou engins similaires à l'égard d'un État ennemi si ledit État ou l'un quelconque de ses alliés ne respecte pas les interdictions contenues dans le Protocole. »

Une page, et non des moindres, de l'histoire de la guerre chimique et biologique venait d'être tournée. Les États-Unis, jusqu'ici, avaient peut-être payé le prix de leur (relative) franchise en matière d'armement et le fait qu'ils n'eussent pas ratifié le Protocole en avait fait une cible facile pour leurs adversaires. Désormais, ils auraient les coudées plus franches pour répliquer et n'hésiteraient pas, le moment venu, à se ranger dans le camp des accusateurs...

IX. *LES FACES CACHEES DE LA GUERRE BC*

> *Soudain, j'ai senti un attouchement à la cuisse gauche. J'ai éprouvé une sensation de froid et une forte pression, comme si on avait brusquement ouvert une bouteille d'air comprimé contre ma jambe.*

Horst Schwirkmann, spécialiste de la détection des micros, « piqué » à l'ypérite dans un monastère de Zagorsk le 6 septembre 1964.

Le 1er août 1962, un homme âgé de 44 ans succombait à un accès de peste broncho-pneumonique à Salisbury dans le Wiltshire, en Angleterre. Il s'appelait George Bacon et effectuait depuis une dizaine d'années des expériences sur des virus et des bactéries au laboratoire de recherches microbiologiques de Porton-Down, près de Salisbury.

Selon un porte-parole du War Office, ce décès était survenu « dans des circonstances laissant supposer que la mort [était] due à une infection accidentelle résultant des travaux effectués dans cet établissement ».

Dix ans plus tôt, au même endroit, un jeune soldat était mort dans des circonstances encore plus mystérieuses. Les autorités britanniques avaient fait de leur mieux pour maintenir le secret mais on avait fini par apprendre que la victime avait joué un rôle dans l'essai de certaines substances toxiques, et l'existence du centre de Porton-Down avait alors été révélée officiellement aux Communes.

La manipulation d'agents infectieux ou de substances toxiques ne s'opère pas sans danger. En 1976, la biologiste C. Crémisi déclarait à la Sorbonne[1] : « 5 000 infections répertoriées ces 30 dernières années, attrapées dans des labos dont le tiers sont dotés de règles de "sécurité" suggèrent que la dissémination d'organismes pathogènes est probable si on les crée. »

---

1. Conférence du 25 janvier 1976 citée par Y. Le Hénaff, *op. cit.*

On se rappelle qu'en 1969, un rapport du gouvernement américain évaluait à 3 300 le nombre d'accidents enregistrés entre 1954 et 1962 à Fort Detrick. Ce chiffre, comme on peut le voir, est beaucoup plus impressionnant que celui des incidents recensés dans les centrales nucléaires. Mais un centre de recherches chimiques et biologiques est bien plus discret qu'une centrale et il est plus facile d'y dissimuler les accidents qui s'y produisent... sauf lorsqu'ils affectent 6 000 moutons d'un coup, bien entendu.

Des chiffres, encore : en 1977, on apprit qu'en 1946, il y avait déjà eu 60 cas d'infections provoqués par des expositions accidentelles à des agents pathogènes dans les différents centres de guerre biologiques américains. Et encore ne s'agissait-il que de cas *prouvés*. A ce nombre, on pouvait ajouter 159 autres incidents non complètement démontrés ayant entraîné des expositions à des concentrations indéterminées[1].

Pour ce qui concerne les armes chimiques, on a affaire à des statistiques encore plus impressionnantes. C'est ainsi que, selon des sources officielles, entre 1967 et 1980, on aurait enregistré 955 cas de fuite de gaz toxiques dans les dépôts américains. Mais devant le Congrès le sénateur Henry Jackson est allé beaucoup plus loin en affirmant que le vrai chiffre se situait aux alentours de 4 000 fuites par an !

On ne sait plus qui croire. Toujours est-il que, si les programmes d'armements chimiques et biologiques pouvaient être menés sans faille, il est certain qu'ils passeraient à peu près inaperçus du public. Les conséquences de l'emploi des défoliants au Vietnam ont sans doute joué un rôle déterminant dans le gigantesque mouvement d'opinion hostile à ces armes qui s'est manifesté vers la fin des années 60 et le début des années 70. Mais les accidents révélés par les parlementaires américains, ainsi que les moutons de l'Utah, ont également puissamment contribué à sensibiliser le public en lui montrant que même loin des zones de combats les armes toxiques constituaient une menace non négligeable. Et encore restait-il beaucoup de choses à apprendre...

La mort au fond des mers

Les armes BC sont dangereuses à tous les stades de leur existence : au moment de leur préparation, à celui de leur stockage et lors de leur destruction ou de leur conversion.

Le 8 juillet 1969, un incident se produisit à Okinawa qui connut un grand retentissement au Japon. Alors qu'ils travaillaient à une opération d'entretien, vingt-trois militaires et un civil américains durent être hospitalisés à la suite d'une fuite de VX dans un entrepôt. Il n'y eut pas de

---

1. *Biological testing involving human subjects*, Hearing, Senate, committee on human resources, subcommittee on Health and scientific Research, 8 mars et 23 mai 1977.

mort mais l'affaire attira brusquement l'attention sur les dangers des armes non nucléaires et non conventionnelles. « Après tout, remarquèrent les Japonais[1], le gaz en question a une puissance de mort supérieure à la bombe d'Hiroshima. »

Du coup, d'autres pays où les Américains entreposaient des armes s'inquiétèrent. M. Gunter Diehl, porte-parole du gouvernement d'Allemagne fédérale, déclara, lors d'une conférence de presse, qu'il était « logique » que les Alliés « disposent des mêmes armes que leurs adversaires ». Autrement dit, il était hautement probable que des gaz de combat fussent entreposés en RFA par les États-Unis. Mais lorsque des journalistes l'interrogèrent sur les mesures de sécurité envisagées par son gouvernement pour éviter des accidents du genre de celui qui venait de se produire à Okinawa, M. Diehl se contenta de répondre que la responsabilité d'un pareil stockage incombait aux Alliés[2]. Avec ce qui venait de se passer, les Allemands avaient tout lieu d'être inquiets. Peut-être certains d'entre eux se rappelèrent-ils alors cet accident survenu à Mannheim en 1947 où un wagon rempli d'un composé très inflammable avait explosé en provoquant une centaine de morts. Ce genre d'événement peut tout aussi bien se produire avec des produits destinés à l'industrie chimique civile mais le secret qui entoure généralement le transport ou le stockage des agents à usage militaire ne contribue guère à faciliter la mise en garde du public.

Au Japon, tout le monde avait été pris par surprise. Personne ne semblait se douter, jusqu'alors, que les Américains stockaient du VX à Okinawa. Sans doute est-ce là ce qu'il y a de plus révoltant dans cet épisode : que les principaux intéressés, c'est-à-dire les Japonais, n'aient même pas été informés de la présence de VX sur leur sol. « Quelques lapins étaient bien morts dans des conditions étranges dans certaines bases, écrivait Alain Bouc dans Le Monde[3], et des inflammations suspectes après des baignades avaient bien attiré l'attention sur les dangers présentés par les entrepôts sévèrement gardés, mais l'origine exacte de ces incidents [restait] encore à établir. »

Profondément choqué par les implications de cet incident — sinon par ses conséquences (somme toute légères) —, le parlement d'Okinawa demanda le retrait immédiat des armes chimiques de l'île et les Américains s'exécutèrent, penauds, en 1971.

Aujourd'hui, l'apparition du système binaire a permis de réduire les risques liés au stockage des agents chimiques les plus dangereux. Cela ne signifie pas que tout danger ait disparu mais il est sensiblement moins élevé qu'autrefois. Cependant, les armes du passé peuvent encore tuer,

---

1. Voir Le Monde du 25 juillet 1969.
2. Dépêche AFP 26 juillet 1969.
3. Le Monde du 22 juillet 1969.

comme des enfants en ont fait la triste expérience à Hambourg, en septembre 1969.

Un garçon de treize ans trouva la mort et deux de ses camarades furent grièvement blessés alors qu'ils s'amusaient avec des produits chimiques découverts dans des ateliers et des laboratoires restés sans surveillance depuis la fermeture de l'entreprise Stoltzenberg, deux ans auparavant. L'enquête qui suivit permit de découvrir des grenades contenant assez de tabun pour causer la mort de plusieurs centaines de milliers de personnes.

Rendant compte de cet accident, Jean Wetz écrivait, dans *Le Monde*[1] :

« L'usine du docteur Hugo Stoltzenberg était connue depuis la Première Guerre mondiale. A l'époque du nazisme, elle fut encore plus active dans la production de gaz de combat et d'autres produits nocifs qui ne furent jamais employés, chacun des deux camps en guerre craignant dans ce domaine la contre-offensive de l'adversaire [...] L'aspect le plus extraordinaire de cette affaire est cependant que les avertissements ne paraissent pas avoir fait défaut. A la suite d'un incendie sur le terrain de l'usine, les pompiers avaient adressé un rapport alarmant au Sénat de Hambourg qui, de toute évidence, n'en a pas tenu compte. Même les citoyens habitant le quartier s'étaient plaints que les arbres perdaient leurs feuilles et que les fleurs dépérissaient dans le voisinage de l'usine chimique. »

Le cas de cette usine, s'il a eu des conséquences tragiques, n'est pas unique. Selon l'hebdomadaire allemand *Der Spiegel*[2], le territoire de la RFA abriterait encore plus d'une vingtaine de dépôts de munitions chimiques datant de la Seconde Guerre mondiale. Peu de temps avant la fin de la guerre, Hitler aurait donné l'ordre d'évacuer les armes toxiques se trouvant dans les arsenaux du Reich et de les cacher afin qu'elles ne tombent pas entre les mains des Alliés. Cette opération reçut le nom de code de « Zunft » (« Confrérie » ou « Corps de métier »). Elle ne put être réalisée complètement puisque les Soviétiques, notamment, s'emparèrent de plusieurs stocks de neurotoxiques lorsqu'ils pénétrèrent en Allemagne, mais une part importante des réserves nazies leur échappa. L'opération « Zunft » n'alla pourtant pas sans causer d'accidents. Pour transférer un stock de 20 000 tonnes d'ypérite qui se trouvait à Lossa, on employa onze trains de marchandises qui furent attaqués en chemin. Des wagons, touchés par une bombe, explosèrent, et il fallut évacuer la population dans un rayon de vingt kilomètres. Mais les Allemands parvinrent à soustraire une bonne quantité de leurs munitions toxiques aux Alliés. Où se trouvent-elles à présent ? On l'ignore, mais il arrive qu'à l'occasion de travaux ou de fouilles on tombe sur un dépôt. C'est ce qui s'est passé en 1975 à Traunreuth, où l'on a trouvé 500 réservoirs d'ypérite enfouis sous

---

1. *Le Monde* du 20 septembre 1979.
2. Cf. « Todeswolken über Europa » in *Der Spiegel* du 22 février 1982.

quelques centimètres de terre. D'autres réserves ont été découvertes de la même façon à Cologne, à Hambourg ou à Schierling, près de Regensburg.

L'un des problèmes les plus délicats qu'aient eu à résoudre les militaires en matière d'armes chimiques a longtemps concerné la destruction des stocks périmés. En 1976, le *New York Times* révélait que des neurotoxiques enfouis à 3 500 mètres de profondeur au Rocky Mountain Arsenal avaient « lubrifié » des failles sous tension de la croûte terrestre et provoqué des centaines de petits tremblements de terre dans la ville de Denver[1].

Malgré l'adoption de méthodes de destruction plus rationnelles par l'armée américaine, il semble que la tentation soit encore grande chez certains militaires d'utiliser le sous-sol des États-Unis comme dépotoir puisque en 1978 l'opération dénoncée par les habitants de Denver faillit se renouveler au même endroit et dans des conditions identiques[2]. Toutefois, à la terre, l'armée préféra souvent la mer.

Lorsqu'ils enquêtaient sur les armes chimiques et biologiques, en 1969, les parlementaires américains furent inquiets d'apprendre que Washington s'apprêtait à immerger 27 000 tonnes de gaz de combat périmés dans l'Atlantique. L'affaire fit scandale et il y avait de quoi. Aussi, après conclusion d'un groupe d'experts de l'Académie nationale des sciences, l'armée américaine décida-t-elle de détruire ces gaz sur place.

12 643 tonnes d'ypérite furent brûlées dans les installations mêmes où elle était stockée. Quant au reste de l'arsenal chimique devant disparaître, les militaires annoncèrent qu'il serait aussi détruit sur place « dans la mesure du possible », mais que si cela se révélait trop difficile il faudrait quand même se résoudre à déverser ces produits dans l'Atlantique.

Un mois presque jour pour jour après cette annonce, le 31 juillet 1969, deux pêcheurs danois qui ne demandaient rien à personne étaient brûlés par du « gaz moutarde » en Baltique. Quelque 20 000 tonnes d'ypérite enfermée dans des barils d'acier avaient été jetées par les Britanniques dans cette mer vers la fin des années 50. Manifestement, certains barils n'avaient pas tenu le coup et leur contenu avait contaminé des poissons manipulés par les deux infortunés pêcheurs. « Si un grand nombre de barils se désagrégeaient d'un seul coup, fit-on alors remarquer[3], la partie méridionale de la Baltique pourrait être contaminée, le poisson détruit et le littoral pollué. »

D'autres pêcheurs, danois et allemands, furent victimes de ces immersions, ainsi que des enfants jouant avec des algues sur la côte. Et à la fin de 1969 un grand nombre de phoques périrent au large des côtes de

---

1. *New York Times* du 25 avril 1976.
2. *New York Times* du 7 janvier 1978.
3. Dépêche UPI du 31 juillet 1969.

Cornouailles avec des symptômes comparables non plus à ceux provoqués par l'ypérite mais par les neurotoxiques[1] !

De tels incidents auraient dû faire réfléchir les Américains. Il n'en fut rien.

Un an après l'enquête des parlementaires, alors que le scandale des 27 000 tonnes de gaz devant être immergées était un peu oublié, Washington fit savoir qu'il restait plusieurs tonnes de neurotoxiques n'ayant pas encore été détruites. On s'apprêtait à les jeter dans l'océan Atlantique après les avoir enfermés dans des blocs de béton recouverts d'acier — l'opération serait menée sous le nom de code CHASE.

Le gaz se trouvait réparti dans 1 254 roquettes qui devaient être enserrées dans 418 blocs de ciment eux-mêmes recouverts de plaques d'acier. Le tout reposerait par 5 000 mètres de fond à 400 kilomètres de la Floride. En fait, apprit-on incidemment, c'était la dixième fois depuis 1969 que l'armée américaine se débarrassait ainsi de ses stocks d'armes chimiques en les larguant en pleine mer. Mais, cette fois, l'épisode passa d'autant moins inaperçu que des militaires révélèrent que des fuites de gaz avaient été détectées dans certaines des fusées.

Le gouverneur de Floride s'empara de l'affaire et la porta devant la justice, appuyé par une société de protection de la nature. Rien n'y fit. Le 18 août 1970, vers 21 heures, le « Liberty ship » américain *Baron Russel-Briggs* et sa cargaison mortelle furent coulés à 455 kilomètres à l'est de Cap Canaveral et s'enfoncèrent lentement dans les flots pour toucher le fond, à quelque 5 000 mètres de profondeur, huit minutes plus tard, à la vitesse de 40 km/heure.

« Les mesures faites dans l'eau de mer après l'immersion n'ont pas permis de déceler une contamination en surface, expliqua un journaliste[2]. En fait, personne n'est capable d'affirmer si les conteneurs ont ou non supporté, d'une part la pression considérable qui règne au fond des mers, d'autre part le choc à l'arrivée. »

Aujourd'hui, il ne fait plus de doute que les conteneurs ont bien résisté au choc, sans quoi cette région de l'Atlantique serait devenue depuis longtemps un cimetière marin. Mais la pression. Mais l'érosion...

Lors de l'immersion des gaz américains, un expert norvégien, M. Einat Hœvding, rappela qu'à la fin de la guerre les Alliés avaient coulé vingt-six bateaux de 1 000 à 8 000 tonnes contenant 120 000 tonnes de gaz de combat à faible profondeur au large des côtes norvégiennes et dans le golfe de Gascogne. La Baltique, on l'a vu, a également servi de dépotoir pour quelque 20 000 tonnes d'ypérite usagée. Lorsque se produisit l'accident dont furent victimes les pêcheurs danois, les spécialistes firent observer que le gaz était « probablement » plus lourd que l'eau de mer (la

---

1. *The ecologist*, vol. 2, n° 2, février 1972, cité par R. Frailé, *op. cit.*
2. *Le Monde* du 20 août 1970.

nuance ne manque pas d'intérêt) et qu'il ne ferait surface que s'il était porté par de forts courants ou par des engins de pêche. Mais, des accidents s'étant déjà produits, le risque de voir les armes chimiques du passé frapper en pleine mer n'est pas écarté. D'ailleurs, les gaz immergés ont déjà tué. Au Japon. Et ils ont fait aussi plusieurs dizaines de blessés.

H. Kurata[1] raconte qu'à la fin de la guerre les forces d'occupation américaines demandèrent aux Japonais de procéder à l'élimination de leur arsenal chimique.

« Les opérations d'élimination furent cependant défectueuses, écrit-il, ce qui, plus tard, provoqua de nombreux accidents : un total de 102 accidents causant 127 blessés et 4 morts s'est produit depuis la fin de la Seconde Guerre mondiale en rapport avec les efforts d'élimination des armes chimiques au Japon. »

Sous la supervision des Américains, les Japonais avaient immergé leurs stocks de gaz de combat au large de leurs côtes. Il semble que les forces impériales aient également procédé à quelques immersions clandestines supplémentaires. Quoi qu'il en soit, la plupart des victimes furent des pêcheurs dont les filets avaient ramené à la surface des armes chimiques, bien que certains accidents se fussent également produits au moment des opérations d'élimination.

On a tiré aujourd'hui la leçon de tels épisodes. Suite au scandale provoqué en 1970 par l'opération CHASE, les États-Unis annoncèrent que leurs stocks seraient désormais détruits par des moyens chimiques et ils construisirent à cet effet deux installations spéciales à l'arsenal de Rocky Mountain, près de Denver, dans le Colorado.

L'armée américaine mit au point un système de destruction mobile appelé « Chemical Agent/Munition Disposal System » ou CAMS. Le prototype revint à près de 40 millions de dollars mais il permit de résoudre le délicat problème de la destruction des munitions chimiques périmées. En 1980, Matthew Meselson et Julian Perry Robinson annonçaient[2], enfin, que des usines de destruction des armes chimiques mises « hors de service » avaient été « récemment construites dans l'entrepôt militaire de Tooele ». Et de préciser : « Dans cet établissement, l'agent GB est décomposé par hydrolyse dans une solution alcaline; l'agent VX est décomposé par chloration et le gaz moutarde détruit par incinération. »

Pour autant qu'on le sache, il semble que les autres pays aient adopté des solutions similaires pour se débarrasser de leurs stocks de gaz périmés. C'est du moins le cas de la France qui n'a plus recours qu'à des méthodes de destruction chimiques. Ces opérations requièrent beaucoup de prudence mais elles offrent le mérite de ne pas affecter l'environnement.

---

1. H. Kurata : *Lessons learned from the destruction of the chemical weapons of the Japanese Imperial Forces* in *Chemical weapons : destruction and conversion*, SIPRI, Taylor and Francis, Ltd. Londres, 1980.

2. In *Pour la science*, n° 32, juin 1980, article cité.

Il n'empêche que des tonnes d'ypérite, de phosgène et de neurotoxiques dorment à présent au fond des mers. Puisse l'érosion ne jamais les tirer de leur sommeil...

Essais « grandeur nature »

La mise au point des armes chimiques et biologiques implique des tests et des essais au cours desquels de nombreux accidents peuvent se produire, quelles que soient les précautions dont on s'entoure. C'est même à cette occasion que surviennent souvent les incidents les plus spectaculaires comme en témoignent les moutons de l'Utah. Et ce ne sont pas les seuls animaux qui soient morts de cette façon.

« Les essais français sur les animaux dans les 5 000 km^2 de la base B II-Namous, près de Béni Ounif dans l'Algérie anti-impérialiste de Boumediene, sont moins connus du public, écrit Y. Le Hénaff[1], [...] mais nous ne ferons pas l'injure à nos grands savants de croire qu'ils sont moins efficaces. En particulier, sur... des chameaux occis accidentellement un peu avant les moutons de Dugway — au grand dam des Américains vexés d'être les seuls à voir leurs erreurs soumises à la réprobation mondiale. »

La mort des moutons américains n'aura cependant pas été totalement inutile puisqu'elle provoqua la mise en place du programme SAFE dont l'objet était de réduire les conséquences des essais réalisés à Dugway pour la période 1969-1975. Par ailleurs, le Sénat américain adopta un amendement « demandant qu'aucun des fonds accordés ne soit utilisé pour des essais à l'air libre d'agents chimiques létaux, de micro-organismes générateurs de maladies ou de toxines biologiques, excepté si le ministère de la Défense, sous couvert du président des États-Unis, affirme que le test en question est nécessaire à la sécurité nationale et après que le médecin-major aura déclaré à l'intention de plusieurs comités du Congrès que ledit test ne présente aucun danger pour la santé publique[2] ».

Malgré ces précautions, il y eut quand même d'autres incidents au cours des années suivantes, notamment en 1976, lorsque cinquante chevaux sauvages périrent dans les environs de Dugway, victimes d'une « maladie africaine extrêmement rare[3] ».

Mais, dans tous les pays, l'armée s'est toujours efforcée de dissimuler du mieux qu'elle pouvait les incidents liés à la préparation des armes BC. Dans la plupart des cas, elle y est parvenue et le voile commence seulement à se lever sur certains événements du passé. Ils concernent d'ailleurs principalement les agents biologiques.

---

1. Y. Le Hénaff, *op. cit.*

2. Ricardo Frailé citant le *Congressional Record*, 91st Congress, 1st session, vol. 115, part. 17, 8 août 1969.

3. *New York Times* au 26 juillet 1976.

En 1952, un phénomène étrange se produisit dans la région de Calhoun, aux États-Unis. Le taux annuel de cas de pneumonie qui, en 1951, était de 4,6 %, passa brusquement à 12,3 % pour retomber à 4 % en 1953[1]. Cet accroissement intrigua les spécialistes jusqu'au jour où l'on apprit qu'en 1952 l'armée s'était précisément livrée à des expériences de dissémination de germes dans l'atmosphère à Fort McClellan, dans la même région. Les agents utilisés pour ces essais passaient pour inoffensifs mais l'un d'eux, *Serratia marcescens*, avait déjà fait l'objet d'un article le dénonçant comme très dangereux dans certaines conditions.

L'armée américaine n'a jamais reconnu être responsable de l'augmentation du taux de cas de pneumonie en 1952 dans la région de Calhoun. Lorsqu'on l'interrogea à ce sujet, en 1977, le général Augerson, qui avait participé aux expériences de dissémination de Fort McClellan, affirma qu'il y avait eu à la même époque et au même endroit une épidémie de grippe ne pouvant absolument pas être imputée aux militaires. Or, selon lui, c'était cette épidémie qui était responsable des 12,3 % ayant tant intrigué les médecins, et non l'armée.

Peut-être... mais l'argument n'a pas convaincu les spécialistes et les coïncidences demeurent troublantes.

L'article dénonçant le caractère dangereux de *Serratia marcescens* était, lui aussi, lié à une expérience de guerre biologique, bien que son auteur, le Dr Richard P. Wheat, l'ignorât. Intitulé *Infection due to chromobacteria*[2], il avait été écrit pour attirer l'attention de la profession médicale sur onze cas d'infection par cet organisme survenus dans un hôpital de San Francisco. Le Dr Wheat trouvait ce nombre tout à fait inhabituel et il invitait ses confrères à se méfier de *Serratia marcescens* dont l'action avait provoqué la mort d'un des onze patients infectés. Ce qu'ignorait ce médecin, c'est que les bactéries incriminées avaient participé à une attaque biologique simulée de San Francisco opérée à partir d'un bateau mouillant dans la baie. Cette offensive avait pour but de déterminer le degré de vulnérabilité de la population à une agression bactérienne.

On en sait plus aujourd'hui qu'en 1950 sur *Serratia marcescens*. Un article paru dans *Science et Vie* en 1980[3] nous apprend qu'il existe six types de *Serratia* dont la variété *marcescens* est la plus répandue.

Les *Serratia* hantent les hôpitaux, « puisqu'elles sévissent essentiellement sur les plaies chirurgicales ».

« Porteurs présumés, explique l'article : les instruments chirurgicaux et les greffons en plastique. Elles sont particulièrement dangereuses pour les

---

1. *Biological testings*, etc., *op. cit.* Ces statistiques proviennent du Dr Thomas Chester du Center for Disease Control d'Alabama.

2. In *Archives of internal medecine*, vol. 88, 1951.

3. « Microbes : apparition des serratia, retour de la peste », *Science et Vie*, n° 752, mai 1980.

sujets qui ont subi des traitements immuno-dépresseurs, c'est-à-dire les sujets de greffes. Dès lors, elles peuvent provoquer des infections généralisées, c'est-à-dire des septicémies graves. Les antibiotiques ? Elles leur résistent. Une infection à *Serratia*, surtout chez un immuno-déprimé, est tenue pour mortelle [...] Détail affolant : les *Serratia* se reproduiraient dans les solutions antiseptiques et les savons liquides. »

Tel fut l'un des simulacres préférés des Américains pour leurs expériences de guerre biologique en plein air. Mais ce que l'on se demande encore aujourd'hui, c'est pourquoi les militaires continuèrent à l'utiliser après la parution de l'article du Dr Wheat. Quand on lui posa la question, en 1977, le général Augerson se contenta de répondre que tout cela était très « technique » et très « compliqué » et qu'il avait fallu attendre 1969 pour que la presse médicale mette « réellement » l'accent sur les dangers liés à l'emploi de cet organisme...

L'existence de ces essais en « grandeur nature » opérés à l'insu des habitants de plusieurs villes importantes des États-Unis fut révélée au public en 1976 par le journal new-yorkais *Newsday*. L'opinion américaine fut profondément choquée car, comme devait le faire remarquer le sénateur Schweiker en mars 1977, « l'armée est censée nous protéger. Le public ne comprend pas qu'elle puisse se servir de nous comme cobayes[1] ».

C'est pourtant ce qu'elle fit à partir de 1950 pour répondre aux recommandations du rapport sur les « opérations spéciales » de guerre biologique soumis deux ans auparavant au secrétariat à la Défense par le comité chargé d'étudier les armes BC. Ce rapport recommandait la mise en œuvre de tests sur les systèmes de ventilation, les métros, les réseaux d'alimentation en eau, etc. afin de déterminer le degré de vulnérabilité des États-Unis à d'éventuelles opérations de sabotage biologique.

Les tests furent confiés à la division des opérations spéciales (*Special Operation Division* ou SOD) de Fort Detrick, qui reçut, pour certains d'entre eux, l'appui de la CIA à partir de 1952.

Vers la fin des années 40, la plupart des centres d'essais américains d'armes biologiques ne fonctionnaient plus et seuls Dugway et Fort Detrick étaient encore réellement opérationnels. A Fort Detrick, la quasi-totalité des expériences étaient réalisées en chambre close. En 1949, on construisit dans ce centre une gigantesque « sphère » d'une contenance de 1 million de litres pour y essayer des munitions explosives remplies d'agents pathogènes. Mais cela n'apprenait pas grand-chose quant à la propagation des agents à l'air libre ni aux moyens de les détecter. Aussi décida-t-on, en 1950, de se rendre sur le terrain.

La première expérience en grandeur réelle eut lieu au large de Norfolk, dans l'océan Atlantique, à bord de navires de la flotte américaine. On

---

1. *Biological testings*, etc., *op. cit.*

lâcha des nuages d'agents inoffensifs sur les bateaux afin de déterminer leur vulnérabilité et pour essayer un prototype de mécanisme de détection électronique.

La même année on simula une opération de sabotage au Pentagone et, en septembre, on choisit la ville de San Francisco comme terrain d'essais avec les conséquences que l'on sait.

Ces tests se poursuivirent jusqu'à la fin des années 60. Il y en eut près de 250 mais tous ne furent pas réalisés à l'aide de simulacres biologiques. On employa aussi du talc et d'autres substances inorganiques.

Dans les cas où l'on eut recours à des simulacres, trois sortes d'agents furent utilisés : *Serratia marcescens*, *Bacillus globigii* et *Aspergillus fumigatus*. Il semble que *Bacillus globigii* soit réellement inoffensif. *Aspergillus fumigatus*, en revanche, est un champignon microscopique pouvant causer une affection appelée *aspergillosis* chez les personnes débiles. Mais il ne fut employé que jusqu'en 1953.

Les tests les plus importants impliquant l'utilisation de simulacres se déroulèrent au Pentagone, à San Francisco, à Mechanicsburg, à Key West, à Fort McClellan, à Panama City, à Point Mugu-Port Hueneme, dans le métro new-yorkais, à l'aéroport de Washington et à la gare routière de cette même ville. En 1977, le *New York Times*[1] révéla, en outre, qu'en 1969 et 1970 des experts de Fort Detrick avaient simulé l'assassinat de Nixon et des membres du Congrès en introduisant dans les systèmes d'air conditionné de la Maison-Blanche et du Capitole, ainsi que dans le réseau d'alimentation en eau d'un autre édifice gouvernemental, des agents chimiques et biologiques inoffensifs. L'opération réussit parfaitement, et ce qui provoqua le plus d'émoi fut d'apprendre qu'elle avait pu être réalisée sans que les services secrets ou le FBI s'en rendent compte.

Opération WHITECOAT

Les États-Unis ne sont sans doute pas le seul pays à avoir réalisé des tests de vulnérabilité en plein air à l'insu de leurs habitants et l'on soupçonne fortement les Britanniques et les Soviétiques d'avoir agi de même. Mais, ici encore, les Américains sont victimes de leur franchise car ils sont les seuls à avoir révélé l'existence de telles opérations et, surtout, des accidents qu'elles ont parfois entraînés.

Lorsque les spécialistes de la guerre biologique furent appelés a s'expliquer sur ces essais devant le Congrès en 1977, ils mentionnèrent d'autres expériences d'un genre tout à fait différent puisque impliquant des agents pathogènes et des volontaires humains.

Le grand intérêt des informations transmises aux Américains par Ishii

1. *New York Times* des 11 et 16 mars 1977.

Shiro à la fin de la guerre résidait dans le fait que le général japonais n'avait pas hésité à employer des cobayes humains pour ses expériences. La nécessité de recourir à des hommes et non pas seulement à des animaux pour tester les agents biologiques de guerre se fit cependant sentir aux États-Unis au début des années 50. En 1952, un rapport de l'assemblée du corps médical des forces armées souligna que, bien que des tests réalisés avec des simulacres eussent démontré la vulnérabilité du pays à une attaque microbienne, on ne disposait d'aucune donnée précise permettant d'établir le degré de vulnérabilité des êtres humains aux agents biologiques. Il fallait donc effectuer des expériences sur des volontaires, ce que l'on fit dans le cadre d'une opération baptisée WHITECOAT (Manteau blanc).

L'opération WHITECOAT était de nature défensive, mais elle montre à quel point il est difficile de tracer une ligne de démarcation précise entre la recherche offensive (aujourd'hui interdite) et la recherche défensive (autorisée) en matière de guerre biologique. Car le fait d'inoculer un agent infectieux à un volontaire est un acte neutre en soi; seules les conclusions que l'on tire d'une telle expérience sont importantes. Or elles peuvent aussi bien servir à se protéger qu'à accroître l'efficacité d'un agent.

Des expériences nécessitant l'inoculation de maladies à des êtres humains exigent un certain nombre de précautions tant sur le plan médical que... juridique, au cas où les choses tourneraient mal. Ceci explique pourquoi l'opération WHITECOAT ne commença réellement qu'en février 1958. A cette époque, l'armée disposait de 110 volontaires et le premier test servit à déterminer les doses infectieuses pour l'homme de *Pasteurella tularensis*, l'agent responsable de la tularémie. Ces expériences se poursuivirent jusqu'en 1969. Elles furent toutes réalisées par l'USAMU de Camp Detrick, c'est-à-dire l'« United States Army Medical Unit » (Unité médicale de l'armée des États-Unis) créée pour cette occasion le 20 juin 1956.

On peut se demander comment l'armée américaine parvint à trouver des volontaires en si grand nombre pour se soumettre à des tests de ce genre. Les militaires apportèrent une réponse originale à cette question. La plupart des sujets de ces expériences furent des adventistes du septième jour !

Bien qu'estimant que leur « royaume n'est pas de ce monde », les adventistes se soumettent aux autorités du pays où ils vivent. Ils ont ainsi le sentiment de respecter l'Evangile dont les recommandations vont dans ce sens. Ils acceptent de faire leur service militaire et de porter l'uniforme, du moins tant que cela n'entre pas en conflit avec le commandement « tu ne tueras point », et ils réclament un statut de non-combattant dans les unités où ils sont versés. L'armée américaine leur proposa un tel statut en leur offrant de participer aux expériences de guerre biologique de l'opération WHITECOAT. Puisque cette opération ne revêtait —

officiellement — aucun caractère offensif, les adventistes s'y prêtèrent de bonne grâce et c'est ainsi qu'ils devinrent les principaux sujets d'expérience de l'USAMU de Camp Detrick.

En 1969, l'USAMU changea de nom et de fonction. Devenu l'USAMRIID — United States Army Medical Research Institute of Infectious Diseases (Institut de recherche médicale de l'armée des États-Unis sur les maladies infectieuses) —, cet organisme étudie les différentes manières de contrôler les maladies *naturelles* communicables à l'homme. Des volontaires humains y participent encore à des expériences, quoique en nombre moins élevé qu'à l'époque de l'opération WHITE-COAT, mais comme le service militaire n'est plus obligatoire aux États-Unis ce ne sont plus des adventistes.

L'USAMRIID ne se contente pas de revendiquer un statut défensif; il affirme ne plus avoir aucun lien avec la guerre biologique. Mais la frontière paraît toujours aussi floue entre la recherche militaire offensive et les travaux réalisés par cet organisme, car même ceux qui y travaillent le reconnaissent : les expériences d'aujourd'hui ne diffèrent guère de celles d'hier. Seule a changé leur destination.

LSD et secret militaire

Parallèlement — ou presque — à l'opération WHITECOAT, l'armée américaine mena de 1955 à 1967 une autre série de tests sur des volontaires pour étudier les effets de cet incapacitant miracle découvert accidentellement en Suisse en 1943 : le LSD. Il est certain que des expériences similaires furent réalisées à la même époque dans de nombreux pays, y compris la France, mais les États-Unis ont publié récemment un document précieux levant (presque) toute équivoque quant à la nature de leurs propres recherches et de leurs séquelles[1]. Nous sommes donc mieux renseignés sur ces travaux que sur ceux des autres nations[2]. C'est pourquoi il sera encore surtout question ici du « modèle américain ».

La découverte du LSD n'eut pas d'impact réel dans le monde

---

1. *LSD follow-up study report*, US Army Medical Department, US Army Health Service Command, Washington, octobre 1980.

2. En 1967, dans un article intitulé « LSD, secret militaire, leucémies et malformations congénitales » (*Le Monde* du 8.11.1967), le Dr Escoffier-Lambiotte écrivait : « Les recherches entreprises dans ce [...] domaine par de multiples pays — dont la France — dans un but offensif sont tenues si rigoureusement secrètes que les chercheurs dits "défensifs" c'est-à-dire chargés d'étudier les moyens de protection contre ces armes, n'en sont même pas informés. » Et d'expliquer : « Les motifs de ce secret sont [...] justifiés [...] par le fait que l'efficacité éventuelle de ces armes est inhérente à leur mystère et à l'impossibilité dans laquelle se trouverait l'ennemi de leur découvrir une parade rapide. » Pour ce qui est du LSD, un tel raisonnement n'a aujourd'hui plus aucune raison d'être puisque ce composé a été abandonné par les états-majors occidentaux. Il n'empêche qu'en dehors des États-Unis personne n'a rien publié sur les recherches militaires effectuées sur lui avant cet abandon.

scientifique avant le début des années 50, mais lorsque l'on commença d'en parler c'était l'époque de la « guerre froide » et l'Amérique se préparait activement à la guerre chimique.

Efficace à très, très petites doses, incolore, inodore et sans saveur, l'acide lysergique semblait posséder toutes les qualités de l'agent chimique de guerre idéal.

Or des rumeurs se mirent à circuler en Occident selon lesquelles « certains pays » du bloc socialiste détenaient un produit similaire et s'en servaient pour procéder à des interrogatoires et à des lavages de cerveau. L'US Army Chemical Corps et l'US Army Intelligence Corps prirent ce prétexte pour mettre en œuvre un vaste programme de recherche ultra-secret sur le LSD.

Ce programme consistait principalement en des expériences réalisées sur des volontaires et il commença en 1955 à l'Edgewood Arsenal, dans le Maryland. Il avait un double but — offensif et défensif — et s'acheva en 1967 lorsque les spécialistes américains estimèrent en savoir assez sur cet hallucinogène.

Quelques années plus tard, l'armée fut informée que l'un des sujets de ces expériences souffrait d'épilepsie dans la zone du lobe temporal. On l'invita à se présenter au Walter Reed Army Medical Center pour s'y faire examiner. Puis on agit de même avec les autres personnes ayant participé au programme. Toutes ne répondirent pas à l'appel mais, sur 741 sujets d'expérience, on parvint à en retrouver 320.

Le document qui rend compte de l'examen de ces ex-cobayes, plusieurs années après que les expériences ont pris fin, se veut rassurant et, bien que très rigoureux dans sa formulation, il s'efforce de minimiser le rôle du LSD dans les anomalies constatées. Sa lecture ne manque d'ailleurs pas d'intérêt car, à force de vouloir innocenter le LSD, il en vient, par endroits, à en faire une drogue à peu près aussi inoffensive qu'un cachet d'aspirine. Mais il n'empêche qu'anomalies il y a et que, si l'on ne peut pas toutes les mettre sur le compte de ces expériences, elles sont tout de même suffisamment nombreuses pour que plusieurs d'entre elles puissent leur être imputées.

Parmi les 421 sujets n'ayant pas répondu à la convocation de l'armée, quelques-uns étaient morts et l'un d'eux s'était suicidé. Peut-être n'y a-t-il pas de relation de cause à effet entre ce décès et les tests de l'Edgewood Arsenal mais les spécialistes chargés d'étudier les séquelles à long terme de l'absorption de LSD constatèrent l'existence d'un phénomène fréquent qu'ils appelèrent *flashback*.

« Les flashbacks sont les plus connues et, peut-être, les plus dramatiques des réactions négatives à long terme résultant de l'ingestion du LSD, écrivent-ils[1]. Bien qu'il n'existe pas de définition uniforme de

1. In *LSD Follow-up study report, op. cit.*

l'expérience du flashback. Cohen — qui a introduit le terme — décrit ce phénomène comme "la réapparition spontanée de certains effets qui ont été expérimentés pendant que l'on se trouvait sous l'influence d'une drogue comme l'acide lysergique diéthylamide (LSD)". Les sensations évoquées peuvent concerner n'importe lequel des cinq sens — quoique la vision soit le plus fréquemment affecté — et il leur arrive alors de comprendre des phénomènes complexes de *déjà vu*[1], de distorsions de la réalité, de dépersonnalisation, d'anxiété, de tristesse, etc. »

8 % des 320 sujets d'expérience réexaminés par l'armée vers la fin des années 70 avouèrent avoir eu des expériences de flashback et certains prétendirent en avoir encore. Or il arrive que des suicides se produisent sous l'influence du LSD, comme nous n'allons pas tarder à le voir. Un doute subsiste, par conséquent, quant aux circonstances ayant conduit l'un des 421 « sujets manquants » à s'être donné la mort. Un autre de ces sujets a également succombé dans des circonstances mystérieuses, mais son décès est intervenu quinze ans après qu'il eut cessé de participer aux expériences de l'armée. Onze sujets examinés ont prétendu avoir eu des expériences de flashback dix-huit ans après avoir arrêté d'absorber du LSD mais il est quand même difficile d'établir un lien de cause à effet dans ce cas précis.

Les anomalies constatées chez les 320 sujets retrouvés par l'armée concernent des phénomènes de flashback particulièrement déplaisants (dépression, altération de la personnalité, anxiété) ainsi que des pertes de mémoire, l'apparition de tendances paranoïaques chez des individus auparavant parfaitement équilibrés, des troubles de la perception, etc. Mais on trouve aussi des problèmes de nature plus somatique dont le plus fréquemment cité concerne une augmentation notable des déficiences cardiaques de nature congénitale chez les enfants nés après que leur père eut participé à ces tests. Les spécialistes se sont donné beaucoup de mal pour trouver une explication à ces malformations sans faire intervenir le LSD. Ils y sont parvenus dans une cinquantaine de cas sur environ 80 constatés, mais ils ont quand même dû préciser que ce qu'ils avaient découvert ne constituait qu'une réponse « possible » au problème. Pour les autres, on n'a pas trouvé d'autre explication.

Du projet CHATTER au programme MKNAOMI

Ces expériences ne concernaient que des volontaires. En acceptant d'y participer, les sujets savaient parfaitement à quoi ils s'exposaient et l'armée avait prévu de les placer sous une surveillance médicale stricte lors du déroulement des tests. Quand la CIA mit en œuvre son propre programme de recherche sur les agents chimiques et biologiques, elle fit

---

1. En français dans le texte.

preuve de beaucoup moins de scrupules et utilisa certains cobayes humains sans même se donner la peine de les prévenir.

Les liens entre la CIA et la guerre chimique et biologique remontent à l'époque de la Seconde Guerre mondiale, lorsque la célèbre centrale américaine n'existait pas encore. Poussé par les événements (et par les Britanniques), Roosevelt avait décidé de doter son pays d'une organisation vouée à la collecte de renseignements et à l'organisation de missions secrètes, autrement dit, d'une agence d'espionnage. Ce fut l'OSS (Office of Strategic Services), dont la direction fut confiée au général Donovan. Parmi les hommes que Donovan engagea se trouvait un savant de Boston du nom de Stanley P. Lovell, expert en « stratagèmes[1] ». Le général en fit l'inventeur des gadgets d'espionnage.

La tâche de Lovell consistait à trouver des « trucs » et des procédés de toute sorte adaptés aux missions qu'auraient à accomplir les hommes de l'OSS, et beaucoup de ces « trucs » faisaient intervenir des composés chimiques ou des agents biologiques.

Lovell et son équipe, qui comptait de nombreux Britanniques, ne manquaient pas d'imagination... ni d'humour. Sachant que les Japonais avaient une sainte horreur de l'odeur de leurs propres excréments, ils mirent au point un produit dont la puanteur était identique à celle de la diarrhée et ils pensèrent s'en servir en Chine contre des officiers ennemis. Des enfants chinois auraient été chargés de courir après les officiers et de les asperger subrepticement de ce produit par-derrière grâce à un tube spécial. Ce procédé subtil relevant à la fois de la guerre chimique et de la guerre psychologique fut baptisé la bombe « *Who ? Me ?* » (« Qui ça ? Moi ? »), mais il ne fut jamais utilisé. Dans un ordre d'idées, légèrement différent, ils imaginèrent de larguer des crottes de chèvres contaminées par la tularémie et la psittacose au-dessus du Maroc occupé par les Allemands. Les spécialistes de l'OSS espéraient que des mouches se poseraient sur les crottes et iraient ensuite propager la maladie parmi les troupes ennemies. Ce plan demeura également à l'état de projet comme tant d'autres idées qu'eut Lovell lorsqu'il travaillait pour l'OSS. La plus cocasse est vraisemblablement celle qui aurait consisté à faire absorber des hormones femelles à Hitler sans qu'il s'en rende compte. Les Américains pensaient qu'il en perdrait sa moustache et que sa voix grimperait dans des aigus incompatibles avec le ton de ses discours. Cette idée ne fut jamais mise à exécution mais elle devait être reprise sous une forme différente quelques années plus tard contre Fidel Castro.

L'arsenal biologico-chimique de l'OSS rendit cependant quelques menus services pendant la guerre, mais pas sous une forme aussi pittoresque. Il comprenait deux sortes de « pilules suicide » que des

---

1. Comme l'indique le titre de ses Mémoires publiées à New York en 1963 : *Spies and stratagem* (« Espions et stratagèmes »).

agents secrets américains furent contraints d'employer pour échapper à la torture, et des entérotoxines staphylococciques qui permirent d'accomplir une opération comparable à l'assassinat de Reinhardt Heydrich : l'empoisonnement de Hjalmar Schacht.

Ce financier, qui devait passer dix mois dans un camp de concentration sous le soupçon de complot contre Hitler et être acquitté lors du procès de Nuremberg, survécut à son intoxication. C'était sans doute voulu, sans quoi on eût certainement employé une autre substance que les entérotoxines dont le taux de létalité voisin de zéro fait un agent aux vertus avant tout incapacitantes. Il fallait simplement l'empêcher d'assister à une conférence économique de la plus haute importance et les entérotoxines remplirent parfaitement cette mission. Vingt-quatre heures plus tard, Schacht était remis, mais la conférence s'était déroulée sans lui...

Cependant, hormis cet épisode, les armes chimiques et biologiques mises au point par l'OSS pendant la guerre n'eurent pas vraiment d'influence décisive sur le cours des événements.

Lorsque la CIA prit la place de l'Office of Strategic Services, elle n'abandonna pas la recherche dans le domaine des armes spéciales, bien au contraire. Les vastes horizons qu'ouvraient les armes BC à la guerre secrète ne pouvaient qu'attirer l'attention de ses responsables. Deux projets commencèrent peu de temps après la fin des hostilités et ils couvrirent toute la période du conflit coréen : CHATTER et BLUEBIRD/ARTICHOKE[1].

Le projet CHATTER était un programme dépendant de la marine qui avait pour objectif d'identifier et d'expérimenter des drogues susceptibles d'agir sur la volonté. Lorsqu'il débuta, à l'automne 1947, les premières rumeurs concernant l'emploi par les Soviétiques de telles substances commençaient déjà à circuler en Occident. Elles furent à l'origine du projet qui comprit des expériences en laboratoire sur des animaux et des volontaires humains à qui l'on donna de la scopolamine et de la mescaline pour étudier leurs réactions. CHATTER prit fin en 1953.

BLUEBIRD/ARTICHOKE fut le premier programme relevant entièrement de la CIA. Il fut approuvé par son directeur en 1950 et ses objectifs étaient les suivants :

a) découvrir des moyens de conditionner le personnel pour éviter que l'on puisse lui tirer des informations qu'il n'a pas le droit de transmettre par des méthodes connues;

b) étudier la possibilité de contrôler un individu grâce à l'application de techniques spéciales d'interrogatoire;

---

1. Cf. *Project MKULTRA, the CIA's program of research in behavioral modification*, joint hearing before the select committee on Intelligence and the subcommittee on Health and scientific Research of the committee on human resources, United States Senate, 95th Congress, 1st session, 3 août 1977.

c) trouver un ou plusieurs moyens pour augmenter la mémoire;

d) mettre au point des mesures défensives afin de prévenir tout contrôle hostile du personnel de l'agence.

A ces objectifs s'en ajouta bientôt un cinquième : l'évaluation de l'usage offensif de techniques d'interrogatoire non conventionnelles comprenant l'hypnose et l'emploi de drogues.

Pour ce projet, on eut également recours à des volontaires humains. Il prit fin en 1956 après avoir recensé et examiné toutes les méthodes d'interrogatoire imaginables. Il va sans dire que beaucoup de ces méthodes faisaient intervenir des agents chimiques.

Vers le début des années 50, plusieurs incidents se produisirent qui incitèrent les responsables de la CIA à accorder encore plus d'intérêt aux armes chimiques et biologiques. Des agents soviétiques furent arrêtés en Allemagne et l'on découvrit sur eux des seringues et des ampoules de produits destinés à agir sur la volonté. Par ailleurs, il y eut l'épisode des aviateurs américains prisonniers en Corée « passés aux aveux » avec une spontanéité troublante. Ces événements convainquirent définitivement les Américains que les Soviétiques avaient acquis une supériorité redoutable dans le domaine des drogues psychochimiques. Et l'on pensait que cette supériorité s'étendait vraisemblablement à tout l'éventail de l'arsenal biologico-chimique. Une fois encore, l'axiome selon lequel « en se préparant à cette forme de guerre, un pays incite les autres à en faire autant[1] » se vérifiait. La CIA décida de contrecarrer la menace soviétique en lançant deux vastes programmes qu'elle intitula MKNAOMI et MKULTRA.

Le projet MKNAOMI concernait principalement la guerre biologique. Il fut réalisé avec le concours de l'armée ou, plus exactement, de la SOD (Special Operation Division, voir plus haut) de Fort Detrick qui prêta main-forte à la CIA à partir de 1952 pour venir à bout de ce vaste programme. MKNAOMI devait durer jusqu'en 1970, c'est-à-dire jusqu'à ce que le président Nixon annonçât que les États-Unis renonçaient à leur arsenal biologique. Mais il provoqua indirectement, cinq ans plus tard, l'un des scandales les plus retentissants de l'histoire de la CIA lorsque l'on s'aperçut qu'un savant travaillant pour l'agence avait conservé en secret 11 grammes de toxine malgré les consignes de la Maison-Blanche.

Ce programme avait pour objectifs de permettre à une « base secrète d'appui » de répondre aux nécessités des opérations clandestines; de stocker des agents létaux ou fortement incapacitants pour le compte de la TSD (Technical Service Division); d'entretenir en état opérationnel des moyens « spéciaux » de mise en œuvre de ces agents; de s'assurer du bon

---

1. Dr Viola W. Bernard, article cité. Le Dr Bernard ajoute : « Ainsi, la peur qui s'installe de part et d'autre dans les nations et les réactions de défense par projection et rationalisation contribuent à accélérer la course aux armements chimiques et biologiques qui menace l'humanité tout entière. »

fonctionnement de ces moyens et d'en prévoir au mieux les résultats dans les conditions opérationnelles.

La SOD fabriqua pour le compte de la CIA toutes sortes d'engins tels que fléchettes empoisonnées, pilules contenant des agents biologiques pouvant rester toxiques des semaines ou des mois, et même une arme spéciale tirant des fléchettes enduites d'une substance chimique permettant d'endormir un chien de garde le temps d'accomplir une mission à l'intérieur d'une enceinte protégée. Mais les spécialistes ne parvinrent pas à trouver un incapacitant du même genre convenant aux humains.

La CIA demanda également à la SOD d'étudier des agents biologiques spécifiquement adaptés aux récoltes et au bétail et, en 1967, un rapport affirmait que trois méthodes avaient été mises au point et testées sur le terrain pour contaminer secrètement des récoltes ennemies et leur infliger de graves dommages.

On dépassa vite les aspects théoriques et expérimentaux du programme MKNAOMI et les gadgets, substances, plans et méthodes découverts dans le cadre de ce projet trouvèrent plusieurs applications pratiques. La plus spectaculaire se produisit assez tardivement puisqu'elle eut lieu à un moment où les États-Unis s'étaient déjà engagés à ne plus produire d'armes biologiques et à détruire leurs stocks : en 1971. Cette année-là, une épidémie de grippe porcine éclata à Cuba qui contraignit les habitants à abattre plus de 500 000 porcs pour éviter que la maladie se propage. Fidel Castro soupçonna fortement la CIA d'être à l'origine du désastre et ne se priva pas de le dire mais nul n'y prêta attention tant les allégations d'emploi invérifiables des armes BC étaient devenues fréquentes à cette époque. Pourtant, six ans plus tard, la presse américaine révéla la responsabilité de l'agence dans cette affaire. Les coupables, loin de nier les faits, expliquèrent comment un agent de la CIA avait confié à un groupe de Cubains anticastristes une enveloppe contenant le virus de la grippe porcine. Cette enveloppe avait été acheminée à Cuba via un îlot situé au large de l'Amérique centrale et le virus inoculé à un petit groupe de porcs. La « nature » s'était chargée du reste[1].

Le projet MKNAOMI donna lieu, directement ou indirectement, à plusieurs plans qui, pour la plupart, ne parvinrent jamais au stade de la réalisation. Certains faisaient partie de ce qu'on appela l'« opération Mangouste ».

Humiliés lors du débarquement manqué dans la Baie des Cochons, le 17 avril 1961, les Américains désiraient se venger du régime de Castro. C'est pourquoi le président Kennedy chargea la CIA d'un programme intensif dirigé contre ce régime et son leader.

William Colby raconte[2] :

---

1. *Cf. Le Monde* du 12 janvier 1977 et *Newsday* du 9 janvier 1977.
2. *30 ans de CIA*, Presses de la Renaissance, Paris, 1978. William Colby est un ex-patron de la CIA « chassé » par Gerald Ford.

« ... en novembre 1961, Kennedy lança l'opération Mangouste pour aider Cuba à renverser le régime communiste, et mit sur le coup un vieux spécialiste de l'action clandestine, Ed Lansdale [...]. Toujours aussi ingénieux et imaginatif, Lansdale proposa une trentaine d'actions — depuis le sabotage des usines et des lignes de chemin de fer jusqu'à l'aspersion des champs de canne à sucre par diverses substances chimiques destinées à rendre malades les ouvriers agricoles — mais dans le cadre de l'opération Mangouste, on retint seulement les activités qui relevaient du renseignement pur. Un an plus tard, l'autorisation de s'adonner au sabotage fut accordée à une nouvelle équipe cubaine de la CIA. »

L'opération Mangouste tourna court, mais la crise de 1962 eut pour effet d'exacerber la colère de Kennedy contre Castro. Déjà, en février 1962, Lansdale avait prévu un « plan d'action de base » dont la phase IV comprenait l'attaque des cadres du régime, « y compris les principaux dirigeants ». Quant à la réalisation de ce plan, son auteur avait jugé utile de préciser que « les agents chimiques de guerre [devraient] être pris pleinement en considération ».

Après la crise des missiles, le président Kennedy décida d'utiliser encore la CIA pour se « débarrasser » de Castro. Desmond Fitzgerald, que William Colby qualifie d'« as de l'action clandestine », fut alors muté à la tête du groupe spécial chargé de Cuba. La campagne qu'il entreprit — et qui se poursuivit jusqu'en 1963 — devait comprendre plusieurs tentatives d'assassinat.

Lors d'une déclaration faite à Cuba le 21 juillet 1981[1], Fidel Castro rappela ces événements :

« Nous connaissons les plans ténébreux perpétrés par les impérialistes contre notre pays dans les années 60 : sabotage de l'économie, maladie des plantes et des animaux, défoliants de la canne à sucre, arrêt des pluies par bombardement des nuages au moyen de produits chimiques avant qu'ils n'atteignent notre pays, introduction de bactéries nuisibles au sucre, etc.; attentats personnels contre les dirigeants de la révolution, tabacs empoisonnés, introduction de champignons dans les vêtements pour causer des maladies mortelles, mercenaires recrutés dans la mafia, fusils à lunette, balles empoisonnées, etc., etc. Ce ne sont pas des contes de notre invention, mais des faits reconnus par le Sénat des États-Unis lui-même. »

Rien de tout cela, en effet, ne relève de l'invention à des fins de propagande. Les spécialistes de la SOD et de la CIA firent preuve de beaucoup d'imagination lorsqu'il s'agit de trouver le moyen d'éliminer le chef de la révolution cubaine. Ils proposèrent de contaminer sa nourriture et ses cigares avec de la toxine botulique ou sa combinaison de plongée

---

1. Déclaration reproduite en partie dans une lettre datée du 12 août 1981 adressée au président du comité du désarmement de l'ONU par le représentant de Cuba. CD/211 - 13 août 1981.

(Castro passe pour un fervent adepte de la plongée sous-marine) avec un agent biologique provoquant une maladie de la peau. Ils mirent au point une poudre spéciale qui, répandue sur ses chaussures, devait entraîner la chute de son système pileux (*sic !*). L'image romantique du guérillero barbu commençait à pénétrer en Occident et valait, au travers de Castro et de Che Guevara, des sympathies à la révolution cubaine dont le Pentagone se serait volontiers passé. On alla jusqu'à envisager de faire absorber du BZ à Castro avant un discours afin qu'il se comporte comme un déséquilibré. Aucun de ces projets n'aboutit mais le président cubain tomba grièvement malade et l'on attribua son état à une intoxication alimentaire. Les observateurs crurent déceler la main de la mafia plutôt que celle de la CIA dans cette tentative d'assassinat. Cependant, au début de l'opération Mangouste, Lansdale avait informé ses supérieurs que « les éléments criminels » pouvaient « constituer les meilleures recrues potentielles pour lancer des actions » du type de celle dont on l'avait chargé. Mafia ou CIA, cela ne fait donc peut-être pas une grande différence, en fin de compte...

On comprend que les responsables de l'agence se soient intéressés d'aussi près à l'arme microbienne car ses qualités n'en faisaient pas seulement un instrument parfaitement adapté aux opérations dirigées contre des individus; il était également possible de l'utiliser pour « déstabiliser » discrètement des régimes penchant par trop à l'Est ou pour affaiblir moralement un adversaire potentiel (ou réel). Rien ne se prête mieux à une reprise en main efficace qu'un pays appauvri, malade ou en proie à la famine, et la philosophie des promoteurs du projet MKNAOMI se résume sans doute assez bien par ces quelques lignes tirées d'un rapport de 1969 pourtant étranger à la CIA[1] :

« Il est difficile, dans certaines circonstances, de prouver la culpabilité de l'auteur d'une attaque, puisque ces organismes se trouvent de toute façon dans la nature et qu'il est toujours possible de prétendre, s'ils y ont été introduits clandestinement, qu'ils sont le fait d'une épidémie spontanée[2]. »

Ceci explique sans doute les sommes considérables qui furent consacrées à ce programme jusqu'à son achèvement en 1970. Dans un

1. Rapport du sous-comité spécial de la Fondation nationale des sciences de la commission du travail et du bien-être social du Sénat des États-Unis, mai 1969.

2. En 1956, les Américains auraient songé très sérieusement à utiliser des moustiques infectés du virus de la fièvre jaune contre l'Union soviétique. Des millions de moustiques vecteurs de cette maladie auraient fait l'objet d'expériences à Fort Detrick, qui aurait produit jusqu'à 500 000 de ces insectes par mois. Mais — si tant est que ce projet ait réellement existé — il est difficile de savoir, aujourd'hui, qui, de l'armée ou de la CIA, était le plus impliqué dans cette affaire et jusqu'où l'on alla dans sa préparation avant de l'abandonner.

document officiel déclassifié en septembre 1975[1], on trouve le chiffre de 390 000 dollars pour la seule année fiscale 1958 dépensés par Fort Detrick pour « le maintien d'une capacité de guerre biologique ». L'argent provenait de la CIA qui aurait englouti plus de 3 millions de dollars dans ce projet dont les détails n'étaient connus que par deux ou trois très hauts responsables de l'agence. Lorsqu'ils se rendaient à Fort Detrick, ces hommes se faisaient d'ailleurs passer officiellement pour des militaires et MKNAOMI serait sans doute resté à jamais dans l'ombre de l'histoire si, en 1975, on n'avait découvert un petit stock de toxines qui aurait dû être détruit depuis cinq ans.

Dans ses mémoires, William Colby raconte l'épisode[2] :

« ... au printemps 1975, Carl Duckett, directeur adjoint à la science et à la technologie, m'informa qu'il avait découvert plusieurs flacons de substances mortelles — onze grammes d'un poison sécrété par un coquillage tropical et huit milligrammes de venin de cobra — et du matériel permettant leur inoculation, entre autres une sarbacane spéciale, entreposés dans une cave peu utilisée de sa direction[3]. Il ne fait aucun doute que la détention de ce matériel constituait une faute grave. En 1970, pour respecter les engagements d'un traité international, le président Nixon avait ordonné la destruction de ce genre d'« armes », à l'exception des quantités nécessaires à la recherche, mais les poisons découverts par Duckett auraient suffi à tuer des milliers de gens (...). Par excès de zèle, un fonctionnaire (de la SOD) avait pris sur lui de mettre en lieu sûr ce qu'il considérait comme des produits de grande valeur. Il était parti à la retraite peu après et son successeur avait supposé qu'il n'avait fait qu'obéir aux ordres de ses supérieurs. Mes appels répétés à la dénonciation de toute activité douteuse avaient fini par insinuer le doute dans son esprit. Il en avait référé à Duckett et ce dernier à moi-même. Dès que les faits furent bien établis, je les portai à mon tour à la connaissance de la Maison-Blanche et des commissions d'enquête du Congrès.

« Telle fut l'occasion que saisit la Commission Church pour tenir sa première audience publique. Le 16 septembre, je me retrouvai donc, à ma grande surprise, en train d'expliquer l'existence de ces poisons et de la sarbacane devant les caméras de la télévision. »

Le scandale, considérablement amplifié par les media, secoua toute l'Amérique. On imagina que les agents de la CIA pouvaient faire ce qu'ils voulaient, quitte à désobéir au gouvernement, et MKNAOMI apparut comme une monstruosité aux yeux du public. Pourtant, le monstre était bien pâle à côté de MKULTRA.

---

1. Document « déclassifié » n° 056047 : *Summary Report on CIA investigation of MKNAOMI*, reproduit en annexe de *Biological testing involving human subjects, op. cit.*
2. *Op. cit.*
3. Cette cave était située à Fort Detrick et relevait, auparavant, de la SOD.

tous du plus amibleux des adeptes du parrolélisme puisque, au cour
d'une expérience, ses hommes restèrent sous l'influence du LSD pendant
quatre-vingt-neuf jours consécutifs.

Le projet MKULTRA

MKULTRA fut le plus important et le plus secret des programmes de la
CIA concernant la recherche et la mise au point d'agents chimiques et
biologiques. De tels travaux ne constituaient d'ailleurs pas sa seule raison
d'être. Sous ce nom de code se dissimulaient plusieurs sous-projets (il y en
aurait eu près de 150) relatifs au contrôle des esprits, à la modification des
comportements, et même à la perception extrasensorielle... Les expériences réalisées dans le cadre de ce programme relevaient à la fois de la
psychologie, de la sociologie, de la psychiatrie, de l'anthropologie, de la
graphologie et faisaient appel à l'étude des électrochocs, de l'hypnose ou
des substances psychochimiques ainsi qu'à quantité d'autres techniques et
matériaux.

MKULTRA fut proposé par Richard Helms, vice-directeur chargé des
programmes, au directeur de la CIA qui l'approuva le 13 avril 1953. Tout
ce qui le concernait devait être entouré du secret le plus absolu car la
révélation de certains aspects entrant dans le cadre de ce programme
aurait risqué de provoquer des « réactions fortement hostiles » de la part
de l'opinion publique américaine. On craignait aussi qu'un manque de
discrétion n'entraînât quelque action offensive chez les services de
renseignement étrangers. Enfin, quelques-unes des expériences devaient
se dérouler à la limite de la légalité. Il convenait donc de les réaliser dans
la plus complète clandestinité.

La recherche et la mise au point de substances susceptibles d'altérer le
comportement humain comportaient trois phases : d'abord, la recherche
de matériaux pouvant se prêter à l'étude; ensuite, des tests en laboratoire
sur des volontaires dans différents types d'institutions; enfin, la mise en
œuvre sur le terrain des composés sélectionnés.

La première étape fut franchie grâce à divers spécialistes travaillant
dans des universités, des firmes pharmaceutiques, des hôpitaux, des
institutions d'État ou fédérales et des organismes privés de recherche. Ces
savants ignoraient qu'ils œuvraient pour la CIA et l'argent nécessaire à
leurs travaux leur était versé par des fondations n'ayant apparemment rien
à voir avec l'agence.

La seconde étape impliquait le concours de médecins, de toxicologues
et de spécialistes en psychologie, en psychiatrie et en drogues. Les
responsables du projet soumirent des volontaires à de nombreux tests. Ils
les recrutèrent, pour la plupart, dans des prisons et dans des hôpitaux.
Plusieurs expériences furent réalisées au Centre de Réhabilitation de
Lexington, dans le Kentucky, qui était une prison pour drogués et un
centre de désintoxication. On proposait aux prisonniers de leur administrer un hallucinogène et de leur fournir en échange la drogue à laquelle ils
étaient accoutumés. Le plus souvent, l'hallucinogène était du LSD et la
drogue de l'héroïne. Les doses administrées dépassèrent les rêves les plus

fous du plus ambitieux des adeptes du psychédélisme puisque, au cours d'une expérience, sept hommes restèrent sous l'influence du LSD pendant soixante-dix-sept jours consécutifs !

Ces psychotropes furent également expérimentés dans des hôpitaux psychiatriques. On sollicitait l'avis des internés mais « la plupart présentaient un quotient intellectuel d'environ 60. Si l'on prend pour base un classement psychométrique de la déficience mentale, le QI de 60 correspond aux débiles mentaux, donc inaptes à donner un quelconque consentement[1] ».

La dernière phase nécessitait que l'on fît absorber des substances psychochimiques — principalement du LSD — à des sujets non volontaires et non prévenus afin d'étudier leur comportement dans la vie de tous les jours.

Dans la plupart des cas, ce furent des officiers du Narcotics Bureau travaillant pour la CIA qui se chargèrent de cette besogne. Ils étaient commandés par un certain George White, un ancien journaliste entré au Narcotics Bureau et engagé par la CIA en 1953 pour diriger ce type d'opérations.

White commença par louer un appartement à Greenwich Village, à New York, et l'aménagea de telle sorte qu'il pût voir tout ce qui s'y passait sans être vu. Des prostituées étaient chargées d'y attirer des hommes et de leur offrir des boissons contenant du LSD ou de l'huile de cannabis. D'autres expériences furent réalisées dans des bars. Des officiers travaillant pour White versaient subrepticement du LSD dans les verres de consommateurs dont l'attention avait été détournée. Enfin, on eut également recours à des aérosols dans des toilettes et dans des pièces closes.

En 1955, George White quitta Greenwich Village et alla s'installer à San Francisco où il loua un nouvel appartement et recommença le même genre d'opération. On ignore ce qu'il advint des cobayes involontaires car il était difficile de les suivre une fois l'expérience terminée, mais ce genre de tests fit au moins un mort : le Dr Franck Olson, un civil travaillant pour l'armée.

Le 18 novembre 1953, un groupe d'une dizaine de savants de la CIA et de la SOD s'étaient réunis pour une conférence, comme ils le faisaient deux fois par an, dans une baraque située à Deep Creek Lake, dans le Maryland. Trois des participants appartenaient à l'équipe des « services techniques » de la CIA. L'un d'eux était le Dr Sidney Gottlieb, qui désirait profiter de l'occasion pour réaliser une expérience à l'insu des autres membres du groupe. Et parmi les gens de la SOD se trouvait le Dr Franck Olson, un expert en aérobiologie travaillant à Fort Detrick.

Le Dr Gottlieb demanda à un autre agent de la CIA, le Dr Robert

---

1. Ricardo Frailé, *op. cit.*

Lashbrook, de verser « une très petite dose de LSD » dans une bouteille de Cointreau qui fut servie après le dîner, le 19 novembre au soir.

Deux membres de la SOD n'en prirent pas, l'un parce qu'il ne buvait pas et l'autre pour des raisons de santé. Quand ils eurent fini leurs verres, une vingtaine de minutes plus tard, le Dr Gottlieb informa les autres participants qu'ils venaient d'absorber du LSD. Bientôt, la drogue commença de faire son effet. Les gens de la SOD devinrent bruyants, hilares, incohérents dans leurs propos comme dans leur comportement, et la réunion se transforma en une partie de fou rire qui se prolongea jusqu'à une heure avancée de la nuit. Les participants essayèrent tout de même d'aller dormir mais ceux qui avaient pris du LSD ne parvinrent pas à trouver le sommeil.

Le lendemain matin, si l'on excepte des signes évidents de fatigue, le Dr Olson ne parut pourtant pas montrer de symptômes alarmants et il semblait avoir recouvré toute sa lucidité[1].

Le 23 novembre, qui était un lundi, Olson se mit à montrer des signes de dépression. La conférence avait pris fin. Les participants avaient regagné leur foyer et retrouvé leur travail et le comportement de l'aérobiologiste commençait à inquiéter sa famille et ses amis.

Le mardi, le supérieur d'Olson, le colonel Vincent Ruwet, décida de le placer sous surveillance médicale. Il appela Lashbrook qui proposa de le faire examiner par le Dr Abramson, un médecin new-yorkais connaissant bien les effets du LSD et ayant l'habitude de travailler pour la CIA. Ruwet, Lashbrook et Olson prirent l'avion pour New York. Ils y restèrent deux jours et, le jeudi 26 novembre, ils prirent le chemin du retour pour qu'Olson pût passer les fêtes de Thanksgiving en famille. Mais Olson avait peur de revoir les siens. Dans l'avion, il en informa Ruwet qui, à contrecœur, accepta de le laisser retourner à New York en compagnie de Lashbrook tandis que lui-même irait prévenir Mme Olson.

Les deux hommes regagnèrent New York le même jour et retournèrent voir le Dr Abramson. Le médecin conseilla de placer son patient sous la surveillance d'un psychiatre et les deux hommes décidèrent de rentrer le samedi matin.

Le vendredi soir, ils regardèrent la télévision jusqu'à 11 heures, puis allèrent se coucher. Selon Lashbrook, Olson aurait dit, avant d'aller dormir, qu'il se sentait beaucoup plus détendu que lorsqu'ils étaient arrivés à New York. « Il n'avait plus l'air particulièrement déprimé, précisa Lashbrook. Et il était presque redevenu le Dr Olson que j'avais connu avant l'expérience. »

Les deux hommes s'endormirent et, à 2 h 30 du matin, Lashbrook fut réveillé en sursaut par un fracas de verre brisé. Olson avait sauté à travers

---

1. Ces détails nous sont connus au travers des témoignages — parfois contradictoires — de Gottlieb, Lashbrook et du colonel Vincent Ruwet, le supérieur du Dr Olson.

la fenêtre fermée et gisait au milieu d'une mare de sang, dix étages plus bas, dans la 7e Avenue.

On raconta à la police qu'Olson souffrait de dépression, sans mentionner le LSD, et l'on dit à sa femme que sa mort était la conséquence fâcheuse et imprévisible d'un travail qu'il était en train d'accomplir... sans autre précision.

La dose de LSD qu'il avait absorbée le 19 novembre était de 70 microgrammes.

Sur d'autres fronts...

MKULTRA prit fin en 1964 et fut intégré à un programme plus vaste baptisé MKSEARCH. Vers la fin des années 60, MKSEARCH abandonna l'étude du LSD mais il comportait deux autres projets, MKCHICKWIT et MKOFTEN, dont le but était d'identifier de nouvelles drogues mises à jour en Europe et en Asie. Ce vaste programme, sur lequel il reste encore beaucoup à apprendre, s'acheva en 1973, au moment précis où débutaient les procès de la CIA... Mais ceci est une autre histoire.

De MKNAOMI à MKSEARCH, des dizaines de substances chimiques ou biologiques ont été testées, mises au point et utilisées par l'armée américaine et la CIA. Les États-Unis se sont débarrassés de leurs stocks de toxines et d'armes biologiques mais il est certain que des travaux comme ceux dont nous venons de parler se poursuivent actuellement avec des composés chimiques. Les agents BC offrent trop de possibilités aux services secrets pour que leur étude puisse être abandonnée du jour au lendemain. Du reste, les Américains n'en ont pas le monopole. Canadiens et Britanniques ont accompli des progrès spectaculaires en matière de poisons. Fort Detrick leur a même prêté main-forte à plusieurs reprises dans ce domaine. Quant aux Français, même s'ils ont la réputation d'être d'une discrétion à toute épreuve pour tout ce qui touche à leur arsenal chimique (et biologique jusqu'en 1972), on sait que des membres de leurs services secrets eurent recours à des pompes à vélo transformées en sarbacanes pour lancer des fléchettes enduites de curare ou autres substances toxiques indécelables contre les trafiquants d'armes pendant la guerre d'Algérie.

L'un des arguments le plus souvent avancés par les Américains pour légitimer leurs recherches à Fort Detrick ou ailleurs était que les Soviétiques avaient acquis une supériorité inquiétante en matière de guerre chimique et biologique. Bien que l'on ne possède aucune information de première main sur ces activités, on peut affirmer que le KGB n'a jamais rien eu à envier à la CIA dans ce domaine. L'assassinat de Stephan Bandera, un exilé ukrainien tué à Munich le 15 octobre 1959 par Bogdan Strashinsky, un agent du KGB qui devait passer à l'Ouest deux ans plus tard, en est une démonstration éloquente. L'arme employée fut un tube rempli d'acide prussique. Ni bruit ni violence... Quelques années plus tard, le 6 septembre 1964, M. Horst Schwirkmann assistait à un office religieux au monastère de Zagorsk quand il éprouva une sensation de froid intense à la cuisse gauche. M. Schwirkmann, qui avait un passeport diplomatique, était un spécialiste de la détection des micros. A son retour à l'ambassade de la RFA, à Moscou, il ressentit de violentes douleurs. Un médecin de l'ambassade des Etats-Unis indiqua alors qu'il avait été piqué à l'ypérite. Cette affaire fit beaucoup de bruit à l'époque, et le gouvernement soviétique, à la tête duquel se trouvait encore N. Khrouchtchev, dut présenter à Bonn des « regrets de principe ». On possède d'autres exemples de tentatives de « meurtres chimiques » accomplies par des agents du KGB. Il s'en est aussi sans doute commis beaucoup que nous ne connaissons pas. Mais les Soviétiques, pas plus que les Occidentaux, n'ont recours aux armes BC que pour tuer. Les incapacitants peuvent également se révéler d'un grand secours pour compromettre une personnalité politique ou pour la faire chanter en la mettant dans une posture peu compatible avec sa fonction, ou bien encore en l'empêchant d'assister à une réunion où sa présence est capitale.

Armes sournoises, les agents chimiques et biologiques sont, en fin de compte, parfaitement adaptés au combat que se livrent les services secrets. Leur avenir, en ce sens, paraît assuré car aucun protocole ni aucune convention ne parviendront jamais à s'immiscer dans la guerre invisible.

X. DES LABORATOIRES POUR L'URSS ?

> *C'est pourquoi nous devons nous employer à mettre les preuves que nous détenons à la disposition du plus grand nombre possible de pays, tout en évitant de donner l'impression que nous menons une campagne de propagande. Pour que nos efforts soient d'une quelconque utilité, il est indispensable que d'autres considèrent ces informations avec autant de sérieux que nous le faisons.*
>
> Richard Burt, Directeur du Bureau des affaires politico-militaires du département d'État américain s'adressant à une sous-commission des Affaires étrangères du Sénat, le 10 novembre 1981

Sverdlovsk est une ville d'URSS située à l'est de l'Oural, dans la vallée de la rivière Isset, à environ 1 200 kilomètres de Moscou. Avec 1,2 million d'habitants, c'est un centre culturel et universitaire important qui compte de nombreuses industries alimentaires, chimiques, mécaniques et sidérurgiques. Mais si cette ville retient l'attention du monde occidental depuis 1979, c'est pour des raisons n'ayant rien à voir avec ses universités ni avec ses industries. En avril de cette année-là, dans sa banlieue sud-ouest, une explosion se serait produite dans une usine fabriquant des armes biologiques. L'incident aurait libéré des millions de bactéries mortelles du type *Bacillus anthracis*, l'agent responsable du charbon, provoquant ainsi la mort de plusieurs centaines de personnes, voire plus d'un millier selon certaines sources.

Si cet accident a bien eu lieu, c'est le plus important jamais survenu au cours de l'histoire des armes biologiques. Et ses conséquences ne se limitent pas à la gravité de ses effets immédiats. Réel ou fictif, il a singulièrement compromis les négociations entreprises en 1976 entre Soviétiques et Américains pour aboutir à une initiative commune sur un éventuel désarmement chimique. Et Sverdlovsk inquiète d'autant plus l'Occident que cette cité de l'Oural incarne désormais une menace que l'on croyait éteinte depuis 1972 : celle de la guerre microbienne. Sverdlovsk effraie. Sverdlovsk dérange. Mais surtout, Sverdlovsk fait problème. Car rien n'est clair, dans cette affaire. Les faits se contredisent. Les questions se bousculent. Le puzzle semble insoluble. Si bien qu'aujourd'hui, en 1982, on n'est guère plus avancé qu'en 1979, lorsque les premières rumeurs concernant cet incident commencèrent à circuler en Europe et aux États-Unis.

L'Unité militaire n° 19

L'explosion se serait produite au tout début du mois d'avril, dans la nuit du 2 au 3, dans une usine ultra-secrète appartenant à l'« Unité militaire n° 19 ». Ce centre de l'armée soviétique était examiné avec beaucoup d'attention par les Américains depuis quelques années grâce à l'un de leurs satellites-espions. Sévèrement gardé, il comportait des systèmes d'aération et des cages pour animaux qui avaient déjà attiré l'attention des experts. « En fait, écrit le journaliste américain Leslie H. Gelb, qui a consacré un véritable dossier à cet événement dans le *New York Times*[1], il ressemblait très exactement à Fort Detrick. » D'où l'hypothèse qu'il s'agissait d'un centre de guerre biologique. Cependant, en l'absence de toute preuve, les États-Unis s'étaient contentés d'étudier les photos que leur transmettait leur satellite sans intervenir auprès du gouvernement soviétique. Après tout, peut-être s'agissait-il d'un centre de recherches défensives comme la convention de 1972 n'interdit pas aux pays signataires d'en posséder. Ces nations ont même le droit de produire des micro-organismes pathogènes en petite quantité pour tester leurs équipements. Mais on entoure rarement un centre de recherches défensives de telles précautions.

L'incident d'avril 1979 passa inaperçu en Occident lorsqu'il se produisit. Jusqu'en juillet, il n'y eut pas de réaction. Mais, durant l'été, les premières rumeurs commencèrent à circuler en Europe et aux États-Unis. Propagées par des émigrés, elles étaient imprécises et contradictoires. Elles concernaient une épidémie de charbon (ou anthrax : les deux mots désignent la même maladie) pulmonaire qui se serait déclenchée « quelques mois auparavant » à Sverdlovsk ou à Novosibirsk, en Sibérie. A vrai dire, on ne savait pas très bien où l'incident s'était produit, ni quand, ni comment. Mais cela suffit à éveiller quelques soupçons chez certains membres de l'administration américaine qui se mirent à rassembler des informations et des coupures de journaux.

A cette date, rien n'était encore paru dans la presse occidentale. Le premier article fut publié en octobre 1979 dans un magazine londonien à

---

1. « Keeping an eye on Russia », *The New York Times Magazine* du 29 novembre 81.

sensation : *Now*. Intitulé « The great russian germ war disaster », il était signé par un mystérieux « expert en affaires communistes » (?) affirmant tenir ses informations d'un voyageur se trouvant sur les lieux au moment de l'incident. Leslie H. Gelb en résume la teneur : « Un accident survenu dans une usine fabriquant des armes biologiques avait provoqué l'hospitalisation de milliers de personnes et la mort de centaines. Les corps étaient rendus aux familles dans des cercueils scellés, sans doute pour que les parents ne puissent pas voir les effets de la maladie sur les cadavres. Il était interdit de se rendre dans la ville. Mais l'accident était censé s'être produit en juin et dans la banlieue sud de Novosibirsk. »

Des informations du même genre ne tardèrent pas à paraître dans d'autres journaux anglais ou allemands mais il fallut attendre janvier 1980 pour avoir quelques précisions. On les doit à la revue *Possev*, organe d'un groupe d'émigrés russes édité à Francfort.

Ce journal corrigea les articles parus précédemment ailleurs et donna pour la première fois des détails quant au lieu, à la date et à la nature de l'incident. Celui-ci s'était produit à Sverdlovsk et non à Novosibirsk, en avril et non en juin, et c'était une explosion qui avait provoqué la catastrophe. Les premières victimes avaient été hospitalisées le 4 avril. Elles comprenaient des employés et des soldats travaillant à l'« Unité militaire n° 19 », des ouvriers d'une briqueterie voisine et des habitants de Kachino, petite ville de la banlieue de Sverdlovsk que les vents soufflant du nord avaient contaminée. Le plus impressionnant concernait les décès. Pendant un mois, il y aurait eu 30 à 40 morts par jour ! Calculez : cela fait entre 900 et 1 200 personnes qui auraient succombé à cette épidémie avant que l'on ne parvienne à l'enrayer.

La plupart des malades mouraient dans les trois heures suivant leur arrivée au centre hospitalier. Leurs corps n'étaient pas rendus aux familles, contrairement à ce qu'avait écrit le magazine *Now*. On procédait à une brève cérémonie avant de les incinérer et les cadavres n'étaient jamais présentés à visage découvert alors que la tradition orthodoxe l'exige.

L'Armée Rouge improvisa une antenne médicale où des militaires en combinaison de protection vinrent remplacer le personnel civil. Les gens vivant au voisinage de l'endroit où s'était produite l'explosion durent se faire vacciner à deux reprises et l'on organisa plusieurs réunions d'information pour demander à la population de garder son calme. « Pas de panique. Il ne s'est rien passé. Il s'agit d'une simple épidémie d'"ulcère de Sibérie[1]" qui a été rapidement circonscrite. Vous n'avez plus rien à craindre. » Telle était, en substance, la teneur des messages délivrés aux habitants de Sverdlovsk et de sa banlieue au cours de ces réunions ou dans le journal local *Vetcherny Sverdlovsk*. Mais pendant ce temps la maladie continuait de s'étendre...

---

1. Nom désignant l'anthrax.

En mai, les autorités « raclèrent » au bulldozer les rues de Kachino et les recouvrirent d'asphalte afin de les débarrasser des spores qui auraient pu s'incruster dans le sol. Le bétail fut vacciné, bien qu'aucun décès n'eût été constaté dans la population animale, et les responsables sanitaires firent abattre tous les chats et les chiens errants trouvés aux alentours de l'« Unité militaire n° 19 » et des zones les plus touchées. Ce détail est surprenant car ces animaux sont censés être immunisés contre l'anthrax. Mais ça n'est là qu'une contradiction dans un dossier qui en compte décidément beaucoup...

Dès la parution de l'article de *Possev*, les choses se précipitèrent. La CIA procéda à l'audition d'un témoin indirect dont l'identité ne fut pas révélée mais qui fut présenté comme « éminemment fiable ». Des bruits coururent selon lesquels ce témoin était l'informateur de *Possev*. Quoi qu'il en soit, il apporta de nouvelles précisions, d'ordre clinique, cette fois. Toutes les victimes présentaient les mêmes symptômes : toux violente, forte fièvre (42 °C), coloration bleuâtre des lèvres et des oreilles. Et elles avaient beaucoup de mal à respirer, ce qui permit aux spécialistes d'identifier définitivement la maladie : il s'agissait bel et bien d'anthrax pulmonaire, la plus mortelle des trois sortes d'infection provoquées par *Bacillus anthracis*.

Ce témoignage décida l'Administration américaine à demander des explications à Moscou.

« La procédure habituelle dans un cas comme celui-ci, explique Leslie H. Gelb, consiste à informer les Russes en privé de la préoccupation de l'Administration. Le jugement qui avait prévalu parmi les spécialistes gouvernementaux des affaires soviétiques était que la seule façon de s'assurer le concours de l'URSS dans une situation de ce genre consistait à éviter la confrontation publique. »

Mais le torchon brûlait entre Américains et Soviétiques depuis l'invasion de l'Afghanistan en 1979, et le climat de tension qui régnait entre les deux pays incita certains responsables de la Maison-Blanche à ne pas suivre la procédure.

Vers la mi-mars, les Russes furent « discrètement informés » de la préoccupation de l'Administration américaine au sujet des événements de Sverdlovsk : seulement, on ne leur laissa pas le temps de répondre. Le 18 mars, avant même que Moscou ait eu la possibilité de réagir, les journaux du monde entier apprenaient à leurs lecteurs que Washington se demandait si les Soviétiques n'avaient pas violé la convention interdisant la production d'armes biologiques. Tel était d'ailleurs, en substance, le titre d'un article paru dans *Le Monde* du 21 mars 1980[1] où l'on pouvait lire, entre autres :

---

1. « Après une mystérieuse épidémie dans l'Oural, Washington se demande si Moscou n'a pas violé la Convention interdisant les armes biologiques. »

« Le porte-parole du Département d'État a dit que, contrairement à certaines informations parues dans la presse américaine, Washington n'avait aucune indication que des incidents similaires se fussent produits ailleurs qu'à Sverdlovsk. Les renseignements dont disposent les États-Unis sur cette affaire sont *"inquiétants"* [...] mais ils ne permettent pas encore de confirmer que l'U.R.S.S. a violé la convention de 1972. »

Dans le même article, on apprenait que le quotidien britannique *Financial Times* avait affirmé dans son édition du 20 mars que « certains de ses collaborateurs avaient entendu parler de l'incident de Sverdlovsk dès le printemps passé », mais qu'il leur avait été impossible d'aller vérifier sur place les informations, « la ville étant interdite aux étrangers ». Par téléphone, un responsable de la municipalité de Sverdlovsk n'avait « ni confirmé ni démenti l'hypothèse d'un accident dans une usine militaire » et s'était contenté de répondre à son correspondant anglais : « Je ne peux rien dire à ce sujet. »

Réactions soviétiques

A Moscou, on fut moins réservé. Sans doute était-on furieux que les Américains n'eussent pas respecté jusqu'au bout la procédure prévue en pareille circonstance. Le ministère soviétique des Affaires étrangères commença par affirmer ne pas être au courant d'une demande d'explication des États-Unis. Quant à l'accident, on le traita de « calomnie » et de « falsification de la propagande américaine ». A en croire les Russes, il n'y avait même pas eu d'épidémie.

Cette version des faits eut la vie brève. Le 21 mars, le ministre soviétique des Affaires étrangères reconnut auprès des autorités américaines l'existence d'une épidémie à Sverdlovsk en avril 1979 mais nia qu'elle eût été provoquée par un agent biologique fabriqué à des fins militaires[1].

Au Département d'État américain, on accepta de jouer le jeu en déclarant que l'explication transmise par le canal de l'ambassade des États-Unis à Moscou paraissait « sérieuse et plausible ». Selon les Soviétiques, l'épidémie se serait déclarée à la suite d'« erreurs » dans le stockage de la nourriture et, plus particulièrement, de la viande. En somme, ce que l'on avait pris pour un accident survenu dans une fabrique d'armes biologiques n'était qu'une banale intoxication alimentaire due à la consommation de viande contaminée. Les autorités soviétiques n'étaient donc pour rien dans les événements de Sverdlovsk.

« Nous rejetons résolument toute tentative visant à introduire le doute sur la bonne foi de l'Union soviétique à propos du respect des articles de la

---

1. « Moscou donne des explications qualifiées de "plausibles" à Washington », in *Le Monde* du 23 mars 1980

convention de 1972 », déclara un porte-parole. Et l'agence Tass de noter que « s'il fallait parler d'"incidents" à chaque fois qu'apparaissent des épidémies de choléra ou autres maladies dans les régions du monde qui peuvent servir à des essais occidentaux en matière de destruction massive, il serait alors facile de faire la preuve que l'OTAN se prépare à la guerre bactériologique[1]. » Pour l'agence soviétique, il ne pouvait s'agir que d'une opération montée par le Pentagone afin de « demander davantage de crédits pour la fabrication d'armes bactériologiques ».

Mais les choses allaient vite en ce mois de mars 1980. Très vite. Après avoir qualifié de « plausible » l'explication moscovite, Washington se rétracta. « Je tiens à souligner que l'examen des faits disponibles avant que nous ayons soulevé l'affaire auprès de l'URSS a conduit à exclure les causes naturelles comme constituant une explication probable... A ce stade, nous n'avons pas modifié notre point de vue. Nous allons continuer à étudier les réponses soviétiques », déclara le porte-parole du Département d'État américain le 22 mars.

A Moscou, on tenta alors de fournir quelques précisions. L'agence Tass fit savoir que l'on avait diagnostiqué des « variantes dermatologiques et intestinales de cette maladie » dues à « l'absorption de viandes provenant d'un abattage effectué sans contrôle vétérinaire ». Cette épidémie dans une région « exposée à la menace d'épizootie depuis des siècles » n'avait, par conséquent, « rien de commun avec la Convention internationale sur l'interdiction d'armes bactériologiques ».

La Maison-Blanche resta sourde à ces explications et forma un groupe d'étude comprenant plusieurs experts dont le Dr Philip Brachman du « Center for Disease Control » d'Atlanta, le meilleur spécialiste américain de l'anthrax, Joshua Ledeberg, président de l'université Rockefeller, prix Nobel de médecine, et Paul Doty, professeur de biochimie à Harvard. On demanda également à Matthew Meselson, autre professeur de biochimie à Harvard et l'un des plus grands spécialistes mondiaux en matière d'armes chimiques et biologiques, d'intervenir comme « consultant indépendant ».

Ce que découvrirent les experts eut surtout pour effet de montrer à quel point il allait être difficile d'établir ce qui s'était réellement passé à

---

1. Le fait est qu'il existe, latente, une psychose de la guerre biologique qui ne demande qu'à ressurgir lorsque apparaît une épidémie en quelque endroit du globe. Ainsi, lorsque se manifesta le « syndrome toxique espagnol » dû à de l'huile frelatée, en mai 1981, toutes sortes d'hypothèses furent avancées pour expliquer le nombre sans cesse croissant des hospitalisations dans la région de Madrid. La première, qui ne dura que quelques jours, était qu'un accident s'était produit à la suite de la manipulation d'une « arme biologique » dans la base militaire voisine de Torrejon de Ardoz. On ne sera pas surpris d'apprendre que la *Pravda* accorda un crédit tout particulier à cette version des faits. Sverdlovsk avait ouvert une blessure dans le corps soviétique qui n'était pas près de se refermer... (Cf. *Le Monde* des 1er et 2 décembre 1981 : « Le syndrome toxique espagnol ».

Sverdlovsk. Leur première hypothèse fut que l'accident s'était peut-être produit dans un laboratoire où l'on travaillait à la mise au point d'un vaccin contre l'anthrax. Selon Leslie H. Gelb, les Russes effectuent entre un et deux millions d'inoculations chaque année pour combattre cette maladie qui sévit encore dans les pays de l'Est où l'acidité des sols favorise le développement des bactéries. Mais les souches qu'ils utilisent ne sont pas virulentes et n'auraient pu en aucun cas provoquer une épidémie comme celle d'avril 1979. Et puis, si l'incident s'était réellement développé à partir d'une fabrique de vaccin, pourquoi ne pas l'avoir avoué, plutôt que de raconter cette histoire de viande contaminée ?

Par conséquent, le groupe d'experts revint à l'hypothèse de l'explosion dans une usine d'armes biologiques. Mais ce scénario, tel qu'il avait été présenté jusqu'ici, ne correspondait pas tout à fait, lui non plus, aux faits décrits par les témoins. Un seul nuage de spores charbonneuses eût sans doute provoqué des ravages dans la population au cours des deux ou trois jours suivant son émission mais l'épidémie n'aurait pas dû se poursuivre pendant près de six semaines comme il semblait que cela avait été le cas. Comment expliquer la durée exceptionnelle du fléau ? Plusieurs scénarios furent imaginés pour en rendre compte, mais aucun ne se révéla réellement satisfaisant. C'est pourtant l'un d'eux qui constitue, pour l'instant, la version américaine de l'incident. Il se déroule en trois temps :

Premièrement : explosion à l'« Unité militaire n° 19 » suivie d'une contamination générale de la banlieue sud-ouest de Sverdlovsk;

Deuxièmement : contamination d'animaux destinés à la boucherie;

Troisièmement : consommation de viande provenant de ces animaux : cela provoque une seconde épidémie venant, en quelque sorte, prendre le relais de la première.

L'ennui, comme le remarque Leslie H. Gelb, c'est qu'aucun témoin n'a jamais rapporté un seul cas d'anthrax intestinal. Or, dans l'hypothèse retenue par les Américains, cette forme est celle qu'aurait dû prendre la maladie lors de la « seconde » épidémie...

L'absence d'anthrax intestinal compte d'ailleurs parmi les arguments ayant permis aux experts de repousser la version soviétique des faits. Tous les symptômes décrits montraient, en effet, que l'on avait eu affaire à une épidémie d'anthrax pulmonaire, c'est-à-dire à une forme provoquée par l'*inhalation* de spores charbonneuses et ne pouvant théoriquement pas être inoculée par la consommation de viande avariée comme on le prétendait à Moscou.

Le problème paraissait tellement insoluble que les experts songèrent, un instant, à réexaminer l'hypothèse d'une épidémie naturelle. Plusieurs faits les en dissuadèrent. D'abord, ils ne purent trouver aucun précédent historique d'une épidémie ayant causé autant de morts en un tel laps de temps :

« Il est [...] possible que des êtres humains contractent le charbon par voie atmosphérique de manière naturelle, écrit Hélène Gedilaghine[1], mais cela est extrêmement rare. A moins que les spores des bacilles n'aient été volontairement (ou accidentellement) répandus dans l'air.

« Il est également possible que des chiens et des chats, bien que réfractaires au charbon, véhiculent le bacille et contaminent les humains. Mais alors, on a affaire à la forme cutanée ou intestinale de la maladie (ce qui, nous l'avons vu, ne semble pas avoir été le cas à Sverdlovsk). »

Ensuite, on apprit que le ministre soviétique de la Défense, M. Dimitri Ustinov, s'était rendu à Sverdlovsk peu de temps après l'incident alors que ce voyage ne figurait pas dans son programme normal d'activités. Par ailleurs, Moscou nia que la ville eût été mise en quarantaine alors que la CIA prétendait détenir la preuve formelle du contraire.

Enfin, on découvrit des choses étranges sur des photos prises par satellite un an après les événements. Pour beaucoup d'observateurs, ces documents constituèrent d'ailleurs une sorte d'aveu implicite de culpabilité de la part des Soviétiques, non pas en raison de ce qu'ils montraient mais plutôt de ce qu'ils ne montraient pas... ou de ce qu'ils ne montraient plus. Le bâtiment le mieux gardé de l'« Unité militaire n° 19 » où était censée s'être produite l'explosion était à présent quasiment abandonné. Les cages à animaux étaient vides et la neige recouvrait tout sans que personne ne se fût donné la peine de l'enlever.

L'origine naturelle de l'épidémie paraissait donc singulièrement compromise.

En mai 1980, un écrivain soviétique établi aux États-Unis, M. Mark Popovski, précisa que les recherches sur la mise au point d'armes biologiques en URSS étaient dirigées par le général Efim Ivanovitch Smirnov et que les Russes disposaient, en dehors de Sverdlovsk, d'un autre centre de recherches sur ces armes situé à Kirov, dans le nord-est de la Russie européenne, où travaillaient cent vingt spécialistes. On y fabriquerait des armes à base d'anthrax, de tétanos, de peste et de fièvre jaune[2]...

D'autre part, à la même époque, des informations en provenance de Washington rapportèrent que le général commandant de Sverdlovsk s'était donné la mort quelques jours après l'incident.

Mais l'histoire ne s'arrête pas là.

Les Soviétiques contestèrent tous les arguments présentés par la CIA en affirmant que l'épidémie n'avait pas provoqué un millier de morts mais moins d'une centaine. Ils prétendirent qu'il s'agissait bien d'anthrax intestinal et non pulmonaire et rappelèrent qu'en 1927 une épidémie similaire ayant frappé 27 personnes n'avait laissé aucun survivant.

Deux faits semblent militer en faveur de cette hypothèse. Le premier,

---

1. In « Des morts étranges au cœur de l'URSS », *Science et Vie*, n° 753, juin 1980.
2. Cf. *Le Monde* du 1er-2 juin 1980.

c'est qu'aucune photo prise par satellite ne montre les opérations de « nettoyage » des rues de Kachino mentionnées par les témoins. Le second, c'est la déposition (tardive) d'un Américain qui se trouvait sur les lieux au moment de l'incident.

Cet homme, Donald E. Ellis, professeur de physique et de chimie, s'était rendu à Sverdlovsk en compagnie de sa femme et de ses deux enfants dans le cadre d'un programme d'échanges inter-universitaires. Il travaillait tous les jours avec des savants soviétiques et, en avril 1979, il continua à se déplacer dans la ville comme si de rien n'était. En mai, il se rendit à Novosibirsk et revint à Sverdlovsk le mois suivant, toujours sans être inquiété ni gêné dans ses déplacements.

« Je n'exclus pas la possibilité qu'il ait pu se passer quelque chose, dit-il quand on l'interrogea. Mais je pense que ma femme ou moi nous en serions aperçus si l'on avait essayé de nous tenir à l'écart de quoi que ce soit. Nous nous déplacions librement et nous n'avons jamais eu l'impression que l'on nous limitait dans nos mouvements. »

En fait, le Pr Ellis devait préciser qu'il était passé très près de l'endroit où l'accident était censé s'être produit alors qu'il se rendait dans un camp pour enfants en juillet et, là non plus, il n'avait rien vu qui fût susceptible de l'intriguer.

Alors, qui croire ?

Le plus étrange, dans cette affaire, c'est que l'URSS n'ait pas essayé de mettre fin aux rumeurs la concernant en reconnaissant que l'épidémie avait débuté par une explosion s'étant produite dans le cadre d'un programme de recherches défensives. La convention de 1972 autorise ce genre de recherches. Elle manque d'ailleurs singulièrement de précision quant à ce qu'il convient d'appeler « offensif » et « défensif », de même qu'elle demeure très vague quant aux quantités d'agents infectieux qu'un pays est autorisé à produire pour tester ses systèmes de défense. Les Soviétiques n'auraient donc eu aucun mal à « prouver » leur bonne foi en acceptant de reconnaître la version « accidentelle » de l'épidémie.

Peut-être est-ce cette version qu'ils auraient présentée aux Américains si ceux-ci n'avaient pas commis la maladresse de porter trop tôt l'affaire devant le public. Selon Leslie H. Gelb, la raison pour laquelle les Russes n'ont pas reconnu avoir eu affaire à un accident n'est cependant pas claire. Il pense qu'ils ont dû craindre que cela ne les entraîne trop loin et qu'ils soient contraints de répondre à trop de questions concernant leur programme militaire. A la politique de la porte entrouverte, ils ont donc préféré celle de la forteresse. Mal leur en a pris. Car l'épidémie d'avril 1979 a eu — et a encore — de graves conséquences au plan international dont les Soviétiques sont, d'une certaine manière, les premières victimes...

Aujourd'hui, Sverdlovsk conserve son mystère et ses contradictions. L'Occident tout entier surveille cette cité de l'Oural, et dans les ambassades on guette le moindre incident et le moindre faux pas pour en rendre compte aux services concernés des ministères des Affaires étrangères des pays de l'OTAN. Ainsi, début 1982, la mort d'une vache dans une ferme de la région de Perm, à 240 kilomètres au nord-ouest de Sverdlovsk, a-t-elle provoqué un vif émoi. La bête avait succombé au charbon, mais il semble qu'il n'y ait pas eu d'autres victimes.

L'énigme de l'« Unité militaire n° 19 » sera-t-elle jamais résolue ? C'est peu probable, maintenant, d'autant que cet incident a semé le doute et l'inquiétude dans les esprits occidentaux quant au respect par l'URSS des traités internationaux. Du coup, les crédits alloués au programme de recherche sur l'anthrax, aux États-Unis, sont passés de 130 000 dollars par an à 600 000 dollars. L'armée américaine s'était aperçue, après l'annonce des événements de Sverdlovsk, que ses réserves de vaccin suffiraient à peine pour 2 500 personnes. Elle a donc pris la décision d'agir vite et bien en se lançant dans un programme défensif de grande envergure. On ne peut pas encore parler d'une nouvelle course aux armements biologiques mais le fait est que le vent a tourné, depuis 1972, et dans un sens contraire à celui que l'on aurait pu attendre après la signature d'un accord de désarmement.

Laos, Cambodge, Afghanistan...

La convention sur les armes biologiques est entrée en vigueur en mars 1975. Son bilan était à l'ordre du jour à l'ONU en mars 1980. Or l'Union soviétique se vit accusée de tous les côtés d'avoir violé ce traité en poursuivant des travaux sur les armes biologiques. L'« effet Sverdlovsk » menaçait de placer l'URSS dans une position difficile. Cependant, si cet incident avait été un cas isolé, les choses en seraient peut-être restées là et l'épidémie aurait sans doute provoqué moins de remous. Mais bientôt, à ces accusations vinrent s'en ajouter d'autres, beaucoup plus graves : en août 1980, le Département d'État américain présenta aux Nations Unies un rapport contenant des « preuves » que des attaques chimiques avaient eu lieu en Asie du Sud-Est et en Afghanistan, provoquées par l'URSS et ses alliés.

L'affaire était sérieuse et elle fit grand bruit car, cette fois, on ne reprochait plus seulement aux Soviétiques de se *préparer* à la guerre toxique mais d'y *avoir recours*, directement ou indirectement, en Asie et en Extrême-Orient.

Devant la gravité de ces accusations, l'assemblée générale des Nations Unies décida, en décembre 1980, d'ordonner une enquête sur les faits allégués. Les experts désignés rendirent leur rapport en novembre 1981. Prudents dans leurs conclusions, ils estimaient « peu probants » les témoignages qu'ils avaient recueillis. Mais, entre-temps, le dossier de l'accusation s'était singulièrement étoffé et les relations entre les États-Unis et l'URSS considérablement dégradées. La Maison-Blanche n'avait cessé d'avancer de nouvelles « preuves » du bien-fondé de ses allégations et Moscou avait répliqué en accusant les Américains de préparer une guerre chimique et de prendre pour prétexte à cette préparation de prétendus emplois de l'arme toxique dans le Sud-Est asiatique et en Afghanistan.

Aujourd'hui, chacun campe sur ses positions, bien que de nombreux faits nouveaux soient intervenus d'un côté comme de l'autre, et ce dossier, comme celui de Sverdlovsk, se révèle d'une extrême complexité. Il est très difficile d'y faire la part de la vérité et de la propagande mais il convient pourtant de s'y arrêter car les événements du Laos, du Cambodge et d'Afghanistan concernent l'humanité tout entière.

« Les implications de la guerre chimique en Afghanistan et en Asie du Sud-Est sont pénibles à considérer, lit-on dans un document américain[1]. Mais il serait dangereux de vouloir les ignorer. *Ces activités menacent non seulement les habitants de ces régions isolées, mais aussi l'ordre international dont dépend la sécurité de tous*[2]. »

Les Américains prétendent que les premiers rapports sur l'utilisation d'armes chimiques mortelles leur seraient parvenus du Laos en 1976. Des rapports similaires auraient ensuite filtré du Cambodge — ou Kampuchéa — en 1978, et d'Afghanistan en 1979. Mais le Pentagone aurait attendu 1980 pour porter l'affaire devant le public afin de ne pas compromettre des négociations en cours avec Moscou sur l'éventualité d'un accord de désarmement chimique.

Durant l'été de 1979, le Département d'État prépara un dossier réalisé à partir d'entretiens avec des réfugiés laotiens. Puis une équipe médicale de l'armée de terre américaine se rendit en Thaïlande pour recueillir de nouveaux témoignages. A la fin de l'année, Washington estima disposer de suffisamment de « preuves » pour soulever cette question auprès des gouvernements concernés, à savoir ceux du Laos, du Vietnam — accusé d'employer l'arme chimique au Cambodge — et d'URSS. La réponse ne se fit pas attendre : aucun de ces trois gouvernements ne reconnut les faits qui lui étaient reprochés. Et pourtant...

Au Laos, les premières attaques chimiques auraient eu lieu durant l'été 1975. Rappelons que, cette année-là, le Laos devint une république démocratique populaire très liée au Vietnam après une longue guerre civile ayant opposé trois tendances : la « droite », les « neutralistes » et le Pathet Lao communiste. Mais les combats ne prirent pas fin avec l'avènement de la république et ils continuèrent d'opposer les troupes gouvernementales soutenues par des troupes vietnamiennes à diverses ethnies dont les Hmongs, des montagnards entrés en conflit avec les autorités communistes au lendemain de la révolution de 1975. Ce sont eux

---

1. *USA document : Rapport des États-Unis sur la guerre chimique*, texte diffusé en version française à Washington le 22 mars 1982.
2. C'est moi qui souligne.

qui auraient été les premières victimes de la guerre chimique dans le Sud-Est asiatique.

Les États-Unis en furent informés en 1976, lorsqu'un ancien pilote de l'Armée de Libération du Peuple Laotien passé dans le camp des résistants raconta qu'il avait volé sur des avions L-19 et T-28/41[1] ayant pour mission de larguer des agents chimiques sous forme de poudre, de roquettes et de bombes sur des villages hmongs dans la région de Phou Bia, au nord du Laos.

Le rapport américain présenté à l'ONU précise que les munitions chimiques étaient acheminées à la base aérienne de Phonsavan par des hélicoptères H-34 et qu'en plus des L-19 et des T-28/41 les troupes gouvernementales utilisaient des avions soviétiques AN-2.

Dès lors, les comptes rendus affluèrent, contenant maints détails et précisions. Les Laotiens avaient recours à des gaz rouge, vert, jaune et noir. Les victimes se mettaient à vomir et à tousser. Elles avaient la diarrhée, ne pouvaient plus ouvrir les yeux, se sentaient très fatiguées et finissaient par mourir au terme d'une longue agonie.

En 1978, des rapports similaires commencèrent à arriver du Cambodge sous la forme d'émissions de radio, de communiqués de presse et de protestations officielles faites aux Nations Unies par les dirigeants du Kampuchéa démocratique accusant les Vietnamiens et le régime de la République populaire du Kampuchéa, appuyé par Hanoï, d'utiliser des armes et des agents chimiques contre les guérilleros khmers et les civils.

Cette année-là, en réplique aux nombreuses attaques des Khmers rouges, soutenus par la Chine populaire, l'armée vietnamienne avait occupé le Cambodge et mis en place à Phnom-Penh un gouvernement pro-vietnamien. Les Khmers rouges, retranchés en Thaïlande, de l'autre côté de la frontière, commencèrent à harceler les troupes vietnamiennes. Celles-ci auraient d'abord répliqué par des gaz lacrymogènes de type CS, puis elles seraient passées à des agents chimiques plus meurtriers.

« En mars 1979, lit-on dans le *Rapport des États-Unis sur la guerre chimique* du 22 mars 1982[2], au cours d'opérations menées par les Vietnamiens contre les forces khmères rouges dans la région de Phnom Melai, un soldat vietnamien, qui a fait défection par la suite, a observé les activités suivantes de guerre chimique. Durant le combat, des masques à gaz ont été distribués à tous les soldats du régiment (le 740e), à l'exception de ceux du deuxième bataillon, qui était une unité dite de "défense frontalière". [...] A un certain moment, on a donné l'ordre aux soldats de mettre leurs masques à gaz. Le soldat vietnamien a vu deux Soviétiques (deux hommes de race blanche) tirer un coup de feu d'une arme tenue à la main et identifiée par les camarades du soldat comme étant un DH-10. Le

---

1. Les L-19 et les T-28/41 sont des appareils américains saisis par les Vietnamiens.
2. *Op. cit.*

soldat, qui se trouvait à une cinquantaine de mètres des tireurs, a pu observer l'effet de l'arme : au point d'impact, il y a eu des dégagements de gaz ou de fumée blanche, grise et verte. Une unité de communication a, par la suite, envoyé un message dans lequel elle déclarait avoir compté 300 morts, parmi lesquels figuraient des Khmers rouges ainsi que des soldats vietnamiens de l'unité de défense frontalière, qui n'étaient pas munis de masques à gaz. Selon les témoignages, ces corps portaient des traces de poudre blanche et verte sur le visage et les vêtements. Leur visage était convulsionné et leurs yeux grands ouverts. Aucune trace de sang n'était visible. »

Le 27 décembre 1979, l'armée soviétique « vint en aide » aux communistes afghans, au pouvoir depuis un an mais en butte à une forte opposition et très affaiblis par leurs propres luttes intestines. Depuis six mois environ, on signalait des attaques aux armes chimiques contre les moudjahidines réalisées à l'aide d'avions soviétiques. Le 16 novembre 1979, les provinces de Farah, d'Hérat et de Badghisat auraient subi de telles offensives de la part de bombardiers IL-28 afghans d'origine soviétique basés à Shindand. Des transfuges militaires afghans déclarèrent que les Soviétiques participaient à l'entraînement à la guerre chimique des troupes gouvernementales et leur fournissaient les munitions appropriées[1].

L'invasion du 27 décembre fut suivie d'un nombre croissant d'allégations d'emploi des armes toxiques. Le 5 mars 1980, des centaines de réfugiés afghans arrivèrent au Pakistan et certains d'entre eux accusèrent aussitôt l'Armée Rouge de faire usage de gaz au cours de son offensive. Ils décrivirent le largage par des avions de « cylindres métalliques répandant après avoir touché le sol une fumée gris-vert-bleu ». Et les personnes atteintes par ces produits devenaient « folles avant d'être paralysées et de mourir[2] ».

Le porte-parole du Département d'État américain exprima sa « profonde inquiétude » devant ces informations et l'agence Tass répliqua en ces termes :

« Seule la pénurie d'idées dans la propagande de la CIA peut expliquer la fabrication de telles calomnies. Si l'on veut parler de l'utilisation d'armes chimiques, il convient de rechercher les faits dans les archives du Pentagone, car c'est l'armée américaine qui avait utilisé des substances toxiques contre le peuple vietnamien. »

Mais les témoignages continuaient d'affluer. Le 26 mars, au cours d'une conférence de presse donnée à Paris, M. Mike Barry, envoyé de la Fédération internationale des droits de l'homme à la frontière pakistano-afghane, confirma l'emploi par les Soviétiques de napalm et de gaz en

---

1. Cf. Rapport américain, *op. cit*
2. *Le Monde* du 7 mars 1980

Afghanistan. Selon cet observateur, qui avait séjourné du 24 février au 20 mars dans la région de Peshawar et s'était rendu jusqu'à Chitral, à la frontière afghane, les gaz utilisés par l'Armée Rouge étaient de trois sortes : un gaz lacrymogène provoquant des maux de tête et des vomissements qui aurait tué par asphyxie treize personnes le 29 février, dans la région de Shin Korak (province de Khunar), un gaz hilarant suscitant le fou rire puis l'évanouissement, et un gaz irritant projeté « comme de l'eau bouillante » à partir d'hélicoptères et causant des pustules sur la peau.

Le 28 mars, le secrétaire d'État adjoint à Washington, M. Christopher, s'adressant à un club de journalistes, déclara que, selon les rapports en possession du gouvernement américain, il semblait de plus en plus évident qu'en plus des gaz de combat incapacitants les Soviétiques employaient aussi des gaz mortels.

En mars 1980, l'URSS était décidément en fâcheuse posture sur le plan international. Après l'avoir accusée d'avoir violé la convention de 1972, on lui reprochait à présent de faire subir le même sort au protocole de 1925 en recourant aux armes toxiques en Afghanistan. Elle ne pouvait que nier, puisque rien n'avait été réellement prouvé, et contre-attaquer. Ce qu'elle fit le 10 avril en affirmant que le gouvernement afghan était en possession d'armes chimiques *de fabrication américaine*. A en croire l'agence Tass, qui rapporta l'information, les troupes gouvernementales auraient saisi le 25 mars, dans la province de Hérat, des « grenades à main chimiques » fournies par Washington à des résistants (ou « bandits » selon la terminologie soviéto-afghane).

L'accusation arrivait un peu tard et dans un contexte qui la privait d'une bonne part de sa crédibilité. Néanmoins, l'URSS dut juger cette tactique payante puisqu'elle y eut de nouveau recours par la suite et à plusieurs reprises. Ainsi l'agence de presse afghane Bakhtiar alla-t-elle jusqu'à citer « l'empoisonnement des lycéennes de plusieurs établissements scolaires de Kaboul au moyen d'un gaz toxique préparé aux États-Unis ».

Commentant ce dernier incident, survenu en juin 1980, P. Sabatier explique, dans *Libération*[1] : « Des centaines de jeunes Afghans auraient été empoisonnés par du poison versé dans l'eau ou même dans des... crèmes glacées. Les résistants afghans avaient affirmé, à l'époque, qu'il s'agissait de l'effet de gaz utilisés par les Soviétiques pour disperser des manifestations étudiantes à Kaboul. »

La polémique entre Américains et Soviétiques à propos de la guerre chimique en Afghanistan et en Asie du Sud-Est — bien que, dans ce dernier cas, les Russes ne fussent pas encore directement accusés — se poursuivit tout au long de l'année 1980. Elle culmina à trois reprises. D'abord en mai, lorsque les services d'écoute de la BBC publièrent la

---

1. « La course aux armements chimiques », *Libération* du 16 septembre 1981.

traduction d'une émission de Radio Hanoï en date du 16 avril sur la remise de l'ordre de Ho Chi-minh de troisième classe au « *service des armes chimiques de l'armée populaire* ». Au cours de cette cérémonie, le colonel général Le Trong Tan, vice-ministre de la Défense et membre du comité central du Parti communiste vietnamien, aurait « loué hautement les efforts faits par le service des armes chimiques au cours des vingt-deux dernières années pour se développer et se préparer au combat ». Et il aurait déclaré, notamment : « Ses cadres et combattants ont activement étudié et maîtrisé la science et la technologie et ont été braves, pleins de ressources et de créativité au combat et à l'appui des troupes. [...] Avec des armes chimiques ils ont contribué à la grande victoire de la lutte de résistance antiaméricaine pour le salut national. [...] Pour remplir leur tâche dans la situation nouvelle, nos cadres et combattants du service des armes chimiques [...] doivent faire de la recherche scientifique et technologique et s'entraîner pour employer efficacement les armes et le matériel qui leur sont fournis[1]. »

Le différend américano-soviétique rebondit encore en août, lorsque Washington souleva publiquement la question de la guerre chimique devant l'ONU, et, enfin, en décembre, quand l'assemblée générale des Nations Unies ordonna la création d'une commission d'enquête internationale. Mais, pour l'accusation, il restait encore une question importante à résoudre : celle de la nature exacte des agents chimiques utilisés.

Les « pluies jaunes »

Dans les témoignages en provenance d'Asie et, plus particulièrement, du Laos, deux termes revenaient souvent, promis à une certaine notoriété lorsque le journaliste Sterling Seagraves en fit le titre d'un livre[2] : *Yellow rain*, « Pluies jaunes ». Contrairement à ce que l'on pourrait croire, l'expression n'était pas réellement nouvelle puisque, en 1964, M. Nuot Sambatha, ministre des Affaires étrangères du Cambodge, avait affirmé dans un télégramme adressé au Conseil de Sécurité des Nations Unies[3] que soixante-treize personnes avaient été empoisonnées près de la frontière du Vietnam du Sud par une « poudre jaune » répandue par des avions vietnamiens. Mais, à l'époque, l'information était passée pratiquement inaperçue. Lorsque la « poudre » devint « pluie » et que l'agressé se fit agresseur, la situation se modifia et la « pluie jaune qui tue » devint le symbole de la guerre chimique du Sud-Est asiatique et d'Afghanistan.

Les « pluies jaunes », si tant est qu'elles existent, ne sont pas les seules armes toxiques dont l'emploi ait été dénoncé dans ces régions isolées, mais elles comptent parmi les plus spectaculaires et celles qui ont le plus

---

1. *Le Monde* du 8 mai 1980.
2. *Yellow rain*, New York, 1981.
3. Cf. *Le Monde* du 31 juillet 1964.

intrigué les spécialistes. D'où la publicité qui leur a été faite et l'attention toute particulière dont elles ont été l'objet.

Les descriptions qu'en donnèrent les réfugiés hmongs, puis les Cambodgiens et, enfin, les résistants afghans, avaient de quoi impressionner : « Les victimes ont l'impression que leur corps va exploser; elles toussent et crachent du sang. La gorge brûle et la déglutition se fait difficile... Puis la pupille jaunit comme si la victime était atteinte d'hépatite, l'acuité visuelle diminue, les narines brûlent... Chaque goutte de cette pluie provoque une nécrose grave de la peau, suivie de fortes fièvres... La mort intervient au plus au bout de deux semaines[1]... »

Mais ces symptômes ne correspondaient pas aux effets des armes chimiques connues. Fin 1980, les experts américains réétudièrent tous les témoignages recueillis depuis 1975 en quête de nouvelles pistes.

Ils cherchaient notamment à établir les causes possibles des symptômes éprouvés par les victimes, comprenant généralement une irritation de la peau, des vertiges, des nausées, des vomissements de sang, de la diarrhée, ainsi que des hémorragies internes.

Voici, à titre d'exemple, l'un des comptes rendus sur lesquels travaillèrent les experts. Il s'agit de la description d'un cas particulier, pris parmi des centaines d'autres, celui de Chun Rim, un jeune homme de vingt-deux ans, victime d'une attaque toxique survenue le 16 février 1980[2] :

I — Description :

La victime se trouvait à environ dix mètres du point d'éclatement de l'obus libérant des gaz toxiques. En général, les effets de ce gaz se font sentir à environ 500 mètres du périmètre.

Immédiatement après : sensation de vertige intense, vomissements répétés avec syndrome hémorragique se traduisant par le rejet d'une quantité importante de sang par la bouche, le nez et le rectum. Température centrale élevée mais refroidissement des extrémités. Tension basse : 7-3, d'où syndrome de choc important.

Un certain nombre de ses camarades sont décédés sur le lieu du combat. Mais lui, il a pu être transporté à l'hôpital, dans un état comateux.

A l'examen, le sujet est toujours dans le coma, décoloration des muqueuses signalant une anémie aiguë.

Urine : couleur noirâtre.

Respiration difficile.

État profondément asthénique, avec sensation de mort imminente.

---

1. Description tirée d'un document confidentiel du Département d'État américain publié fin 1979 par le *New York Times* et cité par P. Sabatier in « La "pluie jaune" qui tue » *Libération* du 9 septembre 1981.

2. Ce document a été adressé, avec d'autres, le 19 février 1980 par le Dr Thiounn Tho, du Kampuchéa démocratique, aux différents représentants des organisations humanitaires internationales.

II — Traitement :

— *Atropine en injection*

— *Perfusion de sérum glucosé 25 % (500 ml) avec hydrocortisone 20 CC*
+ pénicilline 2M.

— *Ensuite sérum glucosé + Na (sodium) et vitamine C 2 g.*

— *Adrénoxyl : une ampoule en injection intramusculaire.*

— *Vitamine B12 1 000 + fer en injection intramusculaire.*

— *Corticoliver en injection intramusculaire.*

Le sujet reprend conscience le 3ᵉ jour.

L'urine, tout d'abord, était de couleur vert noirâtre puis elle s'éclaircit petit à petit et le sujet commence à avoir faim.

— *Réalimentation avec de la soupe et poursuite du même traitement.*

— *Actuellement, son état s'est amélioré, mais il n'est pas complètement hors de danger, car il se sent encore asthénique.*

— *Poursuite du même traitement.*

III — Conclusion :

Il apparaît que les produits toxiques déterminent un syndrome d'hémolyse aiguë se traduisant par un syndrome d'hémorragie importante qui tue les victimes.

La nature exacte du produit chimique reste encore à déterminer.

Pour connaître la nature des agents chimiques utilisés, les experts ne pouvaient se contenter de tels rapports. Ils devaient également travailler sur des échantillons de végétation, d'eau et de terrain soumis aux attaques. La collecte de ces échantillons ne pouvait cependant s'effectuer sans difficultés. L'éloignement des principales zones de conflit, parfois situées à six semaines de marche de la frontière internationale la plus proche, rendait cette opération très aléatoire. Pourtant, vers la mi-avril 1979, quelques échantillons purent être ramassés en Asie du Sud-Est et, en mai 1980, on put agir de même en Afghanistan. Le tout fut expédié aux États-Unis dans plusieurs laboratoires, dont le « Chemical Systems Laboratory » de l'armée de terre.

Les savants découvrirent dans ces échantillons la présence de mycotoxines trichothécènes mortelles dérivées du nivalénol et de la toxine T2. Cette découverte — tardive — eut lieu en août 1981, mais des travaux ultérieurs ne firent que confirmer, au dire des Américains, les conclusions de leurs experts, d'autant que l'on décela également la présence de toxine T2 dans des échantillons de sang prélevés sur les victimes d'une attaque chimique.

Par ailleurs, on s'aperçut que les symptômes décrits par ceux qui avaient examiné les victimes des « pluies jaunes » correspondaient exactement à ceux d'un empoisonnement aux mycotoxines trichothécènes. Tout paraissait donc s'ajuster parfaitement.

Il convient cependant de préciser que, si l'on en croit les spécialistes qui étudièrent ces échantillons, seuls ceux en provenance du Laos et du Cambodge contenaient des « niveaux et des combinaisons anormaux de toxines trichothécènes mortelles ». Pour ce qui est de l'Afghanistan, les « preuves » manquaient et l'accusation ne pouvait encore se référer qu'à des témoignages. Mais cela n'empêcha pas le secrétaire d'État américain, M. Haig, d'ajouter publiquement cette nouvelle pièce au dossier dressé par les Américains contre les Soviétiques, le 13 septembre 1981, à l'occasion d'un discours prononcé à Berlin.

Les États-Unis ont obtenu des preuves matérielles de l'utilisation de mycotoxines meurtrières en Asie du Sud-Est, déclara en substance le secrétaire d'État. Et ces preuves ont été découvertes au cours de l'analyse d'un échantillon végétal composé de feuilles et de tiges prélevées sur le site d'une attaque chimique au Cambodge.

En fait, l'URSS n'était pas (encore) nommément mise en cause dans ce discours, mais nul ne se faisait d'illusions quant au pays qui était visé à travers ces paroles. Les différentes sources d'information des Américains — témoignages, preuves scientifiques fondées sur l'analyse d'échantillons et renseignements obtenus par des « moyens techniques nationaux » — les avaient amenés depuis longtemps à conclure que les forces laotiennes et vietnamiennes agissaient sous la supervision des Soviétiques[1].

Par ailleurs, on savait que l'URSS avait entrepris depuis plusieurs années des recherches approfondies sur les mycotoxines et, en particulier, sur la toxine T2. Les pièces du puzzle semblaient donc très bien ajustées... peut-être même un peu trop bien.

Le lendemain de l'intervention de M. Haig, M. Walter Stoessel, sous-secrétaire d'État à Washington pour les Affaires politiques, apporta quelques précisions quant aux résultats de l'analyse chimique effectuée sur la feuille et la tige de plante rapportée du Cambodge.

Cette analyse, révéla M. Stoessel, avait établi la présence d'une quantité vingt fois supérieure à la normale de mycotoxine, un poison produit par des organismes vivants mais qui n'existe pas à l'état naturel en Asie du Sud-Est.

Des experts des services de renseignement américains indiquèrent à cette occasion qu'aucun des trois pays où cette « pluie jaune » mortelle avait été utilisée n'avait la capacité de produire une telle arme chimique.

« Haineuse calomniatrice de bas étage »
La délégation américaine à l'ONU informa donc officiellement le

---

1. Un chimiste militaire du nom de Yurly Povarnitsyn, fait prisonnier par les moudjahidines, aurait déclaré lors d'un interrogatoire que sa mission consistait à se rendre dans les villages victimes d'une attaque chimique pour voir si tout danger était écarté ou si une décontamination s'imposait. Détail qui a peut-être son importance : ce chimiste aurait prétendu être domicilié à Sverdlovsk. On possède de nombreux autres témoignages en provenance du Laos, du Cambodge ou d'Afghanistan impliquant directement des Soviétiques pour leur participation à la guerre chimique.

secrétaire général des Nations Unies de cette découverte et demanda que ces renseignements soient communiqués au groupe d'experts nommé par l'ONU pour enquêter sur les allégations d'emploi d'armes chimiques.

Mais Moscou ne pouvait rester sans réagir, d'autant que M. Haig avait fait part des « préoccupations » du gouvernement américain au sujet de ces événements et de l'épidémie de Sverdlovsk au ministre soviétique des Affaires étrangères (Gromyko) dans le cadre de consultations bilatérales qui se déroulaient à l'ONU à New York. Cela commençait à faire beaucoup de charges contre l'URSS de plus en plus sérieuses.

Avec ce sens de la nuance qui la caractérise, l'agence Tass affirma, le 15 septembre, que l'administration Reagan était « une nouvelle fois apparue devant le monde dans le misérable rôle d'une haineuse calomniatrice de bas étage » et que, « comme il fallait s'y attendre », M. Stoessel n'avait pu produire « aucun fait réel ». Quant aux experts américains, elle les qualifia de « calomniateurs habitués de la désinformation ».

Le gouvernement vietnamien repoussa, lui aussi, violemment les allégations américaines. Dans une lettre datée du 22 septembre 1981 adressée au secrétaire général des Nations Unies, M. Han Van Lau, représentant permanent de la République socialiste du Vietnam auprès de l'ONU, retourna contre les États-Unis leurs propres accusations en écrivant, entre autres : « ... ce gouvernement pousse l'humanité à la catastrophe d'une guerre menée avec les armes meurtrières les plus barbares et les plus cruelles qui soient, notamment les armes à neutrons, les armes chimiques et les armes bactériologiques qu'il fabrique. »

Mais, par-delà les insultes et la vindicte réciproques, seuls comptaient auprès de l'opinion internationale les comptes rendus d'experts et les démonstrations scientifiques. Jusqu'ici, les Américains avaient eu le monopole de ce genre de démarche. Les choses changèrent en octobre 1981, avec la publication d'un article écrit par un savant vietnamien, le Pr Ton That Tung, « un savant bien connu des milieux scientifiques occidentaux, notamment aux Etats-Unis, pour ses recherches sur la guerre chimique menée par les États-Unis contre le Vietnam et d'autres pays en Indochine[1] ».

Rien ne vaut un expert pour répondre aux experts. Les communistes l'avaient compris et cet article est d'autant plus intéressant qu'il apporte de nombreuses précisions sur les mycotoxines que les Américains avaient présentées comme une arme effroyable sans trop se donner la peine de les définir.

---

1. Article publié dans un quotidien de Hanoï et reproduit dans une lettre datée du 9 octobre 1981 adressée au secrétaire général par le représentant permanent de la République socialiste du Vietnam auprès de l'ONU. Nous avons déjà cité le Pr Ton That Tung à propos de l'écocide vietnamien (voir p. 203).

« Le Département d'État américain a précisé que les substances chimiques censées avoir été utilisées en Afghanistan, au Kampuchéa et au Laos étaient des mycotoxines principalement dérivées du nivalénol et de la toxine T2 », rappelle le Pr Ton That Tung. Et d'expliquer :

« Le nivalénol a été découvert en 1968 par un Japonais du nom de Takashi Tatsumo et cette découverte a été signalée la même année aux États-Unis dans une publication consacrée à la recherche sur le cancer. Son origine remonte à l'intoxication de 25 jeunes Japonais qui avaient mangé du blé moisi, ce qui avait provoqué chez eux des vomissements et des vertiges. Un chercheur japonais, Tsunoda, constata par la suite que ce blé moisi contenait un champignon toxique appelé *fusarium nivale*, appartenant à l'espèce des *fusarium SP*.

« La toxine produite par le *fusarium nivale* est appelée nivalénol; on en ignore encore la nomenclature chimique. [...] Pour les souris, la dose létale est estimée à 40 microgrammes par 10 grammes de poids.

« La toxine T2 se rencontre dans un grand nombre de champignons de l'espèce *fusarium SP*, comme par exemple le *F. equisiti*, le *F. scirpi* et le *F. tricinctum*. Elle a été découverte par J.R. Bamburg en 1968 et, la même année, a fait l'objet d'une publication par Bio-technology et Bio-engineering aux États-Unis. La toxine T.S. appartient au groupe des scirpènes, dont la formule chimique a été trouvée par l'Université du Wisconsin.

« Elle est extraite de la toxine T2 du champignon *F. tricinctum*, qui se développe sur les feuilles de maïs et provoque chez les animaux qui l'absorbent des diarrhées et des pertes de poids. Assez ironiquement, cette substance est classée comme un secret d'État alors qu'on peut l'acheter facilement aux États-Unis à raison de 75 dollars le sac.

« [...] Nous ne pouvons que nous interroger sur la manière inconsidérée dont la Maison-Blanche conclut à une guerre chimique en se fondant uniquement sur quelques échantillons de mycotoxines réunis à la hâte, en laissant sans réponse les questions fondamentales suivantes :

1. Dans quelles régions ces toxines ont-elles été déversées et quels en ont été les symptômes cliniques chez les victimes ainsi que les résultats des analyses toxicologiques auxquelles celles-ci auraient été soumises ?

2. Y a-t-il une preuve quelconque que ces toxines n'existent pas dans la nature et par quels moyens et d'où ont-elles été lancées ?

3. Quels sont les résultats des études faites sur ces champignons dans des zones ayant fait l'objet de pulvérisations ?

4. Quels ont été leurs effets sur l'environnement, la flore et la faune dans des zones ayant fait l'objet de pulvérisations ?

5. Quels sont leurs effets sur l'homme ?

6. Étant donné que ces toxines sont en vente libre sur le marché, comment peut-on garantir que la collecte des échantillons a été scientifiquement correcte ?

« C'est pourquoi, *tout comme un certain nombre de savants américains*[1], nous sommes profondément choqués par la déclaration de la Maison-Blanche qui, en réalité, s'est servie de quelques échantillons extrêmement douteux pour formuler des conclusions sur une question très complexe. »

Les communistes, en effet, n'étaient pas les seuls à contester les allégations du secrétariat d'État. En novembre 1981, à l'occasion d'une audition devant le Congrès, on présenta une déclaration écrite du sénateur Alan Canston traduisant bien les hésitations de certains scientifiques américains[2].

Au dire de M. Canston, le plus gênant, dans le dossier de l'accusation, était la minceur des preuves matérielles de l'emploi de mycotoxines au Laos et au Cambodge et leur absence totale en ce qui concernait l'Afghanistan. En outre, il n'existait aucune preuve irréfutable que des morts avaient été causées par des agents chimiques.

Mais novembre 1981 fut aussi le mois où la commission d'enquête internationale de l'ONU rendit son rapport. Ce document était attendu avec impatience par les deux parties. Or il fallut bien reconnaître qu'il ne donnait réellement satisfaction à aucune.

Dans leurs conclusions, les experts ne manquèrent d'ailleurs pas d'indiquer que leur rapport n'était « pas probant ».

« Une enquête susceptible d'aboutir à des conclusions définitives concernant l'utilisation éventuelle d'armes chimiques et de permettre d'évaluer les dégâts causés exigerait que l'on puisse avoir accès aux zones où les agents chimiques auraient été utilisés en temps opportun en vue d'établir les faits réels, écrivent-ils. Ceci n'a pas été possible pour l'instant. »

Conclusions prudentes, donc, et conclusions décevantes, aussi, d'une certaine manière. Mais la tâche des enquêteurs n'avait pas été facile.

Aucune preuve irréfutable

Cette commission, composée du médecin général Esmat Ezz (Égypte), du Dr Edward Ambeva (Kenya), du lieutenant-colonel Nestor Castillo (Philippines) et du Dr Humberto Guerra (Pérou), s'était vu refuser l'accès au Laos et au Cambodge par les autorités de ces deux pays et avait reçu trop tardivement de la part du Pakistan l'autorisation de visiter des camps de réfugiés afghans. Les experts avaient donc dû se contenter d'examiner des documents et des témoignages et d'interroger des réfugiés en Thaïlande.

---

1. C'est moi qui souligne.
2. *Yellow Rain :* hearing before the subcommittee on arms control, oceans, international operations and environment of the committee on foreign relations, United States Senate, 97th Congress, 1st session, 10 novembre 1981.

Les attaques signalées remontaient à plusieurs mois et il était impossible, dans ces conditions, de « déceler des signes ou des symptômes qui laisseraient supposer qu'il y a eu exposition à des agents chimiques ». En outre, la plupart des personnes interrogées, peu habituées au langage médical, avaient fourni des témoignages invérifiables et, parfois, peu crédibles dont l'analyse n'avait pas été facilitée par les problèmes de langues. La traduction s'effectuait souvent du hmong vers le thaï, puis du thaï vers l'anglais et vice versa par l'intermédiaire d'interprètes dépourvus de connaissances scientifiques et techniques.

« La principale symptomatologie qui nous ait été décrite, écrivent cependant les enquêteurs, [...] comprend de la toux, à l'occasion une irritation des yeux, des nausées, des vomissements intenses et des diarrhées mêlées quelquefois de sang. Ces symptômes apparaissaient dans un délai allant de moins d'une heure à plusieurs heures après le contact prétendu et étaient parfois liés à l'ingestion de nourriture ou d'eau "contaminée". »

Mais, en ce qui concerne les agents utilisés, « bien que certains des signes et symptômes susmentionnés puissent être causés par l'un ou l'autre des agents de guerre chimique connus, le Groupe n'a pas été en mesure de parvenir à une conclusion définitive faute de preuves irréfutables ».

Le problème des toxines a toutefois retenu l'attention des experts. Au cours des entretiens, on leur a remis des échantillons qu'ils ont transmis à l'ONU aux fins d'analyse « par des laboratoires impartiaux et compétents ». Mais deux problèmes sont apparus. D'abord, le groupe « n'a pas été en mesure d'établir l'origine réelle de ces échantillons ». Ensuite, il s'est avéré que les mycotoxines pouvaient bien être d'origine naturelle, comme le prétendaient les communistes.

« Les champignons mycotoxigènes sont très répandus dans toutes les parties du monde, lit-on dans le compte rendu des experts, et depuis quelques années, grâce au progrès des méthodes analytiques, on a pu, dans toutes les parties du monde, isoler diverses mycotoxines à partir de céréales et autres produits végétaux attaqués par des champignons. Bien qu'il soit généralement admis qu'un froid pluvieux est le climat le plus favorable à la production de la plupart des trichothécènes, divers auteurs ont démontré la présence de champignons mycotoxigènes et la production de mycotoxines dans des climats relativement chauds. »

Ces remarques ne tardèrent pas à déclencher une bataille d'experts dans les pays occidentaux et si Matthew Meselson se rangea dans le camp de ceux qui estimaient parfaitement possible que les toxines trouvées dans les echantillons fussent d'origine naturelle, il se heurta à la très vive opposition du Pr Mirocha, responsable des analyses, plus convaincu que jamais de la réalité de la guerre chimique en Asie et en Afghanistan. Ces deux hommes devinrent, en quelque sorte, les chefs de file scientifiques de deux tendances qui, aujourd'hui encore, continuent de s'affronter.

Et les conclusions prudentes du rapport des experts de l'ONU n'eurent pas pour seule conséquence de diviser la communauté scientifique occidentale. Chacun essaya de les utiliser à son avantage. En février 1982, dans la revue *Actualités soviétiques*, un certain O. Lomov rappela[1] :

« La représentation permanente de l'URSS aux Nations Unies a diffusé une lettre révélant le caractère calomniateur des allégations de l'Administration américaine prétendant que l'Union soviétique participe à l'utilisation de gaz en Afghanistan et en Indochine.

« Malgré la multitude des "témoins", on n'a pourtant fourni aucune preuve matérielle. Ces "informations" sont également réfutées par J.M. Monod, chef de la mission du Comité international de la Croix-Rouge à Peshawar (Pakistan), qui a déclaré que les médecins de la Croix-Rouge n'avaient pas examiné un seul malade portant des traces dues à des substances toxiques (*Süddeutsche Zeitung* du 22 octobre 1981).

« Dans la note verbale adressée le 14 septembre 1981 par le délégué américain au secrétaire général de l'ONU, on constate que les experts américains concluent qu'"aucune des armes chimiques connues ne peut, à elle seule ou combinée avec d'autres substances, provoquer les symptômes décrits dans les documents ou causer... une mort si rapide" (document des Nations Unies A/36/509 du 15 septembre 1981).

« La commission d'experts de l'ONU qui a vérifié "les informations" précitées et s'est rendue sur les lieux de l'"utilisation" d'armes chimiques a été obligée de reconnaître qu'"elle n'était pas en mesure de conclure de façon définitive si des substances chimiques avaient été ou non utilisées. Elle n'était pas en mesure de découvrir des indices et des symptômes prouvant que les témoins avaient subi l'action précitée" (document des Nations Unies A/36/613 du 16 novembre 1981).

« En accusant l'Union soviétique et en proférant contre elle des élucubrations, les États-Unis tentent de dissimuler leurs livraisons d'armes chimiques aux bandes contre-révolutionnaires en Afghanistan. »

En revanche, aux États-Unis, la chaîne de télévision ABC s'efforça de combler les « lacunes » de l'enquête de l'ONU en diffusant, le 21 décembre 1981, une émission d'une heure intitulée « Rain of terror ». Dans le compte rendu pour *Le Monde*[2], Nicole Bernheim écrivit :

« L'équipe d'ABC a rencontré des Hmongs et des Cambodgiens dans des camps en Thaïlande, et des Khmers rouges dans une zone d'entraînement. Les uns et les autres ont décrit les mêmes phénomènes : des avions lancent des projectiles qui dégagent une poudre jaune gluante. Celle-ci détruit les récoltes, tue les troupeaux et frappe aussi la population. [...] Un médecin américain qui travaille dans les camps de réfugiés, le Docteur Charles Whitney, a confirmé ces dires. ABC a aussi retrouvé un pilote laotien déserteur qui dessine sur le sol le schéma des

---

1. « Gaz : un mensonge dévoilé » in *Actualités soviétiques*, n° 284 du 16 février 1982.
2. *Le Monde* du 23 décembre 1981.

fusées à charges chimiques de fabrication soviétique qu'il a lancées sur les villages hmongs. Un autre déserteur, vietnamien, raconte comment il a vu, au Cambodge, deux officiers soviétiques "portant des masques et des gants" charger sur un véhicule, avant une attaque, des fusées chimiques qui allaient faire quatre cents morts, dont, d'ailleurs, un certain nombre de Vietnamiens. »

ABC aurait également fait confirmer par un médecin que des échantillons de « poudre jaune » contenaient, en plus des mycotoxines, un élément « d'origine indiscutablement artificielle » : le polyéthylènegly-col employé dans les aérosols et les herbicides. La précision est importante car les Soviétiques avaient fait jusqu'alors reposer à peu près tout leur système de défense sur l'origine naturelle possible des mycotoxines.

Hallucinogènes et neurotoxiques

Une lecture superficielle des articles et documents consacrés à la guerre chimique en Asie du Sud-Est et en Afghanistan pourrait laisser penser qu'à peu près toutes les armes toxiques censées avoir été employées contenaient des mycotoxines. C'est bien évidemment faux et s'il a été tellement question des « pluies jaunes », c'est parce qu'elles constituent une « arme nouvelle » et inconnue des Occidentaux. Par ailleurs l'expression est commode et frappe l'imagination. La « pluie de la terreur » revêt, par conséquent, une dimension symbolique et psychologi-que qu'il était tentant d'exploiter.

« En février 1982, lit-on dans le rapport américain du 22 mars 1982, un membre de la résistance [afghane] très au courant des armes utilisées par les Soviétiques a déclaré à un responsable américain que les Soviétiques ont utilisé des irritants, un gaz hallucinogène et un gaz qu'il a qualifié de neurotoxique. Il a décrit cet "agent innervant" comme étant une poudre blanchâtre dispersée à partir d'hélicoptères au cours d'attaques d'artillerie ou de bombardements. Les victimes ne se rendent compte qu'elles ont été exposées à des agents chimiques que lorsqu'elles sont prises de faiblesses et de vertiges. Peu de temps après, elles commencent à vomir et à saigner des yeux, du nez et de la bouche. La mort s'ensuit rapidement. Les corps sont d'une extrême souplesse et ne donnent aucun signe de rigidité cadavérique. La peau et les chairs se détachent facilement lorsqu'on essaie de déplacer les cadavres. »

Dans ce même document, il est également question d'« un certain gaz qui est absorbé par la peau et qui rend cette dernière si molle que l'on peut la trouer avec le doigt ».

On peut rester sceptique devant de telles descriptions, comme on peut douter de la réalité des chiffres avancés par les Américains. Il convient toutefois de les mentionner car ils constituent une pièce importante du dossier de l'accusation.

Au Laos, plus de 200 interrogatoires « menés de diverses façons » auraient fait état, pour une période comprise entre 1975 et le début de l'année 1982, de 261 attaques différentes ayant provoqué « au moins 6 504 morts résultant directement d'une exposition aux agents chimiques ».

« Depuis 1979, la fréquence des attaques aux agents chimiques semble avoir diminué, mais le taux de mortalité parmi les victimes qui n'étaient pas protégées et n'ont pas reçu de soins a augmenté. C'est ainsi que l'on n'a signalé que 7 attaques chimiques pendant l'automne de 1981 alors que 1 034 morts ont été attribuées à ces incidents. » (Rapport du 22 mars 1982.)

Au Cambodge, « 124 attaques différentes ont été signalées [...] de 1978 à l'automne 1981, au cours desquelles les agents chimiques meurtriers ont fait 981 victimes. [...] Les rapports de 1979 à ce jour indiquent que des agents chimiques meurtriers ont surtout été utilisés dans les provinces contiguës à la Thaïlande ».

En Afghanistan, enfin, « durant la période allant de l'été 1979 à l'été 1981, le gouvernement américain a reçu des rapports de 47 attaques chimiques séparées qui auraient occasionné plus de 3 000 morts. Sur les 47 rapports, 36 émanaient de déserteurs de l'armée afghane, de combattants moudjahidines de la résistance, de journalistes et de médecins américains et autres. Pour 24 des attaques signalées, il existe des preuves indépendantes supplémentaires à l'appui des allégations d'attaques chimiques. Dans 7 cas, d'autres rapports indépendants existent. Les preuves pour 20 des incidents signalés proviennent d'informations sur les opérations actuelles du combat de l'armée soviétique ou afghane dans des zones et à des époques se rapprochant de celles où une attaque chimique a eu lieu ».

A en croire les Américains, la guerre chimique se serait étendue jusqu'en Thaïlande puisque, en mars 1981, un Thaïlandais serait mort après avoir absorbé du poison placé par les troupes vietnamiennes et que, en mai 1981, les forces thaïlandaises auraient capturé deux Vietnamiens alors qu'ils tentaient d'empoisonner l'approvisionnement en eau d'un camp de réinstallation de Kampuchéens en Thaïlande. L'analyse aurait démontré que le poison utilisé contenait de fortes quantités de cyanure.

Il est vrai que, en mars 1981, le Comité international de la Croix-Rouge, que l'on ne peut guère accuser de partialité, avait indiqué que des Cambodgiens avaient été soignés pour intoxication à la frontière khméro-thaïlandaise. Mais le CICR s'était empressé de préciser que l'origine de l'intoxication était « inconnue »...

Nouveaux éléments de « preuves » ?

La polémique qui oppose Américains et Soviétiques au sujet de la guerre chimique en Indochine et en Afghanistan n'a toujours pas pris fin et aucune des deux parties n'est parvenue à mettre un terme à ce long débat en prouvant de manière définitive et irréfutable le bien-fondé de sa propre version des faits. Mieux ! La querelle a rebondi au mois de mai 1982 lors de la publication, dans la presse américaine, de plusieurs articles apportant de nouveaux éléments à l'appui des thèses du Département d'État.

Dans l'un de ces articles[1], il est question d'analyses effectuées sur des échantillons de sang et d'urine de victimes des « pluies jaunes » au Cambodge.

« Venant combler des lacunes troublantes dans les preuves dont on disposait auparavant, peut-on y lire, ces nouvelles découvertes montrent que les victimes ont dans leur corps des quantités suffisantes d'un poison à présent identifié pour expliquer les terribles symptômes décrits. Des échantillons de contrôle prélevés sur des individus du même âge et d'un milieu identique mais n'ayant pas été soumis aux attaques n'ont montré aucune trace de mycotoxine. »

Par ailleurs, de nouveaux témoignages de déserteurs sont venus s'ajouter à ceux déjà recueillis. Dans son édition du 24 mai 1982, l'*International Herald Tribune* en reproduit quatre[2] d'où il semble ressortir que les troupes vietnamiennes se battant au Cambodge seraient parfois victimes de leurs propres armes chimiques. Pour éviter ce genre d'incident, on leur aurait distribué des antidotes sous forme d'ampoules ou de capsules à avaler. Des accidents similaires se seraient produits en 1981 en Afghanistan où les forces soviétiques et afghanes auraient également été les victimes d'au moins une de leurs attaques aux gaz[3].

Cependant, en juin 1982, lors de la session spéciale des Nations Unies sur le désarmement, M. Gromyko, le ministre soviétique des Affaires étrangères, a déclaré que l'URSS acceptait *une procédure de vérification et d'inspection sur place* des faits qui lui sont reprochés en Asie du Sud-Est et en Afghanistan. La balle, désormais, est donc dans le camp des Américains.

En attendant de savoir ce qu'ils en feront, force est de reconnaître que les pluies jaunes hantent l'imaginaire occidental. A tel point que l'on est parfois tenté de leur attribuer des conséquences qu'elles n'ont pas... si elles existent. Depuis 1975, environ trente-cinq mille Hmongs se sont réfugiés aux États-Unis pour fuir le régime instauré au Laos. Or cette communauté déchirée, mutilée, déracinée, est victime d'une étrange maladie qu'aucun savant n'est encore parvenu à expliquer. Au cours des quatre dernières années, trente-six Hmongs réfugiés aux USA âgés de

---

1. « Yellow rain : évidence » : *International Herald Tribune* du 18 mai 1982.

2. « Some Vietnamese killed by their chemical weapons, defectors say », *International Herald Tribune* du 24 mai 1982.

3. Cf. le témoignage d'un ancien pilote afghan d'hélicoptère MI-8 reproduit dans le rapport américain du 22 mars 1982.

vingt a quarante ans, apparemment en bonne santé, sont morts la nuit d'un mal auquel on n'a pas trouvé de nom. Un gémissement ressemblant à un râle pendant leur sommeil est le seul signe indiquant qu'ils vont mourir.

En février 1981, le gouvernement américain a chargé Roy Baron, un épidémiologiste du « Center for Disease Control » d'Atlanta, de mener une enquête pour résoudre cette énigme et, parmi les hypothèses envisagées, on a vu surgir les « pluies jaunes ». La mort des Hmongs aurait été, en quelque sorte, un effet à long terme des mycotoxines employées au Laos. Hypothèse séduisante qui eût offert le double avantage de résoudre un problème comptant parmi les plus déconcertants que la science moderne ait jamais eu à traiter et d'apporter une preuve supplémentaire de la réalité de la guerre chimique en Asie du Sud-Est. Malheureusement, la plupart des victimes de ces morts inexpliquées avaient fui le Laos avant l'emploi présumé des « pluies jaunes » et, à en croire Roy Baron, « les symptômes cliniques présentés par les victimes contredisent cette hypothèse[1] ».

Il a donc fallu chercher ailleurs. Pour l'instant, du reste, nul ne sait en quoi consiste le mystère du « sommeil qui tue[2] ». Mais il est à peu près certain que les « pluies jaunes » n'y sont pour rien.

L'acharnement que semblent mettre les Américains à traquer toute manifestation d'une guerre chimique dont la réalité est loin d'être évidente pose de nombreuses questions dont les plus importantes et les plus urgentes tiennent en un mot : *pourquoi* ?

Pourquoi accorder une telle importance à ce problème ?

Pourquoi les Soviétiques auraient-ils recours à des méthodes de combat unanimement condamnées dont l'emploi, s'il était avéré, risquerait de dresser contre eux l'ensemble de la communauté internationale ?

Pourquoi est-il si difficile de constater si une règle du droit de la guerre a été ou non violée ?

Et *pourquoi* ce silence gêné des autres nations sur un problème qui ne trouve pas de solution ?

Toutes ces questions appellent plusieurs réponses qui dépendent étroitement du crédit que l'on accorde aux thèses de l'un ou l'autre camp.

Lorsque l'on étudie cette polémique et ses prolongements, il est difficile de ne pas songer au débat qui s'est instauré entre communistes et Américains pendant la guerre de Corée. On dirait que les accusés d'hier, après avoir pris conscience de la dimension psychologique revêtue par les

---

1. Cité in « Ceux qui meurent en dormant » : *Science Digest*, n° 5, juin 1982.

2 Un court article paru dans *Science et Vie* (n° 776 de mai 1982) examine l'hypothèse selon laquelle ces morts seraient causées par des cauchemars. « Cette hypothèse a été avancée par un médecin, écrit le rédacteur de cet article, qui rappelle toutefois que la mort par cauchemars semble limitée aux Philippins mâles : elle est connue aux Philippines sous le nom de *bangungut*. »

armes toxiques, sont devenus accusateurs en retournant contre leurs adversaires leur propre stratégie. Affirmer que l'URSS se prépare à la guerre chimique et biologique et teste ses armes toxiques en Indochine et en Afghanistan laisse les mains libres aux Américains pour mettre en œuvre leur propre programme de recherches et de développement. Il leur suffit de prétendre que la menace est devenue trop grave et trop évidente pour rester les bras croisés, et nul n'y trouvera à redire. C'est d'ailleurs ce qu'exprime sans équivoque O. Lomov lorsqu'il écrit : « En réalité, les mensonges proférés à l'adresse de l'Union soviétique ont pour but de justifier les préparatifs américains en vue d'une guerre chimique[1]. »

Il est un fait, comme nous le verrons dans le chapitre suivant, que le programme américain a connu une brusque et spectaculaire accélération au cours des derniers mois et que cette situation n'est pas sans rapport avec les activités présumées des Russes dans ce domaine. Mais cela ne saurait signifier que les accusations proférées à l'encontre de l'URSS ont été montées de toutes pièces pour servir de justification à ce programme. La stratégie serait grossière et totalement disproportionnée par rapport aux objectifs visés.

On a dit également que ces allégations d'emploi de l'arme chimique, en mettant Moscou sur la sellette, constituaient un excellent moyen pour les Occidentaux de créer des difficultés à l'URSS sur le terrain du pacifisme qui lui a si bien réussi en 1981. Mais c'est oublier que les accusations américaines et leurs demandes d'explications aux gouvernements concernés ont précédé d'un an ou deux les manifestations les plus spectaculaires du mouvement pacifiste...

Pour en revenir à la guerre de Corée, il existe quand même une différence importante entre la façon dont s'est déroulée la campagne d'accusations dont les États-Unis ont fait les frais et celle dont l'Union soviétique est actuellement l'objet. En 1952, ce sont les accusés qui avaient demandé la constitution d'une commission d'enquête impartiale et les accusateurs qui s'y étaient opposés. En 1980, ce sont les Américains, devenus accusateurs, qui ont porté une nouvelle fois l'affaire devant l'ONU et les Soviétiques qui ont tenté — vainement — d'empêcher qu'une enquête ait lieu. Et l'on a vu dans quelles conditions ont dû travailler les experts...

Il ne m'appartient pas de prendre parti sur un sujet aussi complexe et aussi délicat mais il faut souhaiter que ce problème trouve bientôt sa solution et ne débouche pas, comme tant d'autres dans le passé, sur un non-lieu. Car l'enjeu est de taille et nous concerne tous. Et un désarmement chimique général devra nécessairement prendre en compte les réponses apportées à toutes les questions posées par la guerre chimique présumée d'Asie du Sud-Est et d'Afghanistan.

---

1. In *Actualités soviétiques*, article cité.

« Stratégie » soviétique

Ce qui déconcerte beaucoup d'observateurs, c'est l'attitude de l'URSS, plus prompte à retourner leurs accusations contre les Américains qu'à démontrer sa propre innocence dans cette affaire. Cela ne milite guère en sa faveur et conduit tout naturellement à s'interroger sur les avantages qu'elle pourrait attendre d'une guerre chimique en Indochine et en Afghanistan. Les Américains ont formulé à ce sujet plusieurs hypothèses.

D'un point de vue très général, l'arme chimique peut être considérée, dans certaines circonstances, comme une solution de remplacement aux armes conventionnelles. C'est le cas lorsque l'on s'en sert contre des adversaires dépourvus d'équipements protecteurs. En terrain montagneux, lorsque les résistants se réfugient dans des cavernes ou autres endroits inaccessibles, les munitions chimiques paraissent les mieux adaptées. Par ailleurs, on peut les employer contre les villages afin de semer la terreur chez les habitants pour les obliger à fuir ou pour capturer les rebelles.

Lorsque les Américains évoquent ce genre de situation, ils savent de quoi ils parlent puisque ce sont précisément celles qu'ils rencontrèrent durant le conflit vietnamien.

En somme, l'emploi de l'arme chimique jouerait un rôle majeur en ce sens qu'elle ferait sortir les Hmongs et autres résistants de leurs retraites en évitant aux forces terrestres vietnamiennes, laotiennes, afghanes et soviétiques d'engager des combats difficiles dans des terrains ne se prêtant guère à des offensives de type classique.

Mais pourquoi les mycotoxines ?

Selon le rapport des États-Unis du 22 mars 1982, « les toxines [...] ont l'avantage [...] d'être une arme efficace terrifiante qui entraîne des symptômes étranges et horribles. De graves hémorragies, en plus de boursouflures et de vomissements ont créé un climat de peur dans les villages de résistants. Non seulement les villageois et les animaux ont été tués d'une façon horrible, mais la végétation et l'eau ont également été contaminées. Les survivants répugnent à retourner dans leurs maisons et entreprennent une longue et dangereuse marche vers les camps de *Thaïlande* ».

En outre, la production des toxines trichothécènes ne coûte pas cher et les Américains sont convaincus que les Soviétiques en détiennent des stocks importants. Elles sont difficiles à détecter et à identifier et les Russes pourraient avoir compté sur le fait qu'ils n'auraient aucune peine à nier les allégations d'emploi de l'arme chimique en raison des obstacles que rencontreraient leurs accusateurs pour rassembler des preuves irrécusables en provenance de régions inaccessibles d'Asie du Sud-Est et d'Afghanistan.

« Après tout, explique Richard Burt, directeur du Bureau des affaires politico-militaires du Département d'État[1], il a fallu que, malgré toutes les ressources technologiques dont il dispose, le gouvernement des États-Unis consacre plusieurs milliers d'heures de travail en cinq ans à découvrir la véritable nature de la pluie jaune. »

Enfin, les militaires soviétiques pourraient très bien considérer que ces contrées éloignées leur fournissent une occasion unique de tester sur le plan opérationnel des armes toxiques nouvelles dans des conditions tactiques aussi précises que variées. Tel semble être l'avis de Claude Monnier qui écrit dans *Défense nationale*[2] : « Plus qu'à la recherche d'un effet tactique, en exceptant peut-être le cas de quelques régions inaccessibles au Laos, cet emploi présumé pourrait correspondre à l'expérimentation d'armes chimiques nouvelles. En effet, les toxines qui auraient été utilisées ont un effet d'irritation de la peau particulièrement insupportable même à doses très faibles : associées à un agent plus actif tel qu'un neurotoxique, elles pourraient rendre inopérante la protection individuelle telle qu'elle est conçue actuellement : un combattant dont le visage aurait été atteint par elles ne pourrait plus supporter le port du masque. »

Une longue liste d'accusations

Le Laos, le Cambodge et l'Afghanistan ne seraient donc, en fin de compte, que des laboratoires pour l'URSS mais, comme me le faisait remarquer Jean Paucot au cours d'un entretien, « les laboratoires soviétiques commencent à devenir un peu trop grands... »

Les explications américaines sont plausibles. Il ne faut cependant jamais perdre de vue que cela ne saurait signifier qu'elles correspondent à la réalité. D'autant que ces accusations ne sont, au fond, que les dernières en date d'une longue lignée.

« Presque à chaque conflit, des accusations ont été portées contre l'un ou l'autre des belligérants, d'utiliser les armes biologiques ou chimiques », remarquait Maurice Avonny dans *Le Monde*[3]. C'est vrai : les allégations d'emploi des armes toxiques font désormais partie de l'horizon de la guerre moderne. D'ailleurs, le Sud-Est asiatique et l'Afghanistan n'ont pas été les seuls pays concernés par ces rumeurs au cours des dernières années. En août 1980, M. Azzazi, membre du comité central du Front de Libération de l'Erythrée (FLE) accusait le régime éthiopien d'employer des armes chimiques « livrées par Moscou » alors qu'en juillet le groupe socialiste de l'assemblée européenne s'était déjà fait l'écho de ces préoccupations en demandant à l'Éthiopie et à l'Union soviétique de

---

1. *Yellow Rain*, hearing, etc. *op. cit.*
2. *Défense nationale*, mai 1982.
3. « Une longue suite d'accusations », *Le Monde* du 25 septembre 1981.

« mettre un terme à l'utilisation des armes chimiques en Érythrée » et de
« s'abstenir de toute utilisation ultérieure d'armes chimiques, quelle que
soit leur nature[1] ».

A la fin de l'année 1981, M. Nafi Kurdi, représentant à Paris du Front
de Libération de l'Érythrée, réitéra ces accusations dans la quasi-
indifférence générale alors même que l'Angola dénonçait, de son côté,
l'emploi de gaz toxiques par l'Afrique du Sud dans le conflit opposant ces
deux pays[2].

On le voit, l'arme chimique est présente dans tous les communiqués
sinon sur tous les champs de bataille. Et l'arme biologique participe
pleinement, elle aussi, de ce concert discordant de protestations
indignées. Les Soviétiques s'en sont aperçus à leurs dépens avec
l'épidémie de Sverdlovsk en 1979 et 1980 et les Américains en 1981
lorsque les Cubains les ont accusés d'avoir déclenché dans leur île une
épidémie de dengue hémorragique. Entre juin et juillet, cette maladie a,
en effet, frappé près de 300 000 Cubains et causé plus d'une centaine de
décès. On voit mal, cependant, quel intérêt auraient eu les États-Unis à
provoquer une telle épidémie à un moment pareil. Le contexte a changé
depuis l'époque où la CIA importait à Cuba le virus de la grippe porcine,
et ce qui pouvait paraître stratégiquement rentable il y a dix ans ou plus ne
l'est guère aujourd'hui[3].

Les allégations d'emploi des armes interdites sont décidément nombreuses, en ce début des années 80. Trop nombreuses, peut-être, et c'est
pour cela qu'il est si difficile de déceler le vrai du faux dans ce fatras de
rumeurs souvent contradictoires. D'où la méfiance de la communauté
internationale pour tout ce qui concerne ce sujet, et son extrême
prudence, aussi. Mais, à trop vouloir se montrer prudent, ne risque-t-on
pas de compromettre les chances de voir aboutir un réel accord
international en matière de désarmement chimique ? Et d'encourager du
même coup le réarmement de ceux qui s'estiment — à tort ou à raison —
menacés ? C'est en tout cas ce qui se passe depuis plusieurs mois en
Occident. Et jamais, depuis l'entre-deux-guerres, l'arme chimique n'avait
préoccupé à ce point les états-majors. Alors... aujourd'hui l'Asie du
Sud-Est et l'Afghanistan, demain l'Europe ? Beaucoup y croient... et s'y
préparent.

---

1. *Le Monde* du 16 août 1980.
2. *Libération* du 23 décembre 1981.
3. Ce qui s'est passé à Cuba en 1981 revêt tout de même un aspect scandaleux dans la
mesure où le gouvernement de Fidel Castro a demandé à une société mexico-américaine, la
firme Lucaba, de lui procurer du *malathion*, produit dont il avait besoin pour combattre
l'épidémie, et que cette société a refusé. Après de longues et pénibles démarches, les
Cubains ont obtenu de la firme allemande Bayer qu'elle leur fasse parvenir du *lucathion*, un
équivalent du *malathion*, mais il a fallu le faire venir d'Europe par avion au tarif de 5 000
dollars par tonne de produit transporté, c'est-à-dire trois fois et demie la valeur du produit.
Bel exemple de solidarité internationale... à l'envers, et qui laisse perplexe quant à ce qui
pourrait se produire en cas d'offensive biologique réelle.

XI. « *AU CŒUR DE LA TROISIÈME GUERRE MONDIALE*[1] »

> « *Au demeurant, dans la plupart des pays, la population civile ne dispose d'aucune protection contre la guerre chimique.* »
> Les armes chimiques et bactériologiques (biologiques) et les effets de leur utilisation éventuelle.
> ONU, New York, 1969

> « *La défense contre les armes NBC est un acte de combat.* »
> Notice d'information
> sur les armes spéciales TTA 622

Le moins que l'on puisse dire, en ce début des années 80, est que le désarmement chimique dont rêvaient tant il y a dix ans les signataires de la Convention sur les armes biologiques se présente mal. Beaucoup d'obstacles se sont dressés sur la route conduisant à un tel accord et le plus délicat d'entre eux n'a jamais pu être franchi. Je veux parler des problèmes de contrôles.

Déjà, en 1972, Jean Riess[2] définissait ainsi les difficultés posées par le bannissement des armes chimiques :

« Leur définition est déjà source de désaccord. Ainsi, certaines nations se refusent à considérer comme telles les phytotoxiques répandus sur les

---

1. J'emprunte le titre de ce chapitre à *Libération* qui l'a utilisé en octobre 1981 pour une série (remarquable) d'articles sur la situation stratégique mondiale du moment. L'intitulé exact de la série était : « L'Europe au cœur de la Troisième Guerre mondiale ».

2. Maître de conférences à l'UER de sciences exactes et naturelles de l'université de Nice. Cf. « Les armes chimiques sont aussi dangereuses que les engins nucléaires », in *Le Monde* du 23 août 1972.

récoltes de l'ennemi. Pour contrôler les émeutes et manifestations à l'intérieur de leurs frontières, la plupart des pays entendent se réserver le droit d'employer certains agents harassants.

« [...] Une autre difficulté vient de la diversité et surtout de la souplesse d'emploi de ces armes qui, mortelles ou incapacitantes à des degrés divers, peuvent être utilisées comme une simple grenade lancée dans un abri, ou pour la destruction massive des populations civiles, particulièrement vulnérables à ce type d'armes. Alors que l'explosion d'engins nucléaires ne peut pas passer inaperçue, [...] l'emploi d'armes chimiques, à faible échelle du moins, ne peut plus être que difficilement détectable après un temps relativement court.

« [...] D'autres difficultés, et non des moindres, tiennent au fait que certains des toxiques utilisés à des fins militaires sont aussi des substances chimiques de base (agents de synthèse) ou des intermédiaires de fabrication qui sont produits industriellement à des fins pacifiques. »

Mais la principale difficulté qui subsiste aujourd'hui est bien celle du contrôle. Si la communauté internationale parvenait à se mettre d'accord sur un désarmement chimique général, de quels moyens disposerait-elle pour détecter son éventuelle violation ?

L'enjeu

Il y a dix ans, on était en droit d'espérer que l'utilisation de satellites, l'analyse physique et chimique d'échantillons et l'étude de la microflore au voisinage d'« installations suspectes » se révéleraient d'un grand secours dans la surveillance des autres nations en matière de guerre chimique. Sverdlovsk, l'Asie du Sud-Est et l'Afghanistan ont montré que l'on avait fait preuve de beaucoup d'optimisme et les problèmes de contrôle continuent plus que jamais à s'opposer à un désarmement international.

En principe, chaque étape de la mise en route d'un programme de fabrication d'armes toxiques devrait permettre de lui associer une technique d'inspection. Mais la grande difficulté, à chacune de ces étapes — recherche, développement, essais, production, transport, stockage, etc. —, c'est qu'il n'est pas toujours facile de distinguer un programme chimique militaire d'activités industrielles pacifiques.

E. de Plaen, dans un dossier du GRIP consacré aux *Armements chimiques et biologiques*[1], dénombre cinq méthodes d'inspection pouvant être utilisées pour la vérification formelle :

— inspection administrative et budgétaire (valable pour toutes les étapes);

1. Dossier « notes et documents » n° 17 : *Les armements chimiques et biologiques* par E. de Plaen. Groupe de Recherche et d'Information sur la Paix, chaussée Saint-Pierre 141, 1040, Bruxelles, avril 1980.

— surveillance de la littérature scientifique (surtout étapes recherche et développement);

— inspection directe des étapes de développement, production. transport et stockage des armes biologiques ou chimiques;

— possibilité de vérifier si les armes susceptibles de disséminer les agents biologiques ou chimiques ne se sont pas développées [...], détection des manœuvres et entraînement (observations éloignées : c'est-à-dire photographiques);

— analyse économique de la phase de production des agents et des armes.

L'application de telles méthodes ira sans doute sans poser de gros problèmes entre deux pays entretenant de bonnes relations mais ça ne sera certainement pas le cas pour des États entre lesquels existe un climat de tension. Or c'est là, précisément, que les mesures de vérification prennent le plus d'importance.

Pour résoudre ce dilemme, les États-Unis et l'URSS ont entrepris, en 1976, une série de négociations bilatérales devant déboucher sur une « initiative conjointe » à la conférence de l'ONU sur le désarmement afin d'aider à « la conclusion d'un traité interdisant les armes chimiques les plus dangereuses ».

En 1980, Matthew Meselson et Julian Perry Robinson s'estimaient en droit d'écrire[1] :

« Il subsiste à coup sûr un certain nombre de divergences importantes dans les approches américaine et soviétique du problème des vérifications. Toutefois, les accords de principe sur la déclaration des stocks d'armes chimiques et de leurs moyens de production, et sur le caractère à la fois national et international des mesures de contrôle nécessaires, peuvent servir de base à un traité acceptable pour les deux parties. »

Malheureusement, au moment où ces lignes paraissaient, les États-Unis suspendaient leurs négociations avec l'URSS en raison de l'impossibilité de parvenir à un accord sur ces fameux problèmes de contrôle. Peu de temps après, l'Union soviétique était accusée devant l'ONU d'utiliser l'arme chimique en Asie du Sud-Est et en Afghanistan, sans parler de Sverdlovsk dont les conséquences diplomatiques se faisaient sentir depuis le début de l'année. Et, à la fin de 1980, les États-Unis étaient moins disposés à négocier sur les armes chimiques qu'à renforcer leur propre arsenal.

Ainsi, à la fin du premier trimestre 1982, Ricardo Frailé pouvait écrire[2] :

« Quelque dix années après la conclusion de l'accord sur les armes

---

1. In *Pour la science*, article cité.

2. « Où en est le désarmement chimique ? » in *Le bulletin du CEREDE*, n° 2, janvier, février, mars 1982.

biologiques ou à toxines, le désarmement chimique demeure [...] une simple perspective. »

Et de conclure :

« Au-delà des difficultés techniques et juridiques, les réticences politiques qui mènent à proroger la conclusion d'un accord sur le désarmement chimique ne peuvent s'entourer que de deux effets : éroder la volonté des signataires de la convention sur les armes biologiques d'en respecter les dispositions, compromettre par la mise en route de programmes d'armes chimiques l'existence même du futur accord sur ce type d'armes. A l'heure où l'on parle à nouveau de guerre chimique et où la nouvelle génération d'armes chimiques devient particulièrement séduisante, les conséquences irréversibles de l'enjeu doivent être clairement perçues. »

Telles sont, en effet, les données du problème. En l'espace de quelques années, les armes chimiques, que l'on croyait vouées à disparaître des arsenaux dans un proche avenir, sont devenues terriblement d'actualité. Une nouvelle génération est apparue qui menace la planète tout entière au même titre — et peut-être davantage — que les armes nucléaires. Et, au fur et à mesure que s'éloigne la perspective d'un désarmement, cette menace grandit et se précise. L'événement le plus significatif — et le plus troublant — à cet égard est l'annonce faite par les États-Unis en février 1982 de leur intention de reprendre la production de ces armes, en sommeil depuis près de treize ans. Cette décision ne va pas sans inquiéter les gouvernements européens et en particulier l'Angleterre, l'Allemagne de l'Ouest et l'Italie où la Maison-Blanche pense entreposer, au cours des années à venir, des munitions chimiques. Du coup, ces armes se trouvent propulsées au cœur de tous les débats politiques et diplomatiques du moment. Comment a-t-on pu en arriver là alors que l'on pensait faire de la guerre chimique (et biologique) un mauvais souvenir et une peur à la mode d'antan ?

L'arme binaire

Depuis le début des années 70, la production américaine d'armes chimiques tournait au ralenti. On peut même dire qu'elle était quasiment inexistante et les États-Unis semblaient avant tout préoccupés par la destruction de leurs stocks de gaz périmés. En mai 1973, l'administration présidentielle avait même éprouvé le besoin de réaffirmer solennellement à quel point elle était attachée à l'aboutissement d'un accord de désarmement chimique général. La menace toxique paraissait donc reculer peu à peu et tout le monde était en droit de se montrer optimiste.

Cependant, chez les militaires, on se voulait plus « réaliste ». En septembre 1973, le secrétaire à la Défense annonça que l'armée était désireuse d'acquérir de nouvelles armes chimiques. Son premier objectif était la mise en œuvre d'une nouvelle technique de dissémination des gaz neurotoxiques appelée système binaire. A long terme, il s'agissait tout simplement de remplacer toutes les munitions chimiques américaines par des armes de ce type.

Nous avons déjà parlé des armes binaires. Rappelons leur principe, qui est fort simple : dans un conteneur, on introduit deux composés de faible toxicité qui, au moment du tir, entrent en réaction et forment un gaz neurotoxique.

L'idée n'est pas nouvelle puisqu'elle serait due à un chimiste américain du nom de L. Wilson Greene, auteur d'un mémorandum secret sur ce sujet publié en 1949[1]. Toutefois, c'est au cours des années 60 qu'elle commença de recevoir ses premières applications. Les multiples incidents survenus lors du stockage et de la destruction des armes chimiques posaient de réels problèmes à l'armée. Or le système binaire paraissait pouvoir les résoudre tous. Les deux agents chimiques étant stockés séparément, leur transport et leur manutention ne présentaient plus aucun danger et, comme il s'agit de composés relativement inoffensifs, leur reconversion ou leur destruction pouvaient s'opérer sans difficulté. Par ailleurs, ce système ne nécessite pas de vecteur complexe et peut s'adapter à toutes sortes de composés.

Les premières recherches sur l'arme binaire firent partie de l'important programme de renforcement de l'arsenal chimique américain du début des années 60. La marine et l'armée de l'air y jouèrent un rôle prépondérant puisqu'elles mirent au point une bombe binaire aérienne extrêmement puissante chargée avec deux composés du VX qui prit le nom de code de *Bigeye*.

L'hebdomadaire allemand *Der Spiegel* en a donné récemment la description que voici[2] :

« A l'intérieur de la bombe, un générateur de gaz provoque une pression telle que les fines membranes métalliques (séparant les deux composés) explosent. [...] Dans le même temps, un moteur électrique entraîne une sorte de mixer ménager qui effectue le mélange des substances diaboliques. Enfin, en cours de vol, d'infimes charges explosives sont déclenchées dans de petits orifices couvrant toute la surface de la bombe. A partir de là, l'air pénètre dans le projectile et en chasse le mélange de type VX qui tombe sur le sol. »

En 1970, alors que *Bigeye* et quelques autres munitions du même genre étaient déjà très avancées, le programme de guerre chimique américain connut les restrictions que l'on sait. Le système binaire ne put donc faire sa réapparition qu'en 1973 et la mise en œuvre d'un programme qui lui

---

1. En fait, son origine remonterait beaucoup plus loin encore puisqu'en 1909 on avait imaginé un système similaire pour stocker de la nitroglycérine (cf. J. P. Robinson : « Binary nerve gas weapons » in *Chemical disarmament : new weapons for old*, SIPRI, Stockholm, 1975).

2. *Der Spiegel*, article cité.

serait entièrement consacré figura pour la première fois dans la demande de crédits militaires pour 1975 avec un montant de 6 millions de dollars.

Jusqu'alors, l'arme binaire n'avait donné lieu à aucune production industrielle et cela allait être le cas pendant quelques années encore car le Congrès refusa de voter les crédits qui lui étaient demandés. Pourtant, pour justifier leur requête, les militaires avaient mis en avant un vieux cheval de bataille qui devait leur servir encore plus d'une fois : l'écrasante supériorité de l'Union soviétique sur les États-Unis et leurs alliés en matière d'armement chimique. Mais les membres du Congrès avaient été plus sensibles à un autre argument : la mise en œuvre d'un vaste programme de guerre chimique risquerait de compromettre à tout jamais les chances de voir aboutir les négociations en cours à Genève pour un désarmement international. La production en série d'armes binaires fut donc remise à une date ultérieure.

En fait, deux conceptions s'affrontaient que seul le temps pourrait départager. D'un côté, les militaires affirmaient qu'une capacité nationale de guerre chimique était l'unique moyen de pousser les autres nations à s'intéresser au désarmement et, de l'autre, le Congrès pensait qu'engager le pays dans la voie du programme binaire empêcherait immanquablement tout désarmement. Toutefois, il était souhaitable qu'un accord ne tardât pas trop à se faire jour à Genève, sans quoi même le plus optimiste des membres du Congrès savait que l'armée finirait par l'emporter. Ce qu'elle fit, d'ailleurs, au terme d'un long combat.

A partir de 1975, chaque année, le programme binaire figura dans les demandes de crédits militaires et chaque année le Congrès lui accorda un nouveau sursis.

Mais l'armée ne resta pas inactive, pendant ce temps. En ce qui concerne le système binaire, notamment, elle étudia de nouvelles sortes de projectiles tels que l'obus de 155 mm XM687 pour la dissémination du sarin (GB) ou le projectile de 8 pouces XM736 pour celle du VX à partir de deux composés liquides (*Bigeye*, de conception et d'emploi très différents, utilise un solide et un liquide). Pour parvenir à ses fins, elle avait aussi beaucoup d'obstacles psychologiques à vaincre. Il lui fallait se livrer à une nouvelle évaluation plus précise et plus convaincante du rôle et de l'importance des armes chimiques dans l'arsenal soviétique, définir comment elles pourraient être employées dans le cas d'un conflit se déroulant en Europe et quelle serait alors la capacité de riposte de l'OTAN.

Il convenait, ensuite, de situer le programme binaire dans l'échelle des priorités par rapport aux forces conventionnelles et aux armes nucléaires. Le rôle de ces dernières était d'ordre dissuasif alors que celui des armes chimiques était de riposter avec les mêmes moyens à une éventuelle offensive toxique, ce qui en faisait une force de représailles et rien de plus.

Enfin, il fallait vaincre les réticences des gouvernements européens conscients des conséquences que risquait d'avoir pour eux la mise en œuvre du programme binaire américain. Car, si ces armes venaient à être utilisées, ce serait en Europe immanquablement. Par ailleurs, le réarmement des États-Unis aurait certainement pour effet de pousser les Soviétiques à agir de même et de rendre la guerre chimique plus crédible, donc d'en accroître les risques. Sans compter que cela pouvait encourager les pays du tiers monde à entreprendre leurs propres programmes de recherche et de fabrication.

En fin de compte, tout le monde redoutait que la fabrication en série de l'arme binaire non seulement se révélât inutile et coûteuse mais surtout débouchât sur un processus d'escalade que plus personne ne serait en mesure de maîtriser.

L'armée avait pour tâche de prouver le contraire. Ce qu'elle fit en démontrant que le programme binaire, loin d'engendrer une escalade, se révélerait le plus sûr moyen d'empêcher l'utilisation des armes chimiques dans une guerre future.

On trouvera sans doute paradoxale cette façon de présenter les choses. Elle l'est. Mais, répétée inlassablement au fil des ans, elle finit par convaincre tous ceux qui avaient besoin de l'être pour que le programme binaire fût enfin adopté.

Jeux et manœuvres

La supériorité de l'URSS en matière d'armement chimique et la nécessité pour les États-Unis de se doter d'une force équivalente devinrent un fait acquis en Occident. Il est d'ailleurs à la fois symptomatique et amusant de constater que ce point de vue ne tarda pas à s'exprimer dans les règles de certains jeux stratégiques de haut niveau édités vers la fin des années 70.

La vogue rencontrée par les « wargames » depuis quelques années a permis la publication de jeux extrêmement sophistiqués dont les règles, établies par des équipes de spécialistes, s'efforcent de reproduire dans les moindres détails les conditions rencontrées sur le terrain. Si un grand nombre de ces jeux ont pour but de reconstituer de grandes batailles du passé, il en est qui préfèrent l'avenir et mettent en scène, avec un grand souci de réalisme, des scénarios possibles quant au déroulement d'une éventuelle Troisième Guerre mondiale. Il est intéressant de les étudier car ils sont le reflet sinon des préoccupations des états-majors, du moins d'un certain état d'esprit et d'une manière d'appréhender l'équilibre stratégique du moment en Occident[1]. Tel est le cas, entre autres, de trois jeux édités par la firme américaine Simulation Publications, Inc.[2] qui intègrent

---

1. Sans doute existe-t-il des « wargames » soviétiques, ne serait-ce qu'à l'intention des écoles de guerre mais, à ma connaissance, aucun n'a jamais traversé le rideau de fer.

2. 257. Park Avenue South, New York, N.Y. 10010, USA.

la guerre chimique : *The next war* (1978), *NATO division commander* (1979) et *Berlin 85* (1980).

Comme on peut s'en douter, dans chacun de ces jeux, ce sont les forces du pacte de Varsovie qui prennent l'initiative de la guerre chimique. Dans le premier, l'utilisation d'agents persistants met les troupes alliées hors de combat pendant un certain temps mais leur emploi ne paraît pas avoir d'effet décisif sur l'issue du conflit. Le second est très différent. Le paragraphe concernant la guerre chimique est précédé d'un bref commentaire que voici :

« La guerre chimique risque de se révéler, potentiellement, l'élément le plus décisif dans une guerre future en Europe. Les Soviétiques ont suivi un entraînement rigoureux et intense en ce qui concerne l'emploi des armes chimiques, tant sur le plan offensif que défensif. *La plupart des armées de l'OTAN commencent à rattraper leur retard. Les agents chimiques constituent, fondamentalement, des armes plutôt humaines.* Ils causent beaucoup moins de morts que n'importe quel autre type d'armes, mais, en raison de leur nature, leurs effets les plus importants sont d'ordre psychologique. Il est impossible d'échapper aux armes chimiques. Les mesures défensives telles que masques et vêtements spéciaux ont tendance à rendre la vie inconfortable. En fait, il est admis que l'une des conséquences les plus importantes de la guerre chimique sera de ralentir le déroulement des opérations. Les gaz sont une arme qui frappe sans aucune discrimination et, si l'on se réfère à l'expérience de la Première Guerre mondiale, *il faut s'attendre à ce que les forces qui les emploieront subissent jusqu'à 10 % de pertes dans leurs propres rangs en traversant les zones qu'elles auront elles-mêmes contaminées*[1], à moins de faire preuve d'une extrême prudence. Cette prudence se traduit généralement par une vitesse de déplacement considérablement ralentie. En raison des inconnues liées aux facteurs psychologiques, nous avons inclus une provision ayant trait aux effets catastrophiques des gaz. Il s'agit là encore d'un élément pouvant retourner complètement la situation. Ce ne serait pas la première fois que la guerre des gaz aurait pour principale conséquence un tel retournement. »

Berlin 85, enfin, se montre très pessimiste quant aux moyens de riposte chimique de l'OTAN et précise, en fin de règle : « Ceci est une règle (très) optionnelle. Il y a actuellement un débat pour savoir si les forces du Pacte de Varsovie emploieraient les gaz toxiques contre une zone habitée[2]. Par ailleurs, le recours à cette règle confère au joueur représentant les forces du Pacte de Varsovie un énorme (presque insurmontable, en fait) avantage. »

La principale différence entre ces jeux de simulation et des manœuvres

---

1. Les passages soulignés le sont par moi.
2. Ce jeu, comme son titre l'indique, se déroule à Berlin.

militaires est que les premiers se déroulent sur le papier et les secondes sur le terrain. Il est normal, par conséquent, que l'on ait aussi songé à intégrer cette forme de combat dans les manœuvres de l'OTAN.

Ainsi, en septembre 1980, les manœuvres *Certain rampart 80*, qui se déroulèrent près de Treuchtlingen, au sud de Nuremberg, fournirent-elles à l'armée américaine l'occasion d'un exercice simulant une invasion de la Bavière par plus de 20 000 hommes des forces du Pacte de Varsovie utilisant l'arme chimique en territoire allemand.

A plusieurs reprises, les unités américaines participant à *Certain rampart 80* opérèrent en territoire « contaminé » et les équipages des chars lourds « M-60 » durent revêtir la combinaison spéciale, gants, bottes et masque à gaz, assurant leur survie.

« Les Soviétiques ont un arsenal chimique considérable, aussi bien offensif que défensif, et ils sont prêts à l'utiliser », estima, à cette occasion, le général John Pauly, commandant des forces aériennes en Europe[1].

Lorsque cet exercice eut lieu, l'armée américaine disposait depuis trois ans en Europe d'unités spéciales de décontamination en cas de guerre chimique. Pour chaque division américaine[2] stationnée en RFA, il existait désormais une unité de décontamination de 400 hommes. Chaque soldat américain basé en RFA recevait — et reçoit toujours — dans son paquetage trois combinaisons de survie en milieu contaminé et une journée par mois était (est encore) consacrée à la préparation à la guerre chimique et comprend des séances de tir avec masque à gaz sur le visage.

La protection des troupes de l'OTAN a d'ailleurs fait des progrès considérables au cours des dernières années. L'actuelle combinaison, qui vient d'être mise en service, est munie d'un masque d'un nouveau modèle comportant des filtres de charbon actif pour l'absorption des gaz et des fibres de verre pour la rétention des particules. « Le vêtement proprement dit est un survêtement en deux pièces, comportant plusieurs couches de tissu, précisent Matthew Meselson et Julian Perry Robinson[3]. Il est léger, étanche à l'eau et perméable à l'air. La couche de tissu extérieure est traitée chimiquement pour activer la fixation des gouttelettes du gaz neurotoxique et accélérer ainsi leur évaporation. La vapeur qui pénétrerait est absorbée par une couche de charbon activé, plaquée sur le tissu intérieur. Pour une protection parfaite, le vêtement doit être porté avec des gants de caoutchouc au butyl et avec des bottes. Des bandes de papier adhésif servant à la détection sont fixés sur les bras, les poignets et les chevilles. »

Lors des manœuvres *Certain rampart 80*, la presse rappela que les

---

1. Dépêche AFP 171 111 SEP 80.
2. Une telle division comprend environ 17 000 hommes.
3. In *Pour la science*, article cité.

besoins de l'armée américaine en cas d'utilisation en Europe de l'arme chimique par les troupes soviétiques faisaient l'objet d'une étude au Pentagone.

« L'armée américaine estime qu'elle devra dépenser 1 milliard de dollars au cours des cinq prochaines années pour rattraper son retard dans le domaine de l'armement chimique », pouvait-on lire dans certaines dépêches[1]. Et encore : « Selon une estimation du Pentagone, l'URSS dispose d'un arsenal chimique de 350 000 tonnes alors que celui de l'armée américaine ne dépasse pas 42 000 tonnes. Ce déséquilibre pourrait amener le président américain à autoriser à nouveau la fabrication d'armes chimiques, abandonnée aux États-Unis depuis 1969. »

On voit comment, petit à petit, les thèses militaires gagnaient du terrain sur celles des partisans des négociations. Jour après jour, la perspective d'un désarmement chimique se faisait plus incertaine alors que se précisaient, dans les discours du Pentagone, la menace soviétique et l'urgence d'acquérir une force chimique offensive et « dissuasive ».

« Il n'y a aucun doute que les Soviétiques ont la capacité de mener une guerre chimique de grande envergure durant trente jours ou plus », déclarait, en septembre 1980, le colonel Bob Robinson, chef du service d'armement chimique de l'armée de terre américaine, qui ajoutait : « Les États-Unis n'en ont actuellement pas les moyens. »

Ces propos faisaient écho à ceux du général Bernard Rogers, commandant suprême des forces de l'OTAN, qui confiait à Cay Graf Brockdorff en juin 1980[2] :

« Les enjeux politiques les plus importants sont liés au débat sur l'utilisation des armes chimiques. Les décisions concernant le déploiement et l'utilisation de cet armement devront être prises par les autorités politiques. Cela dit, il nous faut voir que l'Union soviétique accroît sa puissance offensive, tout en apprenant à mieux se défendre dans le domaine chimique. Tout comme l'arme nucléaire, l'arme chimique représente pour les Russes un moyen de destruction massive. *Il est, à mon avis, hors de question que cette arme ne soit pas utilisée si la situation militaire devait décider de l'issue d'un affrontement*[3].

« Qu'est-ce que cela signifie pour l'Occident ? Qu'il faut pouvoir nous défendre contre ces armes [...]. Aujourd'hui, l'Occident ne peut répondre à une attaque qu'avec un matériel chimique que je considère comme obsolescent. Je crois que nous ne pourrons, dans le cadre de notre stratégie de réponse flexible, empêcher l'utilisation des armes chimiques qu'en modernisant notre capacité de riposte.

« C'est pourquoi j'espère que les États-Unis décideront de produire des armes binaires. »

---

1. Dépêche AFP 171120 SEP 80.
2. Cf. *Le Monde* du 4 juin 1980.
3. C'est moi qui souligne.

Ces propos — comme quelques autres dont l'énumération serait fastidieuse — ont au moins le mérite de lever toute équivoque.

1980, en fin de compte, aura marqué un tournant décisif dans la politique américaine en matière d'armement chimique. La suspension des négociations bilatérales avec l'URSS, les propos du général Rogers et les manœuvres *Certain rampart 80* font partie d'un tout. Et ça n'est peut-être pas un hasard si, en août de cette même année, les États-Unis portèrent devant l'ONU le problème de l'emploi des armes chimiques en Asie du Sud-Est et en Afghanistan...

On ne le répétera jamais assez : cela ne signifie pas que ces accusations sont dépourvues de fondement, mais il n'en demeure pas moins qu'elles sont arrivées au bon moment pour donner aux thèses militaires américaines le soupçon de confirmation qui leur faisait peut-être défaut.

Par conséquent, ce qui devait arriver arriva. En plusieurs temps.

Réarmement chimique américain

Déjà, de 1978 à 1981, l'administration Carter avait fait passer les crédits alloués au programme chimique défensif américain de 111 millions de dollars à 239 millions de dollars.

Pour 1981, les demandes de crédits militaires de la nouvelle administration incluaient 20 millions de dollars pour la construction d'une usine destinée à la fabrication en série de l'arme binaire à l'arsenal de Pine Bluff, dans l'Arkansas. Le principe de cette usine fut accepté en décembre 1980 par le Congrès et les crédits furent votés, à la grande satisfaction de M. Caspar Weinberger, secrétaire américain à la Défense. Pourtant, l'initiative pouvait paraître prématurée car, malgré l'existence de cette usine, les États-Unis ne s'étaient pas encore prononcés pour une reprise de leur programme de fabrication d'armes toxiques. L'usine est une chose, les armes en sont une autre.

Fin 1981, le budget pour l'année fiscale 1982 inscrivit 532 millions de dollars pour le programme de guerre chimique, mais cette somme était encore presque entièrement consacrée à la défense.

Les choses changèrent avec l'année fiscale 1983 (qui commence le 1er octobre 1982) pour laquelle les États-Unis ont prévu d'augmenter leurs dépenses en armement chimique de 32 %. Leur budget est ainsi passé de 532 à 705 millions de dollars dont 70 % seulement concernent la défense. Dans cette somme, 30 millions de dollars sont allés à l'arme binaire, c'est-à-dire essentiellement à *Bigeye* et à l'obus de 155 mm.

Et ça n'est pas tout. L'administration Reagan prévoit un budget d'environ 6 milliards de dollars pour les cinq prochaines années entièrement consacrés au programme de guerre chimique.

Le 8 février 1982, enfin, Ronald Reagan notifia au Congrès son intention de reprendre la production d'armes chimiques car, « en l'absence d'un accord international vérifiable sur l'interdiction de la production et du stockage de telles armes, les États-Unis doivent faire leur possible pour dissuader d'autres pays de les utiliser ».

Mais, malgré l'affirmation du président selon laquelle « la reprise de leur production donnera aux États-Unis une position forte pour négocier un accord qui bannira vraiment les armes chimiques[1] », la perspective d'un désarmement paraît plus compromise que jamais.

Pourquoi les Américains se lanceraient-ils dans un programme aussi long et coûteux pour l'interrompre d'ici quelques années, une fois un accord de désarmement signé ? Un tel raisonnement est absurde et l'on ne voit pas qui le chef de la Maison-Blanche espère convaincre avec des arguments aussi irrecevables. Au contraire, le réarmement chimique des États-Unis participe pleinement du climat de confrontation avec l'URSS qui semble avoir été réinstauré par la nouvelle administration américaine et qui, sur tous les fronts, ne rend guère opportunes de nouvelles négociations sur le contrôle des armements.

Certains observateurs pensent que l'on assiste actuellement, au Pentagone, à une sorte de retour à la doctrine des « deux guerres et demie » où la région du golfe Persique aurait remplacé l'Extrême-Orient comme lieu de la « demi-guerre », la première étant, quant à elle, toujours réservée à l'Europe. Cette doctrine repose sur un principe fondamental, celui de la « disponibilité immédiate » des forces américaines de combat.

« Mais la disponibilité immédiate, commente Michael T. Klare[2], c'est aussi un état d'esprit particulier — *une disposition à considérer la guerre comme un instrument raisonnable, et même nécessaire, de la politique étrangère*[3], qui contraste vivement avec l'attitude non interventionniste de l'"après-Vietnam" et se manifeste fréquemment dans les déclarations de responsables tels que MM. Reagan, Haig ou Weinberger lorsqu'ils s'évertuent à répéter que les États-Unis ne vont pas *"rester passifs"* devant les provocations soviétiques et à affirmer leur volonté d'améliorer les capacités d'intervention américaines. »

C'est dans cette perspective qu'il convient de situer le réarmement chimique américain et non dans celle d'une éventuelle « négociation » dont il constituerait l'instrument privilégié.

Aujourd'hui, le concept d'une guerre limitée l'emporte sur celui d'une guerre totale qui ravagerait la planète. Un conflit qui ne concernerait que l'Europe, par exemple, ne relève plus de l'inconcevable. Au contraire, il n'en devient que plus « supportable » par les belligérants, donc plus crédible. Par conséquent, si l'on n'est plus certain de pouvoir éviter la guerre, autant se préparer à la gagner.

---

1. Cf. *Le Monde* du 10 février 1982.
2. Cf. *Le Monde diplomatique*, septembre 1981, article cité.
3. C'est moi qui souligne.

L'arme chimique est parfaitement adaptée à la guerre limitée. En restreignant les dommages infligés à l'adversaire, puisqu'elle laisse intacts matériel et édifices, elle restreint également le conflit en évitant théoriquement un recours aux armes nucléaires tactiques dont les stratèges craignent qu'elles ne conduisent à une escalade vers le nucléaire stratégique.

L'actuel débat sur les fusées *Pershing* et les missiles *SS20* tend à occulter celui sur les armes chimiques. Pourtant, elles participent pleinement de l'évolution stratégique actuelle, tant à l'Est qu'à l'Ouest, et elles ont beaucoup plus de chances d'être employées en cas de conflit que les armes nucléaires. Un officier supérieur de l'armée française astreint à l'anonymat m'a confié qu'il s'estimait « très choqué » que le public admette mieux la possibilité d'une guerre nucléaire que d'une guerre chimique. La seconde, en effet, est beaucoup plus probable, ce qui ne saurait signifier, cependant, qu'elle mettra les belligérants à l'abri d'une escalade conduisant à l'apocalypse. Mais le silence quasi général qui entoure la recherche en matière d'armement chimique incite le public à en minimiser l'importance, quand ça n'est pas à l'ignorer, tout simplement.

Pourtant, ce même public est directement et immédiatement concerné surtout lorsque l'on sait que les études auxquelles se livrent les stratèges américains sur le stockage partent du principe qu'il faudra « peut-être » les employer un jour en Europe. C'est pour cette raison que, en janvier 1982, Mme Hoeber, sous-secrétaire adjoint à l'Armée de Terre, qui avait fait partie en 1980 d'une commission d'étude sur ce sujet, précisa que, selon elle, le stockage des gaz de combat *en dehors des États-Unis* était « souhaitable ». Le Pentagone a envisagé d'embarquer des armes binaires à bord de porte-avions, ce qui n'enthousiasme pas outre mesure la marine, mais surtout il songe à en entreposer dans certains pays d'Europe dont le plus visé est la République fédérale d'Allemagne que sa position stratégique place en première ligne.

L'Allemagne... un an après *Certain rampart 80*, ce pays a abrité un nouvel exercice de préparation à la guerre chimique baptisé *Certain encounter* qui s'est déroulé en septembre 1981 à Hassenhausen, un village blotti au pied des collines à la lisière de la forêt.

« Sous l'œil effaré des enfants, écrivait Pierre Lanfranchi, envoyé spécial de l'AFP[1], Hassenhausen, en Hesse (centre de la RFA), vit à l'heure de la guerre chimique.

« Selon le scénario de l'exercice *Certain encounter*, des manœuvres d'automne de l'OTAN, le village et ses environs ont subi un bombardement chimique par des troupes du Pacte de Varsovie. Des pots fumigènes allumés autour du village symbolisent les gaz. Par centaines, ces "soldats sans visage" de la 8ᵉ Division d'Infanterie américaine, ainsi que la protection civile et la Croix-Rouge ouest-allemande, évoluent depuis le 14

---

1. Dépêche AFP 180 254 SEP 81.

septembre dans un décor digne des grands films de science-fiction. »

« Il s'agit d'habituer les soldats à réagir physiquement et psychologiquement à une attaque chimique, expliqua le lieutenant-colonel Morton Brisker, de la 8ᵉ Division, à utiliser leur équipement de protection et à évacuer rapidement la zone touchée, à décontaminer hommes et matériel et poursuivre le combat. »

« Nous sommes convaincus que les Soviétiques utiliseront des neurotoxiques sur le champ de bataille, à moins qu'il n'existe un moyen de dissuasion adéquat », déclarait, à la même époque, un expert du Pentagone[1].

Matthew Meselson et Julian Perry Robinson ont calculé les effets d'une attaque hypothétique sur le nord de l'Allemagne[2]. Selon eux, la contamination par le sarin (considérablement moins toxique que le VX, rappelons-le) d'un objectif militaire « calculée pour provoquer 20 pour cent de pertes ennemies » pourrait « dans des conditions atmosphériques normales pour l'Allemagne » provoquer la mort « de toutes les personnes non protégées situées sous le vent jusqu'à 20 kilomètres de distance du point de chute ». Une telle attaque entraînerait également des « intoxications graves » jusqu'à 40 kilomètres.

L'Allemagne a donc toutes les raisons d'être inquiète, d'autant qu'elle ne fabrique pas elle-même d'armes chimiques. Elle s'y est engagée en 1954, lors de la signature du traité de l'Union de l'Europe occidentale. Mais elle abrite celles des Américains qui, sous couvert du statut des troupes alliées, peuvent théoriquement en implanter n'importe où et n'importe quand sans même avoir besoin d'en référer au gouvernement de Bonn[3]. Dans la pratique, les choses ne se passent cependant pas comme ça et il faudra que ce gouvernement se décide avant 1984 au plus tard pour savoir s'il accepte le stockage d'armes binaires sur son territoire. Mais, comme si la réponse à cette question allait de soi, des plans secrets ont déjà été établis quant aux futurs emplacements des dépôts de ces armes. On en prévoit cinq dont un en Forêt-Noire et un autre à proximité d'une petite ville du nom d'Allgaü.

Pour l'instant, selon un expert militaire soviétique, le major général V. Tatkov[4], « rien que dans les entrepôts américains en RFA sont stockées quelque 2 000 tonnes de substances neuro-plégiques (sic) les plus toxiques, "sarin" et "VX". Jusqu'à ces derniers temps, les états-majors otaniens ont caché les noms des endroits où sont conservées ces réserves de "mort tranquille" sur le sol européen. Or c'est là que sont concentrées des quantités de toxiques de combat qui, selon les spécialistes, suffiraient

---

1. Dépêche AFP 041 653 GMT JAN 82.
2. In *Pour la science*, article cité.
3. Cf. *Der Spiegel* du 22 février 1982.
4. « L'arme chimique US en Europe : qui menace-t-elle ? », Dépêche agence Novosti non datée.

280

pour anéantir toute la population de l'Europe. Cependant, le Commandement militaire américain a eu beau cacher la vérité à l'opinion européenne, car cette vérité a fini par se savoir, la ville de Pirmasens (Rhineland Pfalz) s'est révélée le plus proche voisin d'un entrepôt américain de ces toxiques. Des munitions chimiques sont également stockées dans les entrepôts situés à proximité des villes de Hanau et de Mannheim ».

L'entrepôt voisin de Pirmasens auquel fait allusion le major général V. Tatkov se trouve à Fischbach, près de la frontière française, et c'est, pour le moment, la plus importante réserve de neurotoxiques dont disposent les Américains en Europe.

« Or le stockage, depuis des décennies, de telles substances toxiques, entraîne d'ores et déjà des risques incalculables », déclarait le 28 avril 1981 un journaliste du magazine télévisé « Monitor » diffusé par la chaîne ouest-allemande WDR.

Citant cette émission, Jean-Pierre Ravery écrivait, dans *L'Humanité*[1] :

« Côté français, en dépit du black-out observé par la plupart des media, la nouvelle s'est rapidement répandue et l'inquiétude s'est installée parmi les habitants des Vosges du Nord. S'il advenait, en effet, que la corrosion vienne à bout de l'un des fûts remplis de gaz neurotoxiques "G" ou "V", ou bien qu'un accident de la route provoque la rupture d'une citerne de transport, où donc irait s'abattre le nuage mortel ? Le vent, qui soufflera ce jour-là, décidera si c'est en RFA, sur Pirmasens, ou en France, sur Bitche, Wissembourg et Haguenau. »

Nous avons examiné, dans un chapitre précédent, quelques incidents liés au stockage des armes toxiques. Le quotidien communiste en mentionne un autre qui se serait produit il y a cinq ans, à Massweiler, près de Pirmasens, précisément. Les habitants de ce village auraient été victimes de « malaises inexplicables » et l'on aurait appris, quelque temps après, qu'un dépôt de neurotoxiques se trouvant à cet endroit aurait été évacué et intégré à celui de Fischbach.

« Pour ne pas alarmer les populations et préserver le rigoureux secret dont on a cherché à entourer l'existence de ces arsenaux de guerre chimique en Europe, écrit encore Jean-Pierre Ravery, aucun dispositif de sécurité n'est mis en place lors des transports par camions-citernes. Un banal accident de la route et ce pourrait être la catastrophe sans précédent. »

« Catastrophe » est un euphémisme car une tonne de sarin peut tuer un milliard d'individus et une tonne de VX dix fois plus. A Fischbach, à quelques kilomètres du parc régional des Vosges du Nord, seraient entreposées 1 000 tonnes de neurotoxiques... de quoi anéantir 250 fois la population du globe.

---

1. Cf. « Stockées par les Américains à deux pas de nos frontières : 1 000 tonnes de gaz mortel in *L'Humanité* du 8 avril 1982.

Et aux risques de guerres ainsi qu'à ceux d'accidents s'ajoute encore celui de voir des groupes terroristes s'emparer de récipients et de munitions remplis de gaz toxiques afin de faire chanter la population d'un pays. Tel est peut-être le « sixième cavalier » de l'Apocalypse, le plus dangereux car le plus pernicieux, le moins décelable...

L'engrenage européen

L'Allemagne n'est pas seule concernée en Europe par le programme américain de guerre chimique. Washington a également négocié l'installation en Angleterre de munitions binaires. En avril 1980, le premier « Livre Blanc » de la Défense publié par le gouvernement de Mme Thatcher révélait pour la première fois que la Grande-Bretagne envisageait « la mise au point et la production d'armes chimiques » en vertu du principe désormais bien connu selon lequel, « à la différence de l'OTAN, l'Union soviétique dispose d'importantes réserves d'armes chimiques offensives ».

Le projet britannique devait beaucoup aux Américains. En janvier 1981, des experts des deux pays se rencontrèrent à Londres pour discuter de l'opportunité d'un réarmement chimique en Angleterre et aux États-Unis. Ces conversations ne furent pas immédiatement suivies d'effet car Londres préféra attendre la décision que prendrait Ronald Reagan pour aligner éventuellement la politique de la Grande-Bretagne sur celle de son allié.

En janvier 1982, les Américains recommandèrent d'installer dans leurs propres bases militaires en Angleterre quelques exemplaires de *Bigeye*. Au cas où...

Voilà qui rompt avec une tradition établie de manière informelle au Royaume-Uni en 1957 lorsque les Anglais se débarrassèrent de leurs derniers stocks de gaz toxiques en les immergeant dans l'Atlantique. Par la suite, ils portèrent à peu près tous leurs efforts sur une politique défensive qui en fit, au milieu des années 60, l'une des nations du monde occidental les mieux protégées contre une offensive chimique. Malheureusement, pour des motifs économiques, cette politique de défense ne paraît pas avoir été poursuivie. Mais, en ce début des années 80, ce partenaire privilégié des États-Unis n'aura pas échappé à la vague de réarmement toxique qui déferle sur la planète...

Un autre pays va vraisemblablement devoir bientôt abriter des armes binaires américaines : l'Italie.

Lors de la signature du traité de paix avec les puissances alliées, en 1947, l'Italie s'est engagée à ne pas manufacturer ou posséder de « matériel de guerre » autre que celui requis par les forces dont les Alliés l'autorisaient à se doter. La formule est vague et permet bien des interprétations mais, ailleurs, le « matériel de guerre » est défini de telle sorte qu'il inclut « lesH8 substances asphyxiantes, létales, toxiques ou incapacitantes destinées à la guerre ou fabriquées dans des quantités supérieures à celles requises pour des usages civils ». En d'autres termes, depuis 1947, l'Italie ne possède plus de force chimique offensive. Mais, comme l'Allemagne, à défaut d'avoir ses propres stocks, il va lui falloir bientôt héberger ceux des Américains. Leur emplacement est déjà connu, malgré le secret qui aurait dû entourer une telle décision. Les entrepôts se situeront dans les bases militaires de Vérone et Vicence.

Et en Belgique, possédons-nous des armes chimiques et biologiques ? demandait E. de Plaen en avril 1980 dans le dossier du GRIP consacré à ces armements[1]. Et de citer M. Van Ussel, délégué belge à la première commission de l'assemblée générale de l'ONU, qui déclarait, en 1968 :

« La Belgique ne possède ni armes biologiques ni armes chimiques. Ses possibilités scientifiques — notamment son industrie chimique fort développée — lui permettraient pourtant de constituer aisément ses propres stocks. Mais elle affirme ici solennellement qu'elle n'en a nulle intention. »

En fait, l'armée belge possède un laboratoire au sein de l'établissement NBC du centre d'études militaires de Vilvorde, où l'on s'intéresse beaucoup aux neurotoxiques.

« Cet intérêt du centre de Vilvorde pour l'étude des gaz neurotoxiques n'est peut-être pas aussi fortuit qu'on pourrait le croire, écrit E. de Plaen. Dans un livre tout récent du SIPRI[2], Julian Perry Robinson rapporte, en effet, que la Belgique possède une centaine d'obus d'artillerie remplis de sarin [...]. Il semblerait même, selon certaines sources, que ces obus soient des armes binaires [...] et que leur nombre soit de 155. [...] Tout cet armement chimique serait entreposé à Jambes. »

Par ailleurs, l'armée belge disposerait « de tout un équipement de protection dont l'utilisation est [...] enseignée dans un cours donné aux miliciens ». Selon E. de Plaen, cet équipement se compose d'un masque de protection ANP 51, d'un survêtement de protection (qui paraît, à vrai dire, assez rudimentaire par rapport à la nouvelle tenue des troupes de l'OTAN) et d'une trousse individuelle de premiers secours antigaz comprenant, entre autres, deux ampoules auto-injectables d'un antidote destiné à combattre les effets des neurotoxiques. « Comme on le voit, poursuit l'auteur de ce document, la Belgique se préoccupe de la défense vis-à-vis de gaz neurotoxiques dont le succès comme arme chimique ne fait que croître. »

La France, quant à elle, occupe une place particulière au sein des nations occidentales en matière d'armement chimique. Cette position n'est d'ailleurs que le reflet d'une politique fondée, depuis de Gaulle, sur l'autonomie et l'indépendance vis-à-vis de l'allié américain dans le

---

1. *Op. cit.*
2. Il s'agit de *Chemical weapons destruction and conversion*, déjà cité

domaine de la défense. Mais ce pays, « qui semble être le seul [...] État non membre de l'une des deux alliances à fabriquer ses propres armes chimiques, est presque aussi secret en ce qui les concerne que l'URSS[1] ».

Cette obsession du secret qui se manifeste à tous les échelons dans l'armée française n'empêche cependant pas certaines informations fondamentales de filtrer et tout porte à penser que la France est désormais la troisième puissance chimique (militaire) mondiale derrière l'URSS et les États-Unis.

Vers la fin des années 60, les stocks de gaz périmés de l'armée française furent immergés dans le golfe de Gascogne et en Méditerranée. Mais la production d'agents chimiques de guerre et la recherche de nouveaux composés ne s'interrompirent pas pour autant.

En septembre 1981, un officier supérieur m'affirmait que, bien que se révélant « très satisfaisant » tant sur le plan qualitatif que quantitatif, l'arsenal chimique de la France « ne se situe pas sur un plan d'égalité » avec celui des deux super-puissances, mais qu'en revanche « son potentiel défensif peut rivaliser avec celui des autres pays ». Ce même officier me confiait : « Les armes chimiques sont moins difficiles à mettre en œuvre que les armes nucléaires. Ce sont des armes de théâtre destinées à être utilisées sur un plan tactique pour soulager l'effort logistique d'une armée. Cependant, la décision d'employer une telle arme serait une décision politique qui ne pourrait être prise que si l'adversaire y avait recours préalablement. Mais les pays de l'Est ont déclaré que l'emploi de l'arme chimique ferait partie d'un conflit futur. Nous devons donc tirer les conclusions d'une telle déclaration... »

Il est toutefois difficile d'obtenir des informations précises sur la recherche et la production des armes chimiques en France. S'il est faux de prétendre, comme Jean-Pierre Ravery dans *L'Humanité*[2], que la France a « renoncé aux armes chimiques », alors que ce sort n'est réservé qu'aux seules armes biologiques, il est impossible d'obtenir une estimation, même approximative, de l'importance de son stock. Le secret est si bien gardé que toutes les allusions au programme chimique français figurant dans le compte rendu d'une audition devant le Congrès américain, en 1969, ont été « effacées » lors de la publication de ce document alors que ce qui concerne le Royaume-Uni, par exemple, n'a pas subi la moindre censure[3]. Il est vrai qu'à l'époque l'Angleterre ne possédait plus de munitions chimiques.

On sait toutefois qu'au sein du ministère de la Défense la responsabilité

---

1. Julian Perry Robinson in *Chemical weapons*, etc, *op. cit.*

2. Article cité.

3. *International implications of dumping poisonous gas and waste into oceans : hearings before the subcommittee on international organizations and movements of the committee on foreign affairs*, US House of Representatives, 91st Congress, 1st session, Washington, mai 1969.

de la recherche et de la mise au point des armes chimiques relève de la délégation générale pour l'armement (DGA, ex-DMA) et, en particulier de la direction des recherches, études et techniques (DRET, ex-DRME : Direction des recherches et moyens d'essais) où il existe une « sous-direction Défense Nucléaire, Biologique et Chimique ». Le mot « biologique » ne doit pas porter à confusion. La France ne détient aucun potentiel de cette nature mais elle poursuit des recherches défensives dans ce domaine comme la loi dont elle s'est elle-même dotée l'y autorise.

Y. Le Hénaff, qui met (peut-être un peu imprudemment) sur un pied d'égalité recherches défensive et offensive et armes biologiques et chimiques, écrit[1] :

« Une deuxième chaîne de responsabilité dans la recherche et le développement des armes CB semble s'étendre à travers les différents services du Ministère, notamment les quatre états-majors. » Puis il cite d'« autres services » relevant de leur responsabilité dont le service de santé des armées et le service biologique et vétérinaire des armées ainsi que « diverses autres écoles d'entraînement à la guerre BC ».

La sous-direction de l'action scientifique et technique relevant de la direction centrale du service des armées s'occupe effectivement de recherches défensives en matière de guerre biologique et chimique. Ce travail est effectué pour une bonne part au centre de recherches du Service de Santé des armées à Lyon où l'on se livre à des expériences thérapeutiques et prophylaxiques pour combattre les effets de ces armes et où l'on étudie la psychologie des combattants en atmosphère contaminée.

Par ailleurs, il existe (au moins) deux écoles chargées de former les spécialistes de la guerre NBC en France. La première est le centre d'instruction spécialisée de l'armée de l'air, situé sur la base aérienne 120 à Cazaux, en Gironde, et la seconde, l'École de défense NBC de l'armée de terre, ex-École militaire des armes spéciales, de Grenoble. Ce dernier établissement forme des officiers, des sous-officiers et des hommes du rang pour en faire des spécialistes NBC, mais surtout il participe à *l'élaboration de la doctrine d'emploi et de défense NBC,* à l'activité des groupes de travail NBC des commissions consultatives et des commissions de règlement et à *l'expérimentation de certains matériels nouveaux* ainsi qu'à *la mise en œuvre d'équipes spécialisées.*

L'éventualité d'une guerre chimique déclenchée par les Soviétiques inquiète les états-majors français. C'est pourquoi, à partir de 1979, on a commencé à tenir compte de ce type de menace dans les manœuvres.

« Quand on emploie les armes chimiques, le rythme des manœuvres est considérablement ralenti, m'a confié un officier, mais les autorités ont voulu que l'on joue de ce scénario. »

---

1. Le Hénaff, *op. cit.*

A la suite d'un rapport du Sénat, on a également décidé d'instituer des régiments de protection contre la menace chimique dans les trois corps d'armée. C'est ce qu'a révélé M. Jacques Chaumont, sénateur RPR de la Sarthe, dans le rapport qu'il a consacré au budget militaire pour 1982. Ce document est des plus intéressants car c'est l'un des rares dont on dispose où il soit ouvertement question de certains aspects de la politique française en matière de guerre chimique en ce début des années 80.

« La menace chimique n'apparaît plus, hélas, comme une menace hypothétique », écrit le sénateur Chaumont. Et, plus loin : « Votre rapporteur confesse que, lorsqu'il a cru intéressant d'étudier cette année l'état de préparation de notre Armée de Terre aux risques d'une agression chimique, il pensait découvrir de très graves lacunes et ne s'attendait pas à trouver une telle prise de conscience du problème de la part de l'état-major. » Mais « il reste que, *face à l'ampleur de la menace qui existe dans ce domaine, aucune lacune ne peut être autorisée et le très réel effort accompli depuis plusieurs années doit impérativement être accéléré* ».

Parmi les mesures mentionnées par le sénateur, il est prévu de doter chaque combattant affecté dans les forces françaises en Allemagne de deux collections S3P, c'est-à-dire d'un survêtement de protection à port permanent qui, stocké en position d'attente sur le terrain à proximité de chaque soldat, peut être enfilé en moins d'une minute, y compris la mise en place du masque respiratoire. Le S3P est beaucoup plus résistant que les anciens matériels de protection de l'armée française du modèle 63.

Les autres combattants recevront au cours des années à venir une collection modèle 63 et une collection S3P pour chacun d'entre eux. On prévoit qu'en 1987 la totalité des unités combattantes d'active et mobilisées aura reçu deux collections S3P par homme.

« *Compte tenu de la menace qui existe à l'Est dans le domaine des armes chimiques*, conclut le sénateur Chaumont, *et compte tenu du caractère extrêmement pénalisant de cette menace unilatérale qui peut avoir pour effet de contraindre nos forces armées à une quasi-passivité sans possibilité de réagir, il apparaît extrêmement urgent de rechercher les réactions appropriées à ce nouveau défi.* »

Ce rapport ne traite que des aspects défensifs de la politique française en matière de guerre chimique mais, lorsqu'il est question de « réactions appropriées », on est en droit de penser que celles-ci comportent une part offensive non négligeable. La-dessus, le sénateur se montre discret, mais l'on sait que la France s'intéresse de « très près » à l'arme binaire.

Cet intérêt n'est pas nouveau. Il est apparu vers 1973-1974, lorsque le Pr Dubois, alors directeur des recherches et des moyens d'essais des armées, rencontra des représentants de la fondation internationale de recherche Batelle, d'origine américaine mais ayant son siège à Genève[1],

---

1. Cf. *Tout va bien*, revue éditée à Petit-Lancy (Suisse), n° de mai 1974.

et s'entretint avec eux des avantages du système binaire. En août 1975, des spécialistes américains de l'arsenal d'Edgewood firent un exposé sur ·l'état d'avancement des armes binaires devant leurs homologues français et, depuis, l'intérêt des militaires n'a cessé de croître en France pour ce système révolutionnaire.

La recherche purement offensive, dans ce pays, paraît s'opérer comme par le passé au centre d'études du Bouchet et les travaux d'application de ces recherches seraient effectués à Aubervilliers et à Toulouse, où il semble y avoir des usines pilotes et autres laboratoires pour la production de gaz neurotoxiques et similaires[1].

Quant au centre d'essais en plein air de ces armes, on n'en connaît pas l'emplacement depuis l'abandon, en 1966, de la base B II-Namous, dans le Sahara algérien. Peut-être le Polygone d'Entressen, dans les Bouches-du-Rhône, remplit-il toujours cette fonction mais rien de précis n'a été publié à ce sujet dans la littérature « ouverte ».

La « menace » soviétique

L'Occident se prépare donc à répondre à une « menace » dont tout le monde semble persuadé qu'elle n'a plus rien d'hypothétique. Le fait est qu'elle est devenue bien réelle au cours des dernières années mais, en toute honnêteté, il paraît bien délicat d'en faire porter la responsabilité sur un camp plutôt que sur l'autre.

« La préparation à la guerre chimique et biologique augmente le risque de dissémination accidentelle ou délibérée de substances ou d'agents à effets létaux, écrivait en 1970 le Dr Viola W. Bernard. De plus, en se préparant à cette forme de guerre, un pays incite les autres à en faire autant, puisqu'il accrédite la thèse de ceux qui réagissent à la crainte d'extermination en inventant des justifications à la guerre chimique et biologique. Ainsi, la peur qui s'installe de part et d'autre dans les nations et les réactions de défense par projection et rationalisation contribuent à accélérer la course aux armements chimiques et biologiques qui menace l'humanité tout entière. »

Bien que ces lignes aient plus d'une dizaine d'années, on ne peut trouver meilleure description du phénomène auquel on assiste aujourd'hui.

Bien entendu, à l'Est, ce sont les États-Unis et, d'une manière plus générale, les pays de l'OTAN que l'on accuse de constituer une menace pour la paix dans le monde, et le réarmement chimique américain permet, au passage, d'alimenter quelques-uns des thèmes pacifistes actuels dont on sait le succès qu'ils remportent auprès d'une fraction sans cesse plus importante de la population occidentale.

---

1. Cf. *CB weapons today*, SIPRI, *op. cit.*

« La Maison-Blanche veut stocker la nouvelle génération d'armes chimiques en Europe, déclarait au début de l'année 1982 l'académicien Oleg Réoutov à Youri Véjlivtsev de l'agence Novosti[1], car selon les plans de ses stratèges la guerre chimique aura lieu en Europe occidentale. Ainsi, James Wade, adjoint du conseiller du secrétaire à la Défense des États-Unis, a ouvertement déclaré qu'il est indispensable d'accélérer l'équipement de l'armée américaine en armes chimiques ultramodernes pour "avoir la possibilité de livrer une guerre chimique de grande envergure en Europe contre les pays du Traité de Varsovie". Je suis profondément convaincu que ces plans constituent un immense danger pour les peuples européens. Je ne parle même pas du fait que l'idée cynique des militaristes américains de planifier une guerre en Europe que feraient les Européens est déjà révoltante par elle-même.

« Il est doublement monstrueux de parler ouvertement de la perspective de la guerre chimique, surtout dans les régions à population dense. L'arme chimique constitue un danger bien plus grand pour la population civile que pour l'armée. On peut équiper l'armée de moyens de protection (masques à gaz, vêtements et abris spéciaux) alors que la population est pratiquement livrée à elle-même et sans défense. »

Les Soviétiques nient, évidemment, la supériorité que leur prête l'Occident en matière d'armement chimique.

« Pour conférer à ses plans un caractère prétendument forcé, et pour dissimuler le danger qu'ils recèlent, l'Administration de Washington alimente le mythe de la "menace chimique soviétique", de la "supériorité chimique soviétique". Ceci étant, elle n'hésite pas à recourir à des mensonges directs et à désinformer son peuple. Rappelons l'alarme que la direction américaine a sonnée au sujet de son "retard en bombardiers" dans les années 50 et de son "retard en fusées" dans les années 60. Par la suite, il s'est avéré chaque fois qu'il n'y avait pas eu trace de retard. Au moyen de cette tromperie, le Pentagone faisait débourser les contribuables, ce qui entraînait une nouvelle spire de la course aux armements. Il se passe actuellement la même chose pour l'arme chimique[2]. »

Selon Moscou, les stocks américains de susbtances toxiques seraient voisins de 150 000 tonnes, dont près de 3 millions d'obus, des dizaines de bombes d'aviation, des centaines de milliers de mines et de fougasses et une multitude d'autres munitions chimiques[3]. Mais les Russes restent étonnamment discrets sur leurs propres réserves.

Washington, de son côté, prétend que, lorsque le Congrès autorisa en 1980 la construction d'une usine de gaz binaire, l'armée américaine

---

1. « Reagan prépare la guerre des gaz limitée à l'Europe », in *Actualités soviétiques*, n° 284 du 16 février 1982. Oleg Réoutov est un chimiste vice-président du comité soviétique de défense de la paix, participant au mouvement de Pugwash.

2. Major général V. Tatkov, dépêche Novosti non datée.

3. Dépêche Novosti non datée.

disposait d'un stock de 42 000 tonnes d'agents chimiques toxiques « immédiatement utilisables » par une unité de deux mille spécialistes environ, alors qu'à la même époque l'adversaire aurait détenu 400 000 tonnes de produits chimiques "immédiatement utilisables" par une force autonome de cent mille spécialistes[1].

Quelle réalité recouvrent ces chiffres ? Il est bien difficile de le savoir. En fait, les estimations en provenance des pays de l'OTAN des moyens soviétiques de guerre chimique varient considérablement d'une source à l'autre. Les informations les plus "raisonnables" et les plus fiables semblent provenir d'un spécialiste allemand fréquemment cité par Julian Perry Robinson : H. Rülhe[2]. Selon lui, l'Union soviétique disposerait d'une industrie chimique capable de produire 30 000 tonnes de munitions par an et son stock d'agents « immédiatement utilisables » oscillerait entre 200 000 et 700 000 tonnes. La fourchette est large; c'est pourquoi les spécialistes de l'OTAN estiment le plus souvent que le vrai chiffre se situe vraisemblablement entre 350 000 et 400 000 tonnes et qu'il est environ dix fois supérieur à celui du stock américain. Mais cela est violemment contesté par quelqu'un comme Matthew Meselson qui juge « totalement ridicule » (« *absolutely ludicrous* ») de telles estimations alors que le porte-parole du Pentagone, Lee DeLorme, pense qu'elles sont probablement assez proches de la vérité...

En janvier 1981, la très sérieuse *Revue internationale de défense,* éditée en Suisse[3], a publié un long dossier sur les moyens soviétiques de guerre chimique réalisé par C.J. Dick. Il ressort de cette étude que les Russes sont particulièrement bien préparés sur le plan défensif. Cela, tout le monde le reconnaît.

La préparation de l'Armée Rouge a commencé dans les années 20 et elle s'est poursuivie depuis sans relâche.

« Tous les soldats soviétiques reçoivent aujourd'hui des vêtements NBC très efficaces, écrit C.J. Dick, ainsi que des lots individuels de décontamination et des antidotes qu'ils s'exercent régulièrement à utiliser. »

Les Russes n'ont pas attendu la fin des années 70 pour intégrer ce type de guerre aux manœuvres du pacte de Varsovie. Quant à leurs antidotes, l'un d'eux serait plus efficace contre le soman que celui, à base d'atropine, utilisé par les troupes de l'OTAN.

Les mesures de protection contre les armes toxiques ne concernent pas que les combattants. Chaque véhicule est muni de circuits de filtrage et de surpression et à l'intérieur se trouve une trousse de décontamination. En outre, on a prévu des abris fournis complets ou par éléments pour les

---

1. *Le Monde* du 10 février 1982.
2. Cf. *Chemical weapons, destruction and conversion, op. cit.*
3. C/O Interavia S.A., 86, avenue Louis-Casaï, Case Postale 162, 1216 Cointrin-Genève.

personnels « dont les activités sont incompatibles avec le port permanent des tenues de protection (membres des états-majors et des antennes chirurgicales, par exemple) ».

Toutes ces mesures défensives sont définies et mises au point par une puissante organisation forte d'environ 100 000 spécialistes commandés par le colonel général V.K. Pikalov : la VKhV[1] (Forces chimiques militaires). Le rôle de la VKhV paraît bien être de nature purement défensive et ses unités ne semblent pas chargées de la mise en œuvre des agents toxiques. C'est là une précision importante car les experts occidentaux ne manquent jamais de citer le chiffre impressionnant de 100 000 spécialistes mais ils omettent presque toujours de préciser que leur mission ne revêt (apparemment) aucun caractère offensif. La nuance, pourtant, est capitale.

D'autres armes participent à la défense chimique. C'est le cas du génie qui, écrit C.J. Dick, « est responsable de la purification des eaux et de la préparation d'emplacements pour l'implantation de stations de décontamination » ou du service de santé, voire de l'intendance.

A tous les niveaux, l'Armée Rouge dispose d'unités et d'équipes spéciales de défense chimique. La VKhV n'interviendrait donc que lorsque « les opérations de décontamination dépassent les possibilités propres des unités de combat ou lorsque celles-ci n'ont ni le temps ni les moyens de les effectuer autrement que de façon sommaire ». Ces « forces chimiques militaires » seraient, enfin, chargées de missions de reconnaissance. Mais chaque compagnie comporte, de toute façon, un détachement spécial entraîné au maniement d'un équipement de détection : le VPKhR.

La préparation à la guerre chimique sur le mode défensif déborde l'armée. Il existe une organisation civile groupant quinze millions d'individus (douze millions d'hommes et trois millions de femmes), la DOSAAF, qui enseigne à la population les techniques de défense NBC. « Tous ses membres reçoivent vingt heures de cours en salle et s'entraînent sur le terrain à l'emploi de vêtements de protection et des moyens de premiers secours et de décontamination. »

« En lisant les publications d'origine soviétique, conclut C.J. Dick, on ne peut manquer d'être impressionné par l'ampleur de la préparation de l'URSS à la guerre chimique. [...] Le degré de préparation de l'OTAN est, à tous égards (méthodes, moyens et instructions), très inférieur à celui du pacte de Varsovie, même dans une région aussi menacée que le Centre-Europe. Il importe de ne pas oublier dans ce contexte que celui des adversaires qui lancerait le premier une attaque chimique s'assurerait un avantage considérable, voire décisif. »

Les experts occidentaux sont formels : cette préparation sur le mode

_____

1. Il arrive que l'on rencontre la dénomination BKhV dans la littérature occidentale mais, en tout état de cause, il s'agit de la même organisation.

défensif se double d'une préparation d'ordre offensif tout aussi impressionnante.

On ignore, à vrai dire, la nature exacte des agents toxiques composant l'arsenal soviétique. L'un des rares dont la presse d'URSS fasse parfois mention est un dérivé du soman, le VR55. Il est vraisemblable que les Russes disposent également de VX, bien que cela ne soit confirmé nulle part, mais la formule de ce supertoxique, longtemps tenue secrète, traîne à présent dans la plupart des publications spécialisées occidentales. Il serait donc étonnant que les Soviétiques ne s'en soient pas emparés. On les soupçonne également de conserver des stocks importants de gaz considérés aujourd'hui comme « dépassés », tels que le phosgène et autres vésicants de la Première Guerre mondiale, « compte tenu de leur répugnance à se débarrasser de tout ce qui peut encore servir », note, non sans humour, C.J. Dick.

Dans son rapport, le sénateur Chaumont estime qu'« *environ 30 % des munitions soviétiques* seraient équipées de têtes chimiques ». D'autres sources[1] vont jusqu'à affirmer que 50 % des munitions entreposées par les forces du pacte de Varsovie en Europe centrale seraient équipées de la sorte.

« Ces munitions pourraient être délivrées par les *nouvelles générations des missiles tactiques,* poursuit le sénateur, qui pourraient ainsi atteindre la profondeur du dispositif occidental de même que par les *appareils d'appui tactiques* les plus récents tels que le MIG27 *Floger* ou le SU24 *Fencer.* Les canons, obusiers et mortiers sont également équipés d'un certain nombre d'ogives chimiques, mais ces dernières ne contiennent qu'une faible quantité d'agents. C'est le *lance-roquettes multitubes* qui paraît être le vecteur de contact privilégié dans le domaine de la délivrance de charges chimiques au contact. »

Pour qu'éclate une guerre chimique, il faut que cette technologie très sophistiquée serve une volonté et réponde à une doctrine militaire précise. Celle des Soviétiques n'affirme pas ouvertement que les moyens chimiques font partie de ceux que l'Armée Rouge serait prête à déployer en cas de conflit. Mais aucun pays n'ira jamais avouer qu'il entend prendre l'initiative d'une offensive toxique. Il y a à cela des raisons diplomatiques évidentes, mais aussi des raisons stratégiques car le succès d'une telle attaque dépendrait de la surprise et de la panique qu'elle ne manquerait pas de provoquer dans les rangs ennemis. Sur ce plan, rien n'a changé depuis la Première Guerre mondiale.

Or « les auteurs soviétiques insistent toujours sur l'importance du *nombre* et de la *surprise,* remarque le sénateur Chaumont. La victoire réside, selon la doctrine soviétique, dans la capacité de porter, par

---

1. Cf. « Chemical warfare alternatives : defense and negociations options », par Uwe Nerlich in *NATO's strategic options,* Pergamon Press, New York, 1981.

surprise, *des coups déterminants et en profondeur.* A cet égard, une attaque chimique constituerait un instrument privilégié au service de cette doctrine et rien n'interdit de penser qu'une telle attaque pourrait se dérouler dans les mêmes conditions qu'une frappe nucléaire, c'est-à-dire de façon massive et sur toute l'étendue du théâtre d'opérations *et de ses arrières.* De fait, *les publications militaires spécialisées soviétiques s'intéressent de plus en plus aux moyens chimiques* parfois au détriment des armes nucléaires ».

Ces mots sont à rapprocher de quelques-unes des conclusions de C.J. Dick, qui écrit :

« On peut [...] déduire [de la préparation des Soviétiques à la guerre chimique] que les agents toxiques, qu'ils soient ou non destinés à des "destructions massives", font désormais partie de leur panoplie. Renoncer à leur emploi serait contraire au précepte suivant du maréchal S.D. Soko-lovsky : "Une guerre doit être menée avec résolution, en utilisant les forces et les moyens nécessaires pour atteindre les objectifs politiques et militaires. Cet impératif est incompatible avec le désir de limiter l'échelle des opérations." Les Soviétiques n'accepteraient pas volontiers de se priver des avantages qu'ils ont acquis sur le plan de l'instruction et sur celui du matériel. Ils n'éprouveraient probablement aucun scrupule à se servir d'armes chimiques dans le cas d'un conflit contre l'OTAN qui serait fatal pour leur régime s'ils n'en sortaient pas victorieux. »

Les civils en première ligne

Que l'offensive chimique, si elle a lieu, parte de l'Est ou de l'Ouest importe peu, au fond. Dans un cas comme dans l'autre, les premières victimes seront les civils. Une armée disciplinée, équipée de masques et de vêtements de protection, sera peut-être ralentie dans ses déplacements mais elle n'aura pas trop à souffrir des agents toxiques que l'on connaît actuellement. Tandis que les civils !...

On estime aujourd'hui qu'une confrontation entre les forces de l'OTAN et celles du pacte de Varsovie en Europe centrale ferait *des dizaines de millions de victimes dans la population.*

Mais aussi, comment protéger les civils contre une arme aux effets aussi pernicieux ? Un rapport du Sénat établi en avril 1980 par MM. Raymond Marcellin et Édouard Bonnefous[1] expose le problème en ces termes :

« La protection contre ces types de dangers [biologiques et chimiques] apparaît comme extrêmement aléatoire en raison de leur grande diversité. [...] Il serait cependant souhaitable que renseignements et études soient menés activement en cette matière. En effet, *au-delà des accords*

---

1. Rapport n° 236 du 29 avril 1980 : *Le niveau de protection de la population civile française en temps de crise.*

internationaux peu efficaces en l'absence de possibilités réelles de contrôle[1], on sait que les USA, la Grande-Bretagne et l'Égypte poursuivent des recherches dans les domaines chimiques et biologiques à des fins défensives[2]. L'URSS poursuit de son côté des recherches tant sur les aspects offensifs que défensifs de la guerre bactériologique [*sic*], auxquelles les pays du pacte de Varsovie sont largement associés. » Et, plus loin : « S'abstenir [de se préparer à ce genre d'agression et de se protéger contre ses effets] équivaudrait à abdiquer l'esprit de défense. Pour être crédible, une défense doit aujourd'hui être sans faille aucune. »

Ces remarques ne semblent pas avoir été suivies de beaucoup d'effets. Fin 1981, un spécialiste français de défense NBC à qui je demandais si la France était préparée pour affronter une offensive chimique ou biologique me répondit : « Préparée, c'est beaucoup dire ! Mais est-ce qu'il existe un pays au monde qui peut se vanter de l'être ? Cela requiert des mesures de protection très délicates, plus encore en ce qui concerne les agents biologiques que les agents chimiques, d'ailleurs, car leur détection est beaucoup plus difficile. »

De nombreux obstacles retardent ou compromettent la réalisation d'une politique de défense civile efficace. Il serait fastidieux de les énumérer mais les plus importants sont souvent d'ordre économique. Schématiquement, on pourrait dire qu'informer, cela coûte cher, construire des abris, cela coûte cher, et prévoir des tenues de protection pour la population, cela coûte encore plus cher.

Prenons ce que MM. Marcellin et Bonnefous appellent « la question des masques à gaz ».

« On ne saurait laisser en l'état la situation en matière de masques à gaz, écrivent-ils. Il faut cependant savoir qu'un masque coûte près de 300 F : la dotation de l'ensemble de la population semble d'autant moins réaliste que n'existe actuellement aucune mesure d'accompagnement telle que la mise à l'abri. »

On pourrait ajouter que, face aux neurotoxiques, la protection offerte par le seul masque à gaz est quasiment nulle si elle ne s'accompagne pas du port d'une tenue mettant à l'abri toutes les parties du corps.

La plupart des autres pays occidentaux ne paraissent guère mieux lotis que la France en matière de protection civile. En Europe, seuls la Suisse et les pays scandinaves semblent avoir consacré une part importante de leur budget à cet aspect de leur défense. La Belgique, par contre, paraît complètement démunie, et l'Allemagne — pourtant la nation la plus exposée — n'est guère mieux lotie malgré le vote d'une loi, en 1965, rendant théoriquement obligatoire l'implantation d'abris dans toutes les constructions nouvelles. Dans le cadre de la mise en œuvre du concept de

---

1. C'est moi qui souligne
2. Ne perdons pas de vue que ce texte date de 1980.

« protection minimale », les responsables allemands estiment que 30 % de la population devraient être abrités. Cet objectif est loin d'être réalisé car, ici comme ailleurs, des motifs économiques s'y opposent.

« Compte tenu de la situation exposée de la RFA en cas de conflit, écrivent MM. Marcellin et Bonnefous, l'évaluation de son système de protection est délicate. Plus que tout autre pays, la RFA a été conduite à miser sur la dissuasion nucléaire assurée par les États-Unis. C'est ce qui explique que, concrètement, le niveau de protection réalisé soit très faible. »

Il est regrettable de voir l'importance désormais accordée en Occident par certains pays comme les États-Unis à un armement chimique purement offensif alors qu'une « bonne » défense dans ce domaine, tant sur le plan civil que militaire, ne pourrait que contribuer à résoudre les fameux problèmes de contrôle auxquels se heurtent actuellement les négociations pour un accord de désarmement. Comme le soulignent Matthew Meselson et Julian Perry Robinson[1], « l'existence d'une bonne défense accroît le niveau de l'armement chimique que l'adversaire doit atteindre pour constituer une menace sérieuse. Cela rend plus difficile la dissimulation de tels préparatifs et réduit la nécessité de la vérification sur place ».

En l'absence d'une politique de défense réellement efficace, on a vu, au cours des deux dernières années, se multiplier les initiatives privées visant à offrir au public une protection NBC « sur mesure ». Aux États-Unis, le phénomène des « Survivants », ces gens qui préparent eux-mêmes leur défense contre un danger pouvant revêtir n'importe quel aspect, a donné naissance à quantité de nouveaux commerces et industries proposant à leurs clients vêtements de protection, abris individuels, savon décontaminant ou rations de survie. En Europe, ce marché s'est révélé quasi inexistant. Un fabricant comme Paul Boyé, « fournisseur agréé de vêtements de protection NBC de l'Armée française », propose cependant au public des tenues très sophistiquées constituées « de vestes et de pantalons ou de combinaisons [réalisées] dans un complexe de plusieurs matériaux disposés en couches superposées, perméables à l'air, imperméables à la pluie et aux vapeurs toxiques[2] », mais les clients sont rares, d'autant que le produit est cher... très cher. On trouve à Paris, près de la gare Saint-Lazare, une boutique spécialisée dans ce genre de matériel. On peut y acheter un kit de protection individuelle NBC comprenant vêtements, masque, détecteur et matériel de survie ou différentes sortes de « respirateurs » contre les gaz et les poussières non radioactifs, et l'on peut également y commander un abri... si l'on en a les moyens. Certains fabricants sont allés jusqu'à concevoir et réaliser un berceau ventilé de

---

1. In *Pour la science*, article cité.
2. Extrait d'un tract publicitaire.

protection des enfants en bas âge muni d'une assistance respiratoire. Mais là aussi les demandes ne sont pas nombreuses. Dans l'esprit du public, un conflit moderne éclatant en Europe équivaudrait à une sorte d'Apocalypse. Or on ne se protège pas contre l'Apocalypse... D'autant que, lorsque l'on songe à la guerre, ça n'est généralement pas en termes d'offensive chimique ou biologique mais nucléaire. Et contre le nucléaire on pense souvent qu'il n'y a rien à faire. De toute façon, le public sous-estime l'importance des armes BC car on n'en parle pour ainsi dire jamais. Pourtant, il est infiniment plus facile de se protéger contre leurs effets que contre ceux d'une charge nucléaire...

Cependant, la protection civile ne doit pas être laissée à l'initiative privée. Seule une élite fortunée peut se payer les équipements et matériels proposés par les fabricants spécialisés. Il incombe donc aux pouvoirs publics de « réanimer la défense civile » en donnant la priorité à l'*information* (cette « vaccination préventive » contre l'« effet de choc » des agressions NBC, selon les sénateurs Marcellin et Bonnefous) et en faisant porter leurs efforts sur ces trois urgences que sont l'*alerte*, les *secours* et les *abris*.

Toutefois, quels que soient les efforts déployés, il est une menace qu'il sera toujours difficile de circonscrire : la menace biologique.

Le retour du biologique ?

Une offensive biologique « stratégique » n'est sans doute pas à craindre dans l'immédiat. Les effets de la convention de 1972 se font sentir à l'Est comme à l'Ouest et, malgré Sverdlovsk, il ne semble pas que les militaires portent beaucoup d'intérêt à une arme aux effets aussi pernicieux. Pourtant, cette menace préoccupe beaucoup les états-majors, en ce moment.

« ... des actions de chantage ou de terrorisme utilisant des agents bactériologiques sont possibles, extrêmement déstabilisantes et d'autant plus génératrices de panique que l'agent agresseur est indéterminé », écrivent nos deux sénateurs.

En France, depuis 1972, la protection de la population dans ce domaine relève du ministère de l'Intérieur, en liaison avec les autres ministères. Mais, en 1980, la somme attribuée à ce titre était de 1,5 million de francs seulement, ce qui est tout à fait insuffisant pour promouvoir quoi que ce soit de concret dans ce domaine. Et d'ailleurs, que faire ? Contre quoi se défendre ?

Une action terroriste utilisant des agents biologiques peut revêtir de nombreux aspects. Or, face à de telles opérations, nous sommes totalement démunis.

Plusieurs épisodes appartenant à un passé récent montrent pourtant que le danger est bien réel. En 1972, par exemple, deux étudiants furent arrêtés à Chicago alors qu'ils s'apprêtaient à empoisonner l'eau de la ville avec *Salmonella typhi*, la bactérie responsable de la fièvre typhoïde, que l'un d'eux préparait en laboratoire. Plus près de nous, en février 1978, des oranges empoisonnées au mercure provoquèrent, on s'en souvient, une véritable panique en Europe.

Le mercure n'est pas un agent biologique, mais cet épisode n'en est pas moins très éloquent quant à la vulnérabilité de nos sociétés face à des actions de ce genre. L'« affaire des oranges » débuta le 1er février 1978 aux Pays-Bas lorsque cinq enfants de Maastricht furent intoxiqués par des fruits en provenance d'Israël. On leur fit subir un lavage d'estomac et l'incident n'eut pas de conséquence fatale. Mais le ministère néerlandais de la Santé fit savoir que quatorze fruits contaminés avaient été découverts après enquête. Huit d'entre eux provenaient d'Israël et les autres d'Espagne.

Dans une lettre adressée à dix-huit pays européens et arabes, une organisation s'intitulant *Armée arabe révolutionnaire : Commandement palestinien* revendiqua l'empoisonnement de ces fruits dans le but de « saboter l'économie israélienne ». L'OLP et le Front Populaire pour la Libération de la Palestine affirmèrent aussitôt qu'il n'existait aucun mouvement palestinien portant ce nom. Mais d'autres oranges contaminées furent découvertes en Allemagne. La RFA, les Pays-Bas, la Belgique et le Danemark décidèrent alors de fermer provisoirement leurs frontières à l'importation d'oranges israéliennes.

On n'a jamais su qui avait empoisonné ces fruits. Ni dans quel dessein. Car, on l'a vu, toutes les oranges contaminées ne provenaient pas d'Israël. Les victimes furent peu nombreuses et purent toutes être soignées à temps. Cependant, « ce ne sont pas les traces de mercure qui sont le plus étonnantes dans cette affaire [...], mais la traînée de poudre qui a parcouru instantanément l'Europe une fois la nouvelle apprise. [...] Le déferlement de cette formidable psychose de crainte est à considérer de près. Elle manifeste que la sensibilité collective est prête à recevoir de la manière la plus dramatique, la plus globale, un fait divers local qui, sans les moyens d'information d'aujourd'hui, n'aurait pas "empoisonné" des millions de ménagères[1]. »

Ce que le rédacteur de ces lignes appelle, plus loin, l'« onde de choc psychologique » n'est pas à négliger, et quand on voit la panique provoquée par quelques oranges empoisonnées on imagine aisément ce qu'il adviendrait de nos sociétés dans le cas d'une offensive plus ambitieuse...

Pour en revenir aux agents biologiques *stricto sensu*, ce qui est donc surtout à craindre, aujourd'hui, c'est leur utilisation en tant qu'instruments d'opérations terroristes ou de sabotage en raison de leurs effets hautement « déstabilisants ». Le risque est d'autant plus grand que la

---

1. *Le Monde* du 3 février 1978.

biologie est une science en plein développement. Des industries civiles telles que celles des fermentations connaissent de profondes mutations qui constituent autant de bienfaits pour l'humanité tant qu'elles restent entre les mains de chercheurs dépourvus d'intentions hostiles. Il en va de même pour les manipulations génétiques qui permettent de mofidier des bactéries pour leur faire produire des protéines difficiles à obtenir autrement. C'est par de telles « manipulations » que passera vraisemblablement, un jour, la victoire sur le cancer mais, en recombinant l'ADN d'espèces différentes, les savants peuvent tout aussi bien créer un virus ou une bactérie résistant à tous les moyens thérapeutiques connus. Y. Le Hénaff raconte, à ce sujet, que la Fondation Southwest de San Antonio, est parvenue à produire un virus hybride cancérigène pour des espèces aussi variées que la souris, le chien, le chimpanzé et... le tissu humain cultivé en laboratoire. « Qu'adviendrait-il si ce virus s'échappait et attaquait tous les mammifères de la nature ? » demande-t-il. Oui, qu'adviendrait-il ?

Des chercheurs de l'Institut Pasteur m'ont affirmé qu'il est « très difficile, pour ne pas dire impossible » de créer des maladies nouvelles, mais que ce qui est tout à fait possible, par contre, c'est de « créer des formes cliniques inhabituelles et extrêmement résistantes de maladies connues ».

« Le seul frein à l'arme biologique, m'a dit l'un d'eux[1], c'est le risque de la voir se retourner contre son utilisateur. Cela empêche d'en faire une arme de destruction massive. Mais ça en fait une arme de terreur et de sabotage extrêmement efficace. Par ailleurs, avec certaines maladies comme la variole, les risques d'un "choc en retour" disparaissent complètement pour l'agresseur s'il a pris la précaution de se faire vacciner. »

Bientôt, un agresseur éventuel n'aura peut-être même plus besoin de faire vacciner ses troupes pour éviter de voir l'arme biologique se retourner contre elles. Les développements de la génétique permettent d'espérer la « programmation » d'organismes pathogènes afin d'en circonscrire les effets dans l'espace comme dans le temps. Le seul frein à l'utilisation de cette arme disparaîtra alors complètement car il suffira de mofidier la fiche signalétique de l'agent sélectionné pour le voir accomplir sa mission sur une population donnée à l'exclusion de toute autre. L'acquisition — tant attendue — de cette maîtrise des effets de l'arme biologique en fera alors un instrument de guerre d'une puissance incommensurable. Mais cela nécessitera, de la part de l'agresseur, des moyens techniques considérables.

---

1. Ces chercheurs, comme la plupart des militaires que j'ai rencontrés lors de la préparation de ce livre, m'ont demandé de conserver leur anonymat pour des raisons diverses tenant, le plus souvent, à la nature des travaux qu'ils effectuent. Je respecte leur vœux en priant le lecteur de bien vouloir m'excuser de ne pouvoir me montrer plus précis quant à l'identité de certains de mes interlocuteurs.

Pour l'instant, nous n'en sommes pas encore là et la mise au point d'une opération terroriste ou de sabotage biologique ne réclame pas de moyens importants. Il suffit de choisir un vecteur permettant d'atteindre un grand nombre de personnes à la fois. Et contrairement à ce que l'on pourrait penser, le meilleur de ces vecteurs n'est peut-être pas le système d'alimentation en eau d'une ville.

« Pour de multiples raisons, m'a expliqué M. Étienne Mallet, chargé de mission auprès de la direction générale de la Compagnie Générale des Eaux[1], l'eau, avant ou après traitement, est un très mauvais vecteur pour un saboteur éventuel désirant porter atteinte à la santé d'une population urbaine. L'air ou les aliments, par exemple, sont beaucoup plus exposés...

« Toutefois, au cas où une telle situation surviendrait, les distributions d'eau ont de multiples parades immédiatement disponibles dont la plus efficace est la possibilité de faire appel pendant assez longtemps à des ressources alternatives, ceci par le jeu d'interconnexions de secours disséminées tout au long des réseaux; les contrôles nombreux effectués quotidiennement en divers points des canalisations permettant de déclencher une alerte rapide.

« L'ensemble de ces dispositifs sont bien entendu conçus pour une situation normale. En cas de crise ou de guerre, le problème serait d'un tout autre ordre et, comme beaucoup de structures d'intérêt vital pour le pays, la distribution d'eau passerait sous contrôle militaire.

« Les dispositions, dans de telles situations, ne sont plus de notre ressort... »

Cet avis est partagé par M. Jacques Flahaut, chef de la division études environnement de la RATP, qui m'a déclaré, au cours d'un entretien : « Dans le cas d'une attaque biologique, l'eau serait l'une des premières choses suspectées. L'air constitue donc sans doute un meilleur vecteur. Dans ce cas, le métro est un excellent moyen pour toucher un grand nombre de personnes à la fois. Pour un terroriste ou un saboteur, l'avantage du réseau souterrain est d'offrir un volume très faible à traiter, car il s'agit d'un milieu fermé ou, plutôt, semi-ouvert. Cela dit, tout le réseau ne se prête pas de manière uniforme à ce genre d'opérations. Il faut choisir les endroits à contaminer. Or nous effectuons quand même une surveillance. Quatre millions de personnes circulent chaque jour dans le métro et nous devons éviter l'entretien ou la propagation de maladies infectieuses. Cela nous entraîne à réaliser un certain nombre de contrôles d'hygiène. Mais on peut toujours imaginer un agent infectieux disons... "spécial", que nos contrôles de routine ne nous permettraient pas de déceler. Nous effectuons des analyses courantes participant d'une recherche pathogène mais nous ne pouvons pas garantir que nous couvrons tout le spectre des maladies que nous sommes susceptibles de rencontrer. »

---

1. Correspondance datée du 1er février 1982.

En fait, ces contrôles consistent en un certain nombre de prélèvements réalisés dans les rames de métro et sur les quais des stations à fort trafic telles que les nœuds de correspondance et les gares. Mais, de l'avis même des responsables de la RATP, l'un des problèmes inhérents à ce genre d'opérations est qu'elles ne peuvent être réalisées partout et en permanence.

« Si je devais monter une action nécessitant l'emploi d'armes biologiques, m'a encore confié M. Flahaut, et si je devais m'attaquer à un métro étranger, je serais d'abord tenté de rechercher un agent ayant un temps de réponse assez lent pour que l'on ne s'aperçoive pas tout de suite des conséquences de mon geste, mais assez court, aussi, pour que l'on n'ait pas le temps d'intervenir. Disons quelques jours... Si le temps est bien calculé, les services d'hygiène du pays victime s'apercevront peut-être de quelque chose mais ils ne pourront pas intervenir. On aura donc pu toucher une population importante. Or, si l'on a bien choisi le lieu de l'attaque, la maladie se répandra d'elle-même à une vitesse foudroyante si elle est de nature épidémique. Je crois qu'il faudrait disséminer l'agent infectieux en même temps dans plusieurs stations très fréquentées et agir de façon discrète en contaminant les supports matériels avec lesquels les gens sont en contact. »

Les « stations très fréquentées » ne sont pas difficiles à choisir. A Paris, il y a les grandes stations d'échange telles que République, Châtelet, Concorde, etc., et les gares. La station Gare-du-Nord, par exemple, voit défiler chaque jour 170 000 personnes. C'est elle qui représente le plus fort niveau de trafic de la région parisienne. Or chacun de ces 170 000 voyageurs serre des dizaines de mains en une journée, ce qui représente autant d'occasions de propagation d'un éventuel agent pathogène...

La menace biologique ne s'est donc pas éteinte en 1972 lors de la mise au point de la Convention sur l'interdiction de fabriquer et de stocker ces armes. La discrétion qui entoure la production d'agents infectieux, son faible coût et le peu de moyens qu'elle nécessite en font plus que jamais un instrument de mort ou de chantage susceptible de séduire les fanatiques et les désespérés. Quand on songe à ce qui s'est passé en Espagne avec la pneumonie atypique ou aux États-Unis avec la maladie du légionnaire, qui étaient pourtant des affections d'origine naturelle, on ne peut que rester perplexe devant les efforts qu'ont dû déployer les médecins pour parvenir à déterminer la nature des agents qui en étaient responsables. En Espagne, il a fallu beaucoup de temps avant d'arriver à isoler l'agent. Pourtant, il y a eu une coopération médicale et scientifique de la part de la France et de la RFA. En période de crise ou de conflit, ces gens seraient vraisemblablement absorbés par d'autres tâches. Les conséquences d'une attaque biologique seraient alors tout à fait dramatiques. Mais ce n'est pas parce qu'une situation comporte des aspects dramatiques qu'elle ne voit pas le jour...

CONCLUSION

*« Ainsi, bien que la pandémie de peste noire du
XIVe siècle ait anéanti la moitié de la population dans
certaines régions d'Europe, l'idée de la disparition de
la moitié des habitants d'une ville dans toute son
ampleur et toutes ses conséquences est aujourd'hui
inconcevable et n'interviendra donc pas dans les
réactions psychologiques de la plupart des gens. »*
Dr Viola W. Bernard, « Conséquences psychosociales »
in *Santé publique et armes chimiques et biologiques*,
OMS, Genève, 1970

Au cours de l'entre-deux-guerres, les nations ont déployé beaucoup
d'efforts pour accroître et moderniser leur capacité de guerre chimique
tant sur le plan offensif que défensif. Mais cette course aux armements
toxiques s'est soldée par un non-lieu car la crainte des représailles a fini
par l'emporter sur toute autre considération. Il est tentant, aujourd'hui,
d'établir un parallèle entre la situation que nous connaissons actuellement
et celle que le monde a traversée jusqu'à la fin de la Seconde Guerre
mondiale. Et de se dire que, demain comme hier, « ils » n'oseront pas.

Je ne puis, bien évidemment, prédire si un pays prendra un jour
l'initiative d'une offensive chimique de grande envergure mais, depuis la
Seconde Guerre mondiale, bien des choses ont changé qui rendent
dangereuse à plus d'un titre toute tentative de comparaison entre l'actuel
réarmement chimique et celui de l'entre-deux-guerres. Ce qui ôte en
premier lieu toute pertinence à une telle comparaison est le peu d'intérêt
que vouaient alors les chefs militaires aux gaz de combat. Aujourd'hui,
comme nous l'avons vu, l'arme chimique et, plus particulièrement, l'arme
binaire est tenue en haute estime par les états-majors. En outre,
l'apparition du nucléaire a doté l'arme chimique d'un nouveau statut. Ça
n'est plus le symbole de toutes les atrocités bellicistes que brandissaient
avec fougue et passion les pacifistes des années 30. Le plus souvent, le

public l'ignore et, dans tous les cas, il en sous-estime les effets. L'arme chimique n'est donc plus *l'arme absolue* mais c'est une arme parfaitement adaptée à la guerre moderne, à la guerre « limitée »... Dépouillée de son caractère symbolique, elle devient un simple « moyen » dont l'utilisation sur le champ de bataille dépend des avantages que l'on peut en attendre. Or ces avantages sont multiples, surtout si l'on songe que cette arme ne s'attaque qu'à la matière vivante sans toucher aux édifices ni au matériel. Il est donc hautement probable qu'on l'emploie si un conflit venait à éclater en Europe sans qu'un accord de désarmement soit intervenu entre-temps.

Par ailleurs, il ne faut pas perdre de vue les immenses possibilités de l'arme biologique. Les progrès dans le domaine des manipulations génétiques permettent de penser que l'on assistera bientôt à l'apparition d'armes biologiques de la seconde génération, c'est-à-dire d'armes plus sélectives et plus maîtrisables que celles existant actuellement. On ne pourra alors plus guère parler d'« armes du pauvre » mais cela ne les rendra pas moins dangereuses, au contraire...

En août 1976, devant l'ONU, le représentant de l'URSS a évoqué de « nouveaux types d'armes de destruction massive » afin de réclamer des négociations qui leur soient spécifiquement adaptées.

« Constituent de nouveaux types d'armes de destruction massive, a-t-il expliqué, les armes fondées sur des principes d'action qualitative-ment nouveaux et dont l'efficacité peut être comparable ou supérieure à celle des types traditionnels d'armes de destruction massive. »

Et de citer en exemple les *armes infra-sonores,* qui utilisent des rayonnements acoustiques pour endommager les organes intérieurs de l'homme, les *armes stérilisantes,* qui visent à endommager le système génital de l'homme et entraîner l'extinction progressive d'une race du fait de la stérilisation et, enfin, les *armes ethniques* qui pourraient bien constituer ces armes biologiques de la seconde génération que nous venons d'évoquer. Car une arme ethnique fait appel à différents agents pathogènes pour attaquer sélectivement certains groupes ethniques d'une population. Il s'agit donc, en fin de compte, d'armes biologiques ultra-sélectives aux effets encore plus maîtrisables que ceux d'une arme classique.

Les armes biologiques de la seconde génération ne relèvent donc pas de la science-fiction. Pourtant, il n'existe pas encore de système réellement efficace d'alerte et de détection rapide pour parer à une attaque microbienne, quelle qu'elle soit. En cas d'offensive biologique, même utilisant des agents de la « première génération », les civils seraient totalement vulnérables et les mouvements de panique et les comporte-ments irrationnels viendraient encore aggraver les effets d'une telle agression. Les services médicaux seraient débordés et cela ne ferait qu'accroître la désorganisation générale.

On rencontre cependant une certaine réticence plus ou moins

inconsciente de la part des stratèges et des responsables de la protection civile à envisager jusqu'au bout les conséquences de l'emploi de ces armes, même sur le mode défensif. Peut-être, précisément, parce que ces conséquences sont « inimaginables », au propre comme au figuré. Puissent-elles le rester suffisamment pour que personne, jamais, ne prenne l'initiative de les employer.

« Je ne suis pas pessimiste, aurait dit Pasteur; un jour viendra où la guerre tuera la guerre grâce au progrès scientifique permettant des dévastations si considérables que tout conflit deviendra impossible. »

Gaston Bouthoul, fondateur de la *polémologie*, ne partageait pas ce point de vue. « Jusqu'à aujourd'hui, écrivait-il[1], l'expérience a toujours démenti cette prédiction. Aussitôt l'effet de surprise passé, les hommes se sont toujours familiarisés avec les armes nouvelles et ils ont toujours inventé des parades qui, si elles ne les protègent pas entièrement, les rassurent suffisamment. »

Qui, de Pasteur ou de Bouthoul, avait raison ? Les années qui viennent nous le diront... peut-être.

---

1. In *Traité de polémologie*, Payot, Paris, 1970.

ANNEXE

LES GRANDES DATES DE LA GUERRE CHIMIQUE ET BIOLOGIQUE

600 av. J-C	Solon l'Athénien jette des racines d'ellébore dans les eaux du Pleistos.
1155	Frédéric Barberousse s'empare de la ville de Tortona en contaminant ses réserves d'eau.
1343	Des Tartares lancent des cadavres de pestiférés par-dessus des murs de la cité de Caffa. C'est le début de la Grande Peste.
1868	Déclaration de Saint-Pétersbourg.
1874	Déclaration de la conférence de Bruxelles.
1899	Conférence de la paix de La Haye.
1907	Convention de Genève.
1915 (22 avril)	Première attaque des troupes alliées par les gaz entre Langemarck et Bixschotte.
1916 (novembre)	Premier emploi du phosgène.
1917 (11 juillet)	Premier emploi du gaz moutarde près d'Ypres, ce qui lui vaut le nom d'ypérite.
1922	Signature du traité (ou pacte) de Washington.
1925 (juin)	Adoption du Protocole de Genève.
1935 (décembre)	Les Italiens emploient l'arme chimique en Ethiopie.
1936	Le chimiste allemand Schrader met au point le premier neurotoxique : le tabun.
1937	Les Japonais emploient l'arme chimique en Chine. Cela durera jusqu'en 1943.
1942	Les Allemands entreprennent la production de neurotoxiques à l'échelle industrielle.
1943	Découverte du LSD en Suisse. Début du programme de guerre biologique américain.

1945	Les Soviétiques s'emparent des usines allemandes de fabrication des neurotoxiques.
1949 (décembre)	Procès de Khabarovsk.
1950	Début des tests de vulnérabilité biologiques américains en « grandeur réelle ».
1951-1952 (hiver)	Les Américains sont accusés d'employer l'arme biologique en Corée.
1954	Les Américains commencent la production de neurotoxiques à l'échelle industrielle.
1961	Premiers emplois des défoliants au Vietnam.
1963 (juin)	Premières allégations d'emploi de l'arme chimique au Yémen. Il y en aura d'autres jusqu'en juillet 1967.
1964	Débuts officiels de l'engagement américain au Vietnam : premiers emplois des lacrymogènes dans ce conflit.
1965 (mars)	Les Américains emploient de nouveaux gaz de combat contre le Vietcong.
1969 (juillet)	Publication du rapport de l'ONU sur *les armes chimiques et bactériologiques (biologiques) et les effets de leur utilisation éventuelle.*
1969 (novembre)	Les États-Unis renoncent aux armes biologiques.
1970	Publication du rapport de l'OMS *Santé publique et armes chimiques et biologiques.* Washington décide de « suspendre » l'emploi des défoliants au Vietnam. Les Portugais usent de défoliants et de stérilisants du sol en Angola.
1971	La CIA déclenche une épidémie de grippe porcine à Cuba. La guerre chimique portugaise gagne la Guinée Bissau.
1972	Des mercenaires œuvrant pour le Portugal emploient des défoliants au Mozambique.
1972 (avril)	Adoption de la Convention interdisant la fabrication et le stockage des armes biologiques ou à toxines.
1972 (juin)	Vote de la loi française sur l'interdiction de la fabrication et du stockage des armes biologiques ou à toxines.
1975 (22 janvier)	Les États-Unis ratifient le protocole de Genève

1976	Début des négociations bilatérales entre Russes et Américains pour aboutir à un accord de désarmement chimique.
	Premières allégations d'emploi de l'arme chimique au Laos.
1978	Premières allégations d'emploi de l'arme chimique au Cambodge.
1979	Premières allégations d'emploi de l'arme chimique en Afghanistan.
1979 (avril)	Épidémie de Sverdlovsk.
1980 (février)	Les États-Unis « suspendent » leurs négociations bilatérales avec l'URSS entreprises en 1976.
1980 (août)	Les États-Unis présentent devant l'ONU un rapport censé prouver l'utilisation d'armes chimiques en Asie du Sud-Est et en Afghanistan.
1980 (décembre)	L'ONU décide la création d'une commission d'enquête sur les faits allégués par les Américains.
1981 (août)	Des experts américains décèlent la présence de mycotoxines mortelles sur des échantillons végétaux prélevés en Asie du Sud-Est.
1981 (novembre)	Les experts de l'ONU rendent leur rapport. Leurs conclusions sont très prudentes.
	A la suite d'un rapport du Sénat, la France décide d'instituer des régiments de protection contre la menace chimique dans chacune des trois armes.
1982 (janvier)	Les Américains déclarent qu'il leur paraît « souhaitable » de stocker des armes chimiques à l'extérieur de leur territoire.
1982 (février)	Ronald Reagan annonce que les États-Unis vont reprendre leur production d'armes chimiques, en sommeil depuis près de treize ans.
1982 (juin)	M. Gromyko déclare que l'URSS accepte une procédure de vérification et d'inspection sur place des faits qui leur sont reprochés en Asie du Sud-Est et en Afghanistan.
1984	Le gouvernement de la RFA doit impérativement s'être décidé pour savoir s'il accepte ou non d'abriter des armes binaires américaines sur son territoire.
1985	?...

BIBLIOGRAPHIE SELECTIVE

1 — LIVRES :

Applegate Rex Col. : *Riot control : material and techniques*, Paladin Press, Boulder, Colorado, USA & Arms & Armour Press, London & Melbourne, 1981.

Borkin Joseph : *L'I.G. Farben*, coll. « Thèmes et témoignages », éd. Alta, Paris, 1979.

Calder Nigel (collectif dirigé par) : *Les armements modernes*, Flammarion, Paris, 1970.

Clarke Robin : *La guerre biologique est-elle pour demain ?*, Fayard, Paris, 1972.

Collectif : *Massacres, guerre chimique en Asie du Sud-Est*, coll. « Cahiers libres », François Maspero, Paris, 1970.

Collectif : *Survivre à Seveso*, François Maspero/Presses Universitaires de Grenoble, 1977.

E.V.E. : *La puissance militaire soviétique*, Elsevier, Bruxelles, 1971.

Frailé Ricardo : *L'effectivité des normes prohibitives en matière de droit de la guerre et de désarmement. Étude de la question des armes biologiques et chimiques*. Thèse pour le doctorat d'État en droit présentée et soutenue publiquement le 13 janvier 1981 à l'université de Paris-Sud, faculté de droit de Sceaux.

Frailé Ricardo : *La guerre biologique et chimique : le sort d'une interdiction*, Economica, Paris, 1982.

Fuller, J.F.C. : *La conduite de la guerre*, Payot, Paris, 1963.

Haig Alexander : *Chemical warfare in Southeast Asia and Afghanistan*, US Department of State, Washington, 1982.

Institut international d'études stratégiques (ouvrage collectif) : *Situation stratégique mondiale 1981*, coll. « Stratégies », Bibliothèque Berger-Levrault, Paris, 1982.

Junod Dr Marcel : *Le troisième combattant*, Payot, Paris, 1963.

Le Hénaff Yves : *Les armes de destruction massive et leur développement en France*, sans mention d'éditeur, 1978.

OMS (rapport collectif) : *Santé publique et armes chimiques et biologiques*, Organisation mondiale de la Santé, Genève, 1970.

OMS (rapport collectif) : *L'éradication mondiale de la variole*, Organisation mondiale de la Santé, Genève, 1980.

ONU (rapport collectif) : *Les armes chimiques et bactériologiques (biologiques) et les effets de leur utilisation éventuelle*, publication des Nations Unies, New York, 1969.

De Plaen Étienne : *Les armements chimiques et biologiques*, dossier « Notes et Documents » du GRIP n° 17, Bruxelles, 1980.

R.U.S.I. : *International weapon developments*, Brassey's publishers Ltd., 1980.

Sakka Dr Michel : *Vietnam : la guerre chimique et biologique : un peuple sert de champ d'expérience*, éd. Sociales, Paris, 1967.

SIPRI (ouvrage collectif) : *The problem of chemical and biological warfare*, 6 vol. :

Vol. 1 : *The rise of CB weapons*, 1971;

Vol. 2 : *CB weapons today*, 1973;

Vol. 3 : *CBW and the law of war*, 1974;

Vol. 4 : *CB disarmament negociations 1920-1970*, 1971;

Vol. 5 : *The prevention of CBW*, 1971;

Vol. 6 : *Technical aspects of early warning and verification*, 1974;

Almqvist & Wiksell, Stockholm, 1971-1974.

SIPRI (ouvrage collectif) : *Chemical disarmament : new weapons for old*, Almqvist & Wiksell International, Stockholm, 1975.

SIPRI (ouvrage collectif) : *Deleyed toxic effects of chemical warfare agents*, Almqvist & Wiksell International, Stockholm & New York, 1975.

SIPRI (ouvrage collectif) : *Ecological consequences of the Second Indochina War*, Almqvist & Wiksell, Stockholm, 1976.

SIPRI (ouvrage collectif) : *Medical protection against chemical warfare agents*, Almqvist & Wiksell, Stockholm, 1976.

SIPRI (ouvrage collectif) : *Weapons of mass destruction and the environment*, Taylor & Francis Ltd., Londres, 1977.

SIPRI (ouvrage collectif) : *Chemical weapons : destruction and conversion*, Taylor & Francis Ltd. Londres, 1980.

US Veteran Administration : *Review of literature on herbicides*, 2 vol., United States Government Publications, 1981.

Yost David S. (collectif dirigé par) : *NATO's strategic options : arms control and defense*, Pergamon Press, 1981.

2 — ARTICLES :

Anonyme : « Todeswolken über Europa », *Der Spiegel*, 22 février 1982.

Crocq L. : « Guerre NBC et panique collective », *Revue des corps de santé des armées*, n° 4, 1970.

Dick C.J. : « Moyens soviétiques de guerre chimique », *Revue Internationale de Défense*, janvier 1981.

Ferrara Jean : « Les armes chimiques : une force de frappe insoupçonnée », *Science et Vie*, n° 777, juin 1982.

Fleischmann K. : « La guerre chimique et biologique », *Connaissance de l'Histoire*, n° 42, janvier 1982.

Frailé Ricardo : « Interdire les armes biologiques ? » *Le Monde diplomatique*, juin 1980.

Gedilaghine Hélène : « Des morts étranges au cœur de l'URSS », *Science et Vie*, n° 753, juin 1980.

Gelb Leslie H. : « Keeping an eye on Russia », *New York Times* du 29 novembre 1981.

Meselson Matthew & Robinson Julian P. : « La guerre chimique et le désarmement », *Pour la Science*, n° 32, juin 1980.

Ricaud Pierre : « Les armes chimiques et biologiques », *Encyclopaedia Universalis*.

Ricaud Pierre : « Les gaz de combat », *Encyclopédie internationale des sciences et des techniques*.

Robinson Julian Perry : « Chemical weapons and Europe », *Survival*, janvier/février 1982.

Cet ouvrage a été composé par EUROCOMposition S.A. Paris
et imprimé par la S.E.P.C. à Saint-Amand-Montrond (Cher)
pour le compte des éditions Belfond

Achevé d'imprimer le 15 octobre 1982

Dépôt légal : octobre 1982.
N° d'Édition : 518. N° d'Impression : 1536.
Imprimé en France